#사회는매일매일
#하루6쪽20일완성
#수능준비스타트
#사회기초하루시리즈

하루 수능

Chunjae Makes Chunjae

편집개발 편집부
디자인총괄 김희정
표지디자인 윤순미, 김지현
내지디자인 박희춘, 조유정
제작 황성진, 조규영

발행일 2021년 3월 1일 초판 2021년 3월 1일 1쇄
발행인 (주)천재교육
주소 서울시 금천구 가산로9길 54
신고번호 제2001-000018호
고객센터 1577-0902
교재 내용문의 (02)3282-1753

※ 정답 분실 시에는 천재교육 홈페이지에서 내려받으세요.

시 작 은

하루 수능

사탐영역

사회·문화 기초

이 책의 **구성과 특징**

처음으로 수능 사회·문화와 만날 준비를 하고 있나요?

그렇다면 〈시작은 하루 수능 사회·문화〉가 수능에 다가가는 친절한 안내서가 되어 줄게요.
수능에 꼭 나오는 빈출 키워드를 중심으로 차근차근 수능 사회·문화를 준비해 보아요.

이번 주에는 무엇을 공부할까? ❶, ❷

❶에서는 만화를 통해 한 주 동안 공부할 내용을 알아보고, ❷에서는 한 주 동안 공부할 사회·문화 빈출 키워드를 정리해 봅니다.

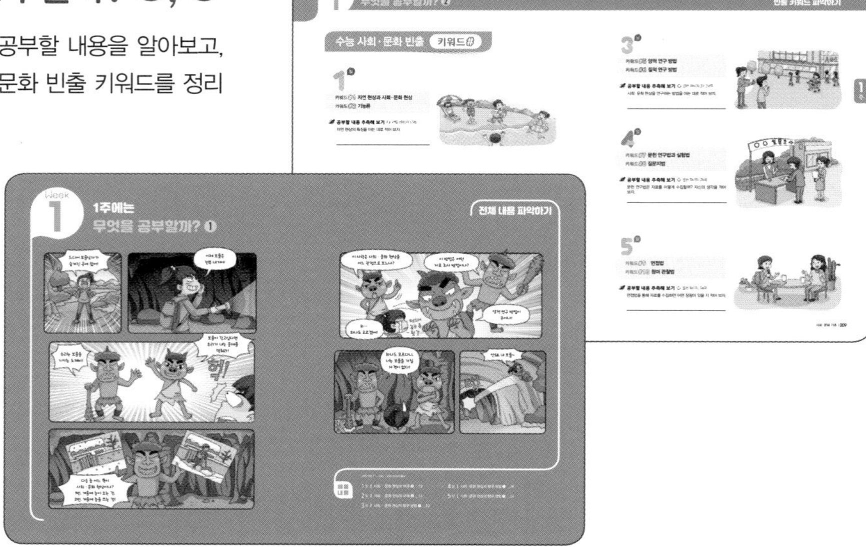

개념 확인

하루에 2개의 빈출 키워드를 공부합니다. 삽화와 내용 정리를 통해 빈출 키워드의 핵심 개념을 파악한 후, 개념 확인 문제를 풀며 공부한 내용을 점검합니다.

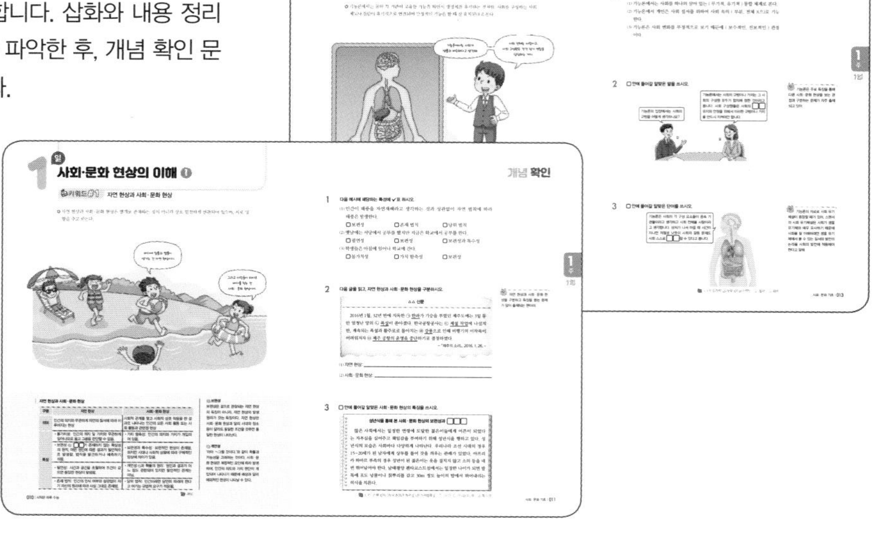

3 기초 유형 연습

수능, 평가원, 교육청 기출 문제 중 꼭 나오는 기초 문제들로 구성하였습니다. 문제를 풀며 수능 실전 감각을 익혀 보세요.

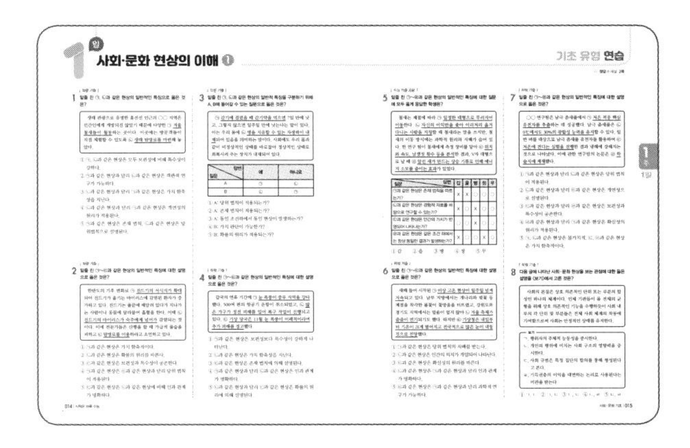

4 누구나 100점 테스트

한 주 동안 공부한 내용을 다시 한 번 점검하는 문제입니다. 꾸준히 공부했다면 충분히 풀 수 있으니 100점에 도전해 보세요.

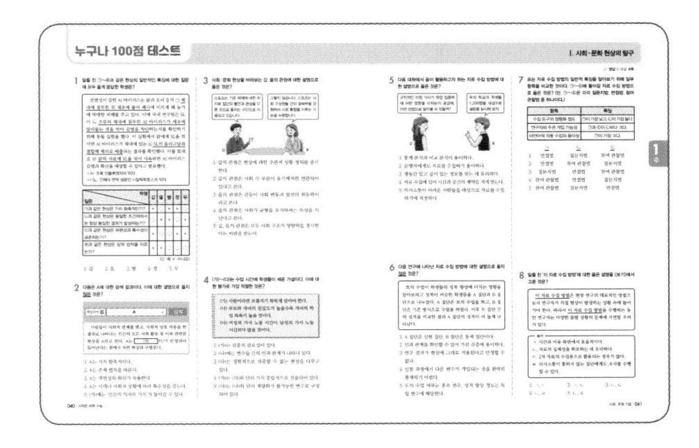

5 창의 · 융합 · 코딩

한 주 동안 공부한 내용을 도표로 한눈에 정리해 보고, 기출 문제에 자주 나오는 자료들만 모아 꼼꼼히 분석해 봅니다.

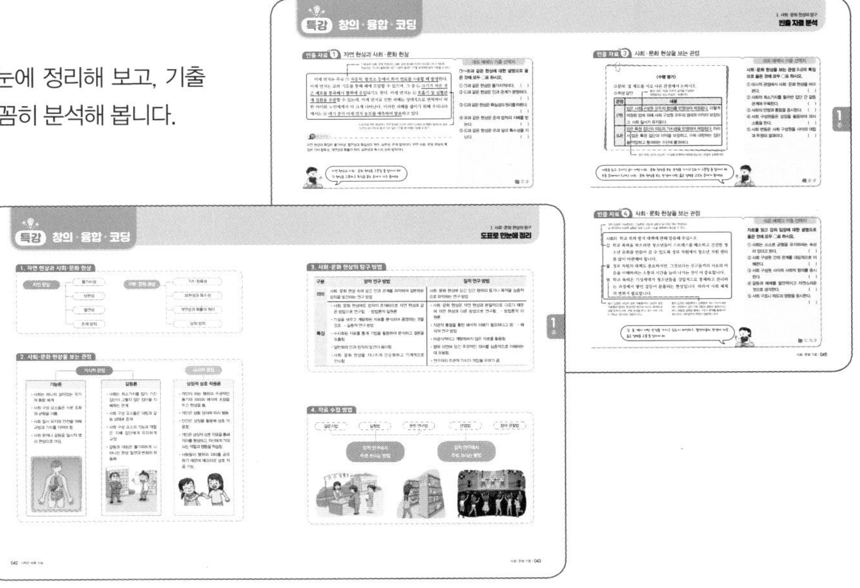

이 책의 차례

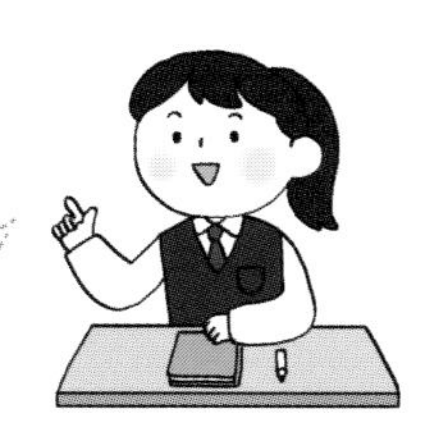
<시작은 하루 수능
사회·문화>의 차례를
확인하세요!

Week

Week

Contents

Week

[관련 단원] Ⅱ. 개인과 사회 구조 ~ Ⅲ. 문화와 일상생활

Week

[관련 단원] Ⅲ. 문화와 일상생활 ~ Ⅴ. 현대의 사회 변동

Week 1

1주에는 무엇을 공부할까? ❶

전체 내용 파악하기

[관련 단원] Ⅰ. 사회 · 문화 현상의 탐구

배울 내용

Week 1

1주에는 무엇을 공부할까? ②

수능 사회·문화 빈출 키워드#

1일

키워드#1 자연 현상과 사회·문화 현상
키워드#2 기능론

공부할 내용 추측해 보기 관련 페이지 10쪽
자연 현상의 특징을 아는 대로 적어 보자.

2일

키워드#3 갈등론
키워드#4 상징적 상호 작용론

공부할 내용 추측해 보기 관련 페이지 12, 16, 18쪽
사회·문화 현상을 보는 관점의 종류를 아는 대로 적어 보자.

3일

키워드 #5 양적 연구 방법

키워드 #6 질적 연구 방법

공부할 내용 추측해 보기 관련 페이지 22, 24쪽

사회·문화 현상을 연구하는 방법을 아는 대로 적어 보자.

키워드 #7 문헌 연구법과 실험법

키워드 #8 질문지법

공부할 내용 추측해 보기 관련 페이지 28쪽

문헌 연구법은 자료를 어떻게 수집할까? 자신의 생각을 적어 보자.

5일

키워드 #9 면접법

키워드 #10 참여 관찰법

공부할 내용 추측해 보기 관련 페이지 34쪽

면접법을 통해 자료를 수집하면 어떤 장점이 있을 지 적어 보자.

사회·문화 현상의 이해 ①

키워드 #1 자연 현상과 사회·문화 현상

- 자연 현상과 사회·문화 현상은 별개로 존재하는 것이 아니라 상호 밀접하게 연관되어 있으며, 서로 영향을 주고 받는다.

1 자연 현상과 사회·문화 현상

구분	자연 현상	사회·문화 현상
의미	인간의 의지와 무관하게 자연의 질서에 따라 이루어지는 현상	사회적 관계를 맺고 사회적 상호 작용을 한 결과로 나타나는 인간의 모든 사회 활동 또는 사회 활동과 관련된 현상
특징	• 몰가치성: 인간의 의지 및 가치와 무관하게 일어나므로 옳고 그름을 판단할 수 없음.	• 가치 함축성: 인간의 의지와 가치가 개입되어 있음.
	• 보편성 ❶: □□가 존재하지 않는 확실성의 원칙. 어떤 원인에 따른 결과가 필연적으로 발생함. 법칙을 발견하거나 예측하기 쉬움.	• 보편성과 특수성: 보편적인 현상이 존재함. 하지만 시대나 사회적 상황에 따라 구체적인 양상에 차이가 있음.
	• 필연성: 시간과 공간을 초월하여 조건이 같으면 동일한 현상이 발생함.	• 개연성 ❷과 확률의 원리: 원인과 결과가 어느 정도 관련되어 있지만 필연적인 관계는 아님.
	• 존재 법칙: 인간의 인식 여부와 상관없이 자기 자신의 원리에 따라 사실 그대로 존재함.	• 당위 법칙: 인간이라면 당연히 따라야 한다고 여기는 규범적 요구가 적용됨.

답 예외

❶ **보편성**
보편성은 겉으로 관찰되는 자연 현상의 특징이 아니라, 자연 현상의 발생 원리가 갖는 특징이다. 자연 현상은 사회·문화 현상과 달리 시대와 장소 등이 달라도 동일한 조건을 갖추면 동일한 현상이 나타난다.

❷ **개연성**
'아마 ~그럴 것이다.'와 같이 확률과 가능성을 고려하는 것이다. 사회·문화 현상은 복합적인 요인에 따라 발생하며, 인간의 의도와 가치 판단이 개입되어 나타나기 때문에 예상과 달리 예외적인 현상이 나타날 수 있다.

개념 확인

1 **다음 예시에 해당하는 특성에 ✓표 하시오.**

(1) 인간이 태풍을 자연재해라고 생각하는 것과 상관없이 자연 법칙에 따라 태풍은 발생한다.

□ 보편성 □ 존재 법칙 □ 당위 법칙

(2) 옛날에는 서당에서 공부를 했지만 지금은 학교에서 공부를 한다.

□ 필연성 □ 보편성 □ 보편성과 특수성

(3) 학생들은 아침에 일어나 학교에 간다.

□ 몰가치성 □ 가치 함축성 □ 보편성

1 주

1일

2 **다음 글을 읽고, 자연 현상과 사회·문화 현상을 구분하시오.**

△△ 신문

2016년 1월, 32년 만에 지독한 ㉠ 한파가 기승을 부렸던 제주도에는 3일 동안 엄청난 양의 ㉡ 폭설이 쏟아졌다. 한국공항공사는 ㉢ 제설 작업에 나섰지만, 계속되는 폭설과 활주로로 몰아치는 ㉣ 강풍으로 인해 비행기의 이착륙이 어려워지자 ㉤ 제주 공항의 운영을 중단하기로 결정하였다.

– 『제주의 소리』, 2016. 1. 26. –

(1) 자연 현상: ______

(2) 사회·문화 현상: ______

자연 현상과 사회·문화 현상을 구분하고 특징을 묻는 문제가 많이 출제되는 편이야.

3 **□ 안에 들어갈 알맞은 사회·문화 현상의 특징을 쓰시오.**

성년식을 통해 본 사회·문화 현상의 보편성과 □□□

많은 사회에서는 일정한 연령에 도달한 젊은이들에게 어른이 되었다는 자부심을 심어주고 책임감을 부여하기 위해 성년식을 행하고 있다. 성년식의 모습은 사회마다 다양하게 나타난다. 우리나라 조선 시대의 경우 15~20세가 된 남자에게 상투를 틀어 갓을 씌우는 관례가 있었다. 아프리카 하마르 부족의 경우 성년이 된 젊은이는 옷을 걸치지 않고 소의 등을 네 번 뛰어넘어야 한다. 남태평양 펜타코스트섬에서는 일정한 나이가 되면 발목에 포도 넝쿨이나 칡뿌리를 감고 30m 정도 높이의 탑에서 뛰어내리는 의식을 치른다.

답 1. (1) 존재 법칙 (2) 보편성과 특수성 (3) 가치 함축성 2. (1) ㉠, ㉡, ㉣ (2) ㉢, ㉤ 3. 특수성

1일 사회·문화 현상의 이해 ①

키워드 #2 기능론

◯ 기능론에서는 몸의 각 기관이 고유한 기능을 하면서 생명체를 유지하는 것처럼, 사회를 구성하는 사회 제도나 집단이 유기적으로 연결되어 안정적인 기능을 할 때 잘 유지된다고 본다.

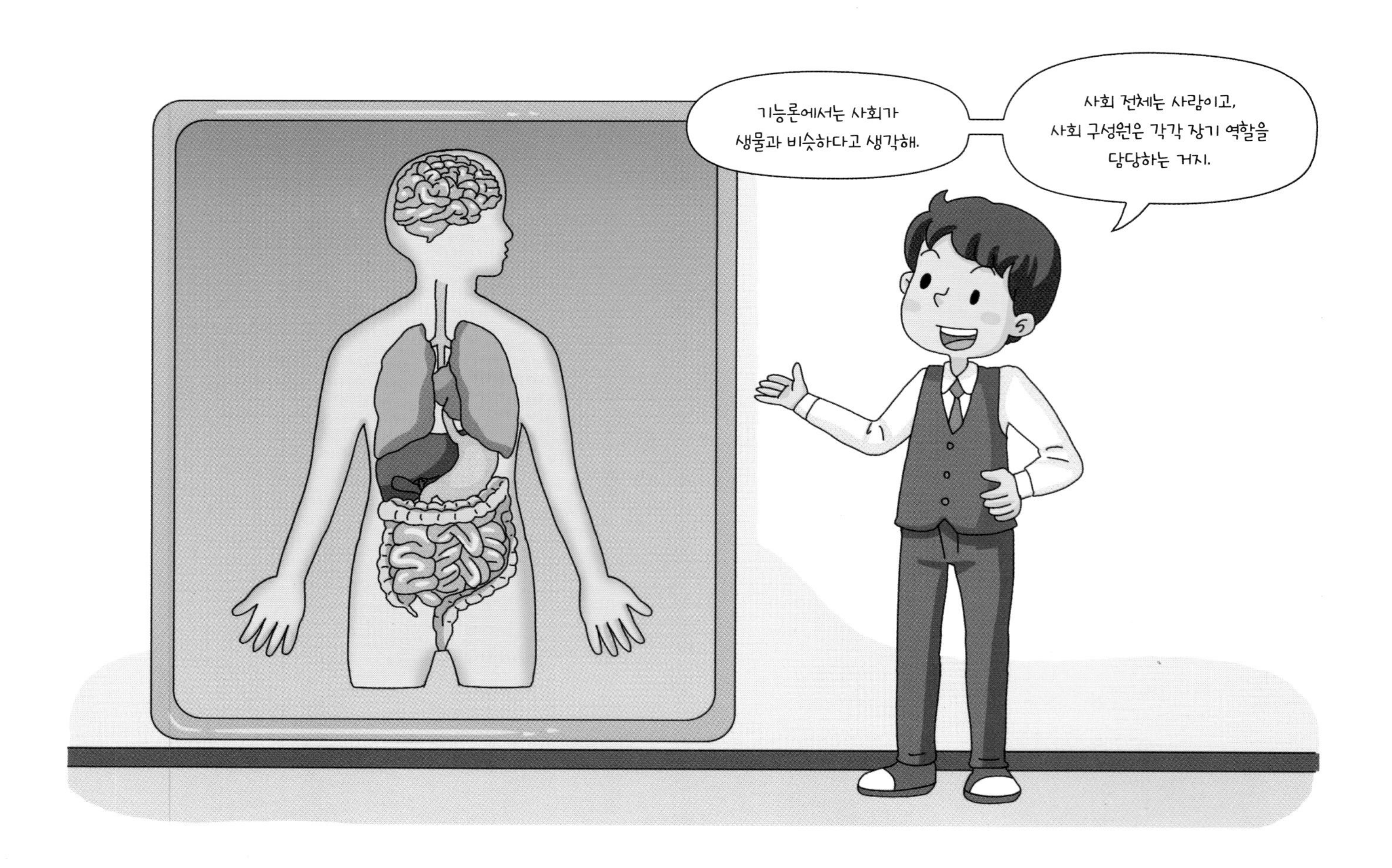

기능론에서는 사회가 생물과 비슷하다고 생각해.
사회 전체는 사람이고, 사회 구성원은 각각 장기 역할을 담당하는 거지.

1 기능론

기본 입장	• 사회를 하나의 살아 있는 유기적❶ 통합 체계로 봄. • 사회의 구성 요소들은 서로 조화와 균형을 이룸. • 사회의 □□와/과 가치는 구성원 간 합의된 것으로, 사회 질서 유지와 안정을 위해 지켜야 함. • 개인은 사회 질서를 위하여 사회 속의 한 부분으로서 기능을 담당함. • 사회 문제나 갈등을 일시적인 병리 현상으로 여김. → 사회의 각 구성 요소가 주어진 역할을 제대로 수행하지 못하면 사회 문제나 갈등이 발생하고, 원래의 기능을 회복하면 안정을 이룸.
장점	사회 질서와 통합이 나타나는 사회·문화 현상을 설명하기에 적합함.
한계	• 사회 갈등이나 변동의 중요성을 간과함. • 급격한 사회 □□을/를 설명하기 어려움. • 사회 변화를 부정적으로 보기 때문에 기존 질서나 권력 관계의 유지에 이바지하는 보수적 관점임.

❶ 유기적
전체를 구성하고 있는 각 부분이 서로 밀접한 관련을 가지고 있어서 떼어 낼 수 없는 것을 말한다.

답 규범, 변동

개념 확인

1 **괄호 안의 내용 중 옳은 것에 ○표 하시오.**

(1) 기능론에서는 사회를 하나의 살아 있는 (무기적, 유기적) 통합 체계로 본다.

(2) 기능론에서 개인은 사회 질서를 위하여 사회 속의 (부분, 전체)(으)로 기능한다.

(3) 기능론은 사회 변화를 부정적으로 보기 때문에 (보수적인, 진보적인) 관점이다.

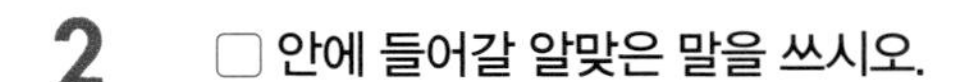

2 **□ 안에 들어갈 알맞은 말을 쓰시오.**

기능론의 입장에서는 사회의 규범을 어떻게 생각하나요?
기능론에서는 사회의 규범이나 가치는 그 사회의 구성원 모두가 합의해 정한 것이라고 봅니다. 사회 구성원들은 사회의 □□ 유지와 안정을 위해서 이러한 규범이나 가치를 반드시 지켜야만 합니다.
갑
을

기능론은 주로 특징을 통해 다른 사회·문화 현상을 보는 관점과 구분하는 문제가 자주 출제되고 있어.

3 **□ 안에 들어갈 알맞은 단어를 쓰시오.**

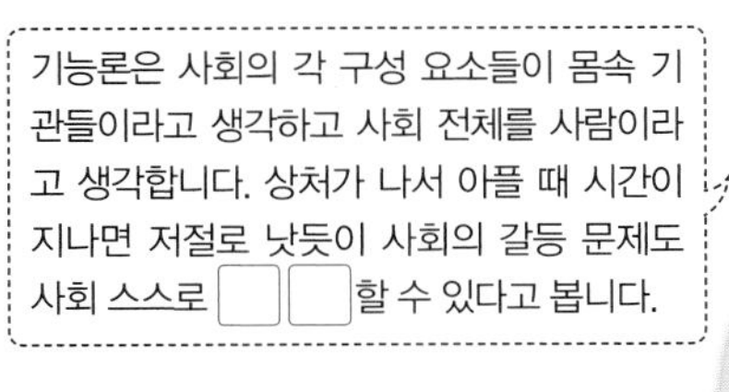

기능론은 사회의 각 구성 요소들이 몸속 기관들이라고 생각하고 사회 전체를 사람이라고 생각합니다. 상처가 나서 아플 때 시간이 지나면 저절로 낫듯이 사회의 갈등 문제도 사회 스스로 □□할 수 있다고 봅니다.

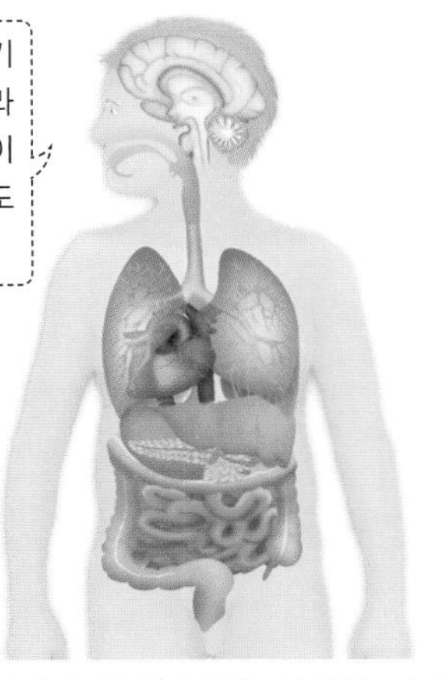

기능론의 자료로 사회 유기체설이 등장할 때가 있어. 스펜서의 사회 유기체설은 사회가 생물 유기체와 매우 유사하기 때문에 사회를 잘 이해하려면 생물 유기체에서 볼 수 있는 질서와 발전의 논리를 사회의 발전에 적용해야 한다고 말해.

답 1. (1) 유기적 (2) 부분 (3) 보수적인 2. 질서 3. 회복

사회·문화 현상의 이해 ❶

| 학평 기출 |

1 밑줄 친 ㉠, ㉡과 같은 현상의 일반적인 특징으로 옳은 것은?

> 생태 관광으로 유명한 휴전선 인근의 ○○ 지역은 민간인에게 개방되지 않았기 때문에 다양한 ㉠ 겨울 철새들이 월동하는 곳이다. 이곳에는 방문객들이 직접 체험할 수 있도록 ㉡ 생태 탐방로를 마련해 놓았다.

① ㉠, ㉡과 같은 현상은 모두 보편성에 비해 특수성이 강하다.
② ㉠과 같은 현상과 달리 ㉡과 같은 현상은 객관적 연구가 가능하다.
③ ㉡과 같은 현상과 달리 ㉠과 같은 현상은 가치 함축성을 지닌다.
④ ㉡과 같은 현상과 달리 ㉠과 같은 현상은 개연성의 원리가 적용된다.
⑤ ㉠과 같은 현상은 존재 법칙, ㉡과 같은 현상은 당위 법칙으로 설명된다.

| 학평 기출 |

2 밑줄 친 ㉠~㉢과 같은 현상의 일반적인 특징에 대한 설명으로 옳은 것은?

> 한반도의 기후 변화로 ㉠ 진드기의 서식지가 확대되어 진드기가 옮기는 바이러스에 감염된 환자가 증가하고 있다. 진드기는 풀끝에 매달려 있다가 지나가는 사람이나 동물에 달라붙어 흡혈을 한다. 이때 ㉡ 진드기의 바이러스가 숙주에게 넘어가 감염되는 것이다. 이에 전문가들은 산행을 할 때 가급적 풀숲을 피하고 ㉢ 탐방로를 이용하라고 조언하고 있다.

① ㉠과 같은 현상은 가치 함축적이다.
② ㉡과 같은 현상은 확률의 원리를 따른다.
③ ㉢과 같은 현상은 보편성과 특수성이 공존한다.
④ ㉠과 같은 현상은 ㉢과 같은 현상과 달리 당위 법칙이 적용된다.
⑤ ㉢과 같은 현상은 ㉡과 같은 현상에 비해 인과 관계가 명확하다.

| 모평 기출 |

3 밑줄 친 ㉠, ㉡과 같은 현상의 일반적 특징을 구분하기 위해 A, B에 들어갈 수 있는 질문으로 옳은 것은?

> ㉠ 감기에 걸렸을 때 감기약을 먹으면 7일 만에 낫고, 그렇지 않으면 일주일 만에 낫는다는 말이 있다. 이는 우리 몸에 ㉡ 병을 치유할 수 있는 자생력이 내재되어 있음을 의미하는 말이다. 사회에도 우리 몸과 같이 비정상적인 상태를 바로잡아 정상적인 상태로 회복시켜 주는 장치가 내재되어 있다.

질문 \ 답변	예	아니요
A	㉠	㉡
B	㉡	㉠

① A: 당위 법칙이 적용되는가?
② A: 존재 법칙이 적용되는가?
③ A: 동일 조건하에서 동일 현상이 발생하는가?
④ B: 가치 판단이 가능한가?
⑤ B: 확률의 원리가 적용되는가?

| 학평 기출 |

4 밑줄 친 ㉠~㉢과 같은 현상의 일반적인 특징에 대한 설명으로 옳은 것은?

> 갑국의 연휴 기간에 ㉠ 눈 폭풍이 중부 지역을 강타했다. 500여 편의 항공기 운항이 취소되었고, ㉡ 많은 가구가 정전 피해를 입어 복구 작업이 진행되고 있다. ㉢ 기상 당국은 11월 눈 폭풍이 이례적이라며 추가 피해를 경고했다.

① ㉠과 같은 현상은 보편성보다 특수성이 강하게 나타난다.
② ㉡과 같은 현상은 가치 함축성을 지닌다.
③ ㉢과 같은 현상은 존재 법칙에 의해 설명된다.
④ ㉠과 같은 현상과 달리 ㉡과 같은 현상은 인과 관계가 명확하다.
⑤ ㉡과 같은 현상과 달리 ㉢과 같은 현상은 확률의 원리에 의해 설명된다.

정답과 해설 2쪽

| 수능 기출 응용 |

5 밑줄 친 ㉠~㉣과 같은 현상의 일반적인 특징에 대한 질문에 모두 옳게 응답한 학생은?

> 철새는 계절에 따라 ㉠ 일정한 대형으로 무리지어 이동한다. ㉡ 자신의 이익만을 좇아 이리저리 옮겨 다니는 사람을 지칭할 때 철새라는 말을 쓰지만, 철새의 이동 방식에는 과학적 원리와 지혜가 숨어 있다. 한 연구 팀이 철새에게 측정 장비를 달아 ㉢ 위치와 속도, 날갯짓 횟수 등을 분석한 결과, V자 대형으로 날 때 ㉣ 앞선 새가 만드는 상승 기류로 인해 에너지 소모를 줄이는 효과가 있었다.

질문 \ 답변	갑	을	병	정	무
㉠과 같은 현상은 존재 법칙을 따르는가?	X	X	○	○	○
㉡과 같은 현상은 경험적 자료를 바탕으로 연구할 수 있는가?	X	○	X	○	○
㉢과 같은 현상은 인간의 가치가 반영되어 나타나는가?	○	○	X	○	○
㉣과 같은 현상은 같은 조건 하에서는 항상 동일한 결과가 발생하는가?	X	○	○	X	○

① 갑 ② 을 ③ 병 ④ 정 ⑤ 무

| 학평 기출 |

6 밑줄 친 ㉠~㉢과 같은 현상의 일반적인 특징에 대한 설명으로 옳은 것은?

> 새해 들어 시작된 ㉠ 이상 고온 현상이 일주일 넘게 지속되고 있다. 남부 지방에서는 개나리와 벚꽃 등 계절을 착각한 봄꽃이 꽃망울을 터뜨렸고, 강원도와 경기도 지역에서는 얼음이 얼지 않아 ㉡ 겨울 축제가 줄줄이 연기되기도 했다. 하지만 ㉢ 기상청은 내일부터 기온이 크게 떨어지고 전국적으로 많은 눈이 내릴 것으로 전망했다.

① ㉠과 같은 현상은 당위 법칙의 지배를 받는다.
② ㉡과 같은 현상은 인간의 의지가 개입되어 나타난다.
③ ㉢과 같은 현상은 확실성의 원리를 따른다.
④ ㉡과 같은 현상은 ㉠과 같은 현상과 달리 인과 관계가 명확하다.
⑤ ㉢과 같은 현상은 ㉠과 같은 현상과 달리 과학적 연구가 가능하다.

| 학평 기출 |

7 밑줄 친 ㉠~㉣과 같은 현상의 일반적인 특징에 대한 설명으로 옳은 것은?

> ○○ 연구팀은 남극 좀새풀에서 ㉠ 저온 적응 핵심 유전자를 추출하는 데 성공했다. 남극 좀새풀은 ㉡ 0℃에서도 30%의 광합성 능력을 유지할 수 있다. 일반 벼를 대상으로 남극 좀새풀 유전자를 활용하여 ㉢ 저온에 견디는 실험을 진행한 결과 냉해에 강해지는 것으로 나타났다. 이에 관한 연구팀의 논문은 ㉣ 학술지에 게재됐다.

① ㉠과 같은 현상과 달리 ㉡과 같은 현상은 당위 법칙이 적용된다.
② ㉡과 같은 현상과 달리 ㉢과 같은 현상은 개연성으로 설명된다.
③ ㉢과 같은 현상과 달리 ㉣과 같은 현상은 보편성과 특수성이 공존한다.
④ ㉣과 같은 현상과 달리 ㉠과 같은 현상은 확실성의 원리가 적용된다.
⑤ ㉠, ㉡과 같은 현상은 몰가치적, ㉢, ㉣과 같은 현상은 가치 함축적이다.

| 학평 기출 |

8 다음 글에 나타난 사회·문화 현상을 보는 관점에 대한 옳은 설명을 〈보기〉에서 고른 것은?

> 사회의 본질은 상호 의존적인 단위 또는 부분의 합성인 하나의 체계이다. 인체 기관들이 몸 전체의 균형을 위해 상호 의존적인 기능을 수행하듯이 사회 내부의 각 단위 및 부분들은 전체 사회 체계의 작동에 기여함으로써 사회는 안정적인 상태를 유지한다.

보기
ㄱ. 행위자의 주체적 능동성을 중시한다.
ㄴ. 개인의 행위에 미치는 사회 구조의 영향력을 중시한다.
ㄷ. 사회 규범은 특정 집단의 합의를 통해 형성된다고 본다.
ㄹ. 기득권층의 이익을 대변하는 논리로 사용된다는 비판을 받는다.

① ㄱ, ㄴ ② ㄱ, ㄷ ③ ㄴ, ㄷ ④ ㄴ, ㄹ ⑤ ㄷ, ㄹ

일 사회·문화 현상의 이해 ②

키워드 #3 갈등론

● 갈등론은 희소가치를 둘러싼 대립과 갈등에 주목한다. 이와 같은 대립과 갈등은 현존 사회 질서의 전면적 재구성을 통해 해결할 수 있다고 본다.

1 갈등론

기본 입장	• 사회에서 희소가치 ❶를 많이 가진 집단이 그렇지 않은 집단을 지배하는 관계를 이루고 있다고 봄. • 사회의 각 구성 요소들은 대립과 갈등의 상태로 존재 → 희소가치가 배분되는 과정에서 드러남. • 사회 구성 요소의 기능과 역할은 지배 집단이 자신들에게 유리하게 규정한 것 → 사회 구성원에게 □□됨. • 갈등과 대립은 지배 집단의 억압에 대하여 피지배 집단이 저항하는 과정에서 나타나는 불가피한 현상으로, 사회 발전과 변화의 원동력이 됨.
장점	집단 간 지배와 억압으로 갈등이 나타나는 사회·문화 현상을 설명하기에 적합함.
한계	• 사회가 안정적으로 유지되는 상황을 설명하기 어려움. • 사회 구성 요소 간의 합리적 역할 분담을 설명하기 곤란함. • 사회 각 부분 간의 복잡한 관계를 지배와 피지배의 관계로 단순화함. • 급격한 사회 변동을 강조하여 사회 혼란을 유발하는 □□□인 태도를 취함.

답 강요, 급진적

❶ **희소가치**
누구나 가지고 싶지만 모두가 가질 수 있을 만큼 충분하지는 않은 재화, 권력, 명예 등을 말한다.

개념 확인

1 괄호 안의 내용 중 옳은 것에 ○표 하시오.

(1) 갈등론에서는 사회에서 희소가치를 (많이, 적게) 가진 집단이 지배 집단이 된다고 본다.

(2) 사회 구성 요소의 기능과 역할은 (지배, 피지배) 집단에게 유리하다.

(3) 갈등과 대립은 피지배 집단이 (순응, 저항)하는 과정에서 나타난 불가피한 현상이다.

(4) 갈등론에서는 사회가 갈등과 대립을 통해 (쇠퇴, 발전)한다고 생각한다.

2 갈등론의 장점과 한계점을 구분하시오.

사회·문화 현상을 바라보는 관점에 대한 설명을 묻는 문제가 자주 출제되고 있어.

㉠ 사회가 안정적으로 유지되는 상황을 설명하기 어렵다.
㉡ 집단 간 지배와 억압으로 갈등이 나타나는 사회·문화 현상을 설명하기 적합하다.
㉢ 급격한 사회 변동을 강조함으로써 사회 혼란을 유발하는 급진적인 태도를 취한다.
㉣ 사회 각 부분 간의 관계를 지배와 피지배의 관계로 단순화했다.

(1) 장점: ______________ (2) 한계점: ______________

주어진 글이나 화자의 관점을 구분할 줄 알아야 해. 기능론과 갈등론을 구분하는 문제, 또는 기능론과 갈등론, 상징적 상호 작용론을 비교하는 문제가 자주 출제되고 있어.

기능론	사회의 조화와 균형을 중시
갈등론	희소가치를 둘러싼 대립과 갈등에 주목
상징적 상호 작용론	인간 행위의 주관적인 동기와 의미의 해석에 초점을 둠.

3 다음 신문 기사가 스포츠 경기를 바라보는 관점을 쓰시오.

△△ 신문

스포츠 경기는 대중을 정치에 무관심하게 만들어 지배 집단의 이익을 실현하는 데 기여한다. 또한, 국가 대항 경기인 올림픽은 민족 감정을 이용하여 국내의 정치적 갈등을 억압하는 효과를 낳아 사회 발전을 저해한다.

답 1. (1) 많이 (2) 지배 (3) 저항 (4) 발전 2. (1) ㉡ (2) ㉠, ㉢, ㉣ 3. 갈등론

사회·문화 현상의 이해 ②

키워드 #4 상징적 상호 작용론

◎ 상징적 상호 작용론은 사회적 행위자인 구성원 간의 상호 작용과 생활 세계에 초점을 맞추어 사회·문화 현상을 파악하려는 미시적 관점을 가진다.

1 상징적 상호 작용론

관점	• 개인이 일상적으로 상호 작용하는 과정에서 나타나는 행위의 주관적인 동기와 의미의 해석에 초점을 두어 현상을 봄. • 개인은 특정 상황을 주관적으로 해석하는 상황 정의❶에 따라 행동함. • 인간은 의미 전달의 수단으로서 상징❷을 활용하여 타인과 상호 작용을 함. • 개인은 상징적 상호 작용을 통해 자아를 형성하고, 자신에게 기대되는 역할과 행동을 학습함. • 인간의 행동을 상호 작용의 과정과 그 과정이 일어나는 사회적 □□ 속에서 이해해야 함. • 사람들이 행위의 의미를 공유하지 못하면 사회적 상호 작용에 문제가 발생함.
장점	인간이 가진 상징과 사회 구성원인 인간 개인의 □□□와/과 자율적 행위를 강조함. → 사회·문화 현상을 심층적으로 이해할 수 있음.
한계	개인의 행위에 영향을 미치는 사회 구조나 제도와 같은 거시적인 측면을 간과함.

답 맥락, 능동성

❶ 상황 정의
사회 구성원이 자신의 상황에 대해 의미를 부여하고 해석하는 것을 말한다.

❷ 상징
몸짓, 기호, 언어, 문자 등에 특정한 의미를 부여하여 공유하는 것을 말한다.

개념 확인

1 괄호 안의 내용 중 옳은 것에 ○표 하시오.

(1) 상징적 상호 작용론은 (미시적, 거시적) 관점으로 사회·문화 현상을 파악한다.

(2) 상징적 상호 작용론은 일상적으로 상호 작용하는 과정에서 나타나는 행위의 (객관적인, 주관적인) 동기와 의미에 초점을 두었다.

(3) 상징적 상호 작용론은 개인의 행위에 영향을 미치는 사회 구조나 제도 같은 (미시적, 거시적) 측면을 간과했다.

1주 2일

2 □ 안에 들어갈 알맞은 말을 쓰시오.

우리나라에서 중요한 시험을 앞두고 포크를 선물 받은 사람은 포크의 의미를 정답을 잘 찍으라는 의미로 이해하고 고맙게 생각한다. 그러나 우리나라 문화에 익숙하지 않은 외국인이 포크를 선물로 받는다면, 포크의 □□을/를 제대로 이해하지 못할 것이다.

3 ㉠, ㉡ 안에 들어갈 알맞은 용어를 쓰시오.

사회·문화 현상을 바라보는 여러 관점 중에서 [㉠]은/는 인간이 자율성을 갖고 사회 현상에 의미를 부여하는 존재라는 점을 강조한다. 이 관점에 따르면 인간은 능동적인 존재로 각자의 [㉡]을/를 바탕으로 행위를 선택하고, 타인과 상호 작용을 한다. [㉡]은/는 행위 주체가 자신이 처해 있는 특정 상황에 대하여 해석하고 의미를 부여하는 것을 가리킨다.

㉠: ____________ ㉡: ____________

상징적 상호 작용론은 미시적 관점이야. 그래서 구조보다 인간 개인과 현상에 초점을 맞추는 데 중심을 둬.

답 1. (1) 미시적 (2) 주관적인 (3) 거시적 2. 상징 3. ㉠ 상징적 상호 작용론, ㉡ 상황 정의

사회·문화 현상의 이해 ②

| 수능 기출 응용 |

1 그림은 사회·문화 현상을 바라보는 관점 A, B를 비교한 것이다. 이에 대한 설명으로 옳은 것은? (단, A, B는 각각 기능론과 갈등론 중 하나이다.)

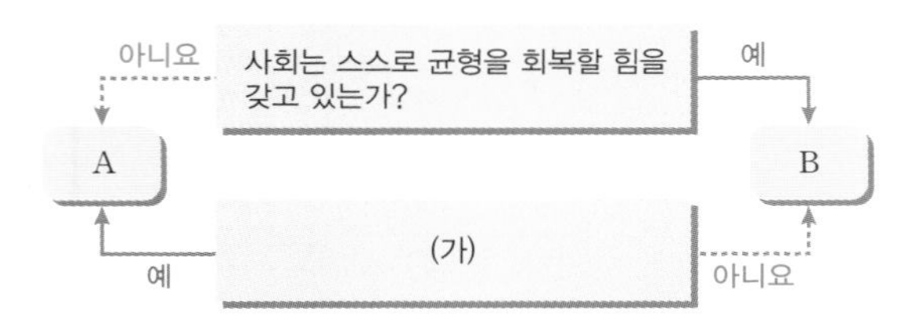

① A는 사회가 유기체와 같은 존재라고 본다.
② B는 사회가 서로 대립하는 집단들로 구성되어 있다고 본다.
③ A는 B와 달리 개인에 외재하는 사회 구조의 강제력을 간과한다.
④ B는 A와 달리 갈등을 비정상적인 현상으로 본다.
⑤ (가)에는 '사회 구조에 대한 개인의 자율성을 강조하는가?'가 들어갈 수 있다.

| 모평 기출 응용 |

2 교육 제도를 바라보는 갑, 을의 관점에 대한 설명으로 옳은 것은?

> 갑 현대 사회는 높은 전문성을 지닌 인력을 필요로 합니다. 개인의 전문성을 신장할 수 있는 고등 교육의 확대를 통해 사회적으로 필요한 인재를 적재적소에 배치해야 합니다.
> 을 교육의 내용과 평가 방식이 모든 계층에게 평등해지도록 바꾸는 것이 우선입니다. 이러한 근본적인 변화 없이 고등 교육을 확대하는 것은 계층 재생산을 영속화할 뿐입니다.

① 갑의 관점은 을의 관점과 달리 교육이 사회 이동의 가능성을 제한한다고 본다.
② 갑의 관점은 을의 관점과 달리 교육 주체들이 교육에 대해 부여하는 의미가 불일치할 때 갈등이 발생할 수 있다고 본다.
③ 을의 관점은 갑의 관점과 달리 교육과 위계적인 직업 구조가 사회 통합에 기여한다고 본다.
④ 을의 관점은 갑의 관점과 달리 가정 배경이 교육적 성취의 차이에 결정적인 영향을 미친다고 본다.
⑤ 갑, 을의 관점은 모두 교육적 성취의 차이에 따른 사회적 희소가치의 차등 배분을 정당하다고 본다.

| 학평 기출 응용 |

3 다음 글의 필자가 지닌 사회·문화 현상을 바라보는 관점에 대한 설명으로 옳은 것은?

> 많은 사람들이 빈곤이 사라지지 않는 이유를 개인의 노력 부족에서 찾곤 한다. 하지만 빈곤이 유지되는 진짜 이유는 빈곤을 둘러싼 계층 간 이해관계가 상충되기 때문이다. 자본가 입장에서는 저임금을 받고도 일을 할 수밖에 없는 빈곤층이 존재해야 값싼 노동력을 안정적으로 확보할 수 있다. 따라서 자본가는 생계유지에 필요한 최소한의 임금만을 지불하고, 노동자는 열심히 노력해도 빈곤에서 벗어날 수 없는 구조가 지속된다.

① 행위 주체인 개인의 능동성과 자율성을 강조한다.
② 대립과 갈등은 사회 구조의 필연적 속성으로 본다.
③ 사회적 상호 작용을 통한 의미 부여를 중시한다.
④ 사회가 스스로 균형을 유지하려는 속성을 지닌다고 본다.
⑤ 사회 규범이 사회 구성원 전체의 합의를 통해 형성된다고 본다.

| 학평 기출 응용 |

4 사회·문화 현상을 보는 갑, 을의 관점에 대한 설명으로 옳은 것은?

> 갑 요즘 취업을 위한 자격 조건이 점점 강화되고 있어. 이는 부와 권력을 가진 집단이 우위를 유지하기 위해 취업 조건을 통제하기 때문이야.
> 을 정보 사회가 진전됨에 따라 전문적인 지식과 기술을 가진 사람들의 필요성이 커지고 있어. 따라서 취업 조건이 강화되는 경향은 사회의 효율성을 위해 바람직한 거야.

① 갑의 관점은 개인에 외재하는 사회 구조의 강제력을 간과한다.
② 갑의 관점은 사회 제도가 기존의 불평등한 구조를 정당화하는 수단이라고 본다.
③ 을의 관점은 균등 보상 체계가 사회 발전에 기여한다고 본다.
④ 을의 관점은 개인이 각자 주관에 따라 다양한 사회상을 만들어 낸다고 본다.
⑤ 을의 관점은 갑의 관점에 비해 사회 통합을 경시한다.

| 수능 기출 응용 |

5 **다음 자료에 대한 설명으로 옳은 것은? (단, A~C는 각각 기능론, 갈등론, 상징적 상호 작용론 중 하나이다.)**

> • '개인의 행동은 특정 집단의 가치가 반영된 사회 규범에 의해 강제되는 것이라고 보는가?'라는 질문으로 A와 B를 구분할 수 있다.
> • '개인의 행동이 개인 외부에서 독립적으로 작동하는 강제력에 의해 규제된다고 보는가?'라는 질문으로는 A와 C를 구분할 수 없다.

① A는 사회의 각 부분이 상호 의존적인 관계라고 본다.
② B는 사회의 안정보다 변동을 중시한다.
③ C는 사회가 유기체와 유사한 특성을 지닌다고 본다.
④ A, B는 C와 달리 사회 제도의 영향력을 중시한다.
⑤ A는 B, C와 달리 개인의 행동은 상황에 대한 주관적 해석에 기초하여 이루어진다고 본다.

| 학평 기출 |

6 **다음에 나타난 사회·문화 현상을 바라보는 관점에 대한 설명으로 옳은 것은?**

> 인간은 자신의 주관에 따라 대상과 상황을 규정하고 거기에 의미를 부여함으로써 자신의 생활 세계를 만들어 간다. 하지만 각자의 주관에도 불구하고 사람들 간 원활한 의사소통이 가능한 이유는 서로 간에 공유된 경험을 바탕으로 타인의 생활 세계를 이해하기 때문이다. 이렇듯 공유된 경험을 바탕으로 끊임없이 이루어지는 교류가 사회적 행위의 본질인 것이다.

① 사회는 스스로 균형을 유지하려는 속성이 있다고 본다.
② 사회 유지에 필요한 기능의 상호 의존성에 관심을 둔다.
③ 희소가치를 둘러싼 집단 간 이해관계의 대립을 강조한다.
④ 사회 구조에 대한 분석을 전제로 사회 현상을 이해하고자 한다.
⑤ 사회적 행위자의 능동적 사고와 자율적 행위의 측면을 강조한다.

| 수능 기출 |

7 **사회·문화 현상을 바라보는 갑~병의 관점에 대한 설명으로 옳은 것은?**

> 사회자 노인 소외의 원인에 대하여 말씀해 주십시오.
> 갑 급격한 사회 변동에 따라 가치관과 규범이 변화되고, 세대 간의 관계도 새롭게 정의되었습니다. 사회 변화에 노인들이 적응할 수 있도록 지원하는 정책이 미비하여 노인들이 소외되는 것입니다.
> 을 가족 구성원들이 노인을 의존적인 존재로 여기고, 노인도 이를 수용하면서 스스로 위축될 수밖에 없습니다. 그러다 보니 자녀들과 원활한 의사소통을 하지 못하여 노인들이 소외되는 것입니다.
> 병 현대 사회에서는 경제력을 가진 사람들이 주도권을 갖게 됩니다. 부와 권력의 분배를 중년층이 좌우하면서 노인들의 능력이나 노력과 상관없이 사회적 역할에서 노인들을 배제해 그들이 소외되는 것입니다.

① 갑의 관점은 상황에 대한 개인의 주관적 의미 부여를 강조한다.
② 을의 관점은 사회가 필연적으로 변화하며 집단 간 갈등이 변화의 동력이라고 본다.
③ 병의 관점은 기득권층의 이익을 대변하는 논리로 사용된다는 비판을 받는다.
④ 갑의 관점은 병의 관점과 달리 사회 구성 요소의 기능과 역할은 사회적으로 합의된 것이라고 본다.
⑤ 을, 병의 관점은 갑의 관점과 달리 사회 문제를 설명하는 데 사회 구조적 요인을 중시한다.

사회·문화 현상의 탐구 방법 ❶

키워드 #5 양적 연구 방법

1 양적 연구 방법

(1) **의미** 경험적 자료❶를 토대로 사회·문화 현상 속에 담긴 인과 관계를 파악하여 일반화된 법칙을 발견하는 연구 방법

(2) **전제**

- 자연 현상과 같이 사회·문화 현상에도 법칙이 존재함.
- 자연 현상의 연구 방법을 사회·문화 현상의 연구에 적용할 수 있음. → 방법론적 일원론

(3) **특징**

- □□을/를 세우고 계량화된 자료를 분석하여 증명하는 것을 강조 → 실증적 연구 방법
- 추상적인 사회·문화 현상을 측정할 수 있도록 양적으로 수치화하는 개념의 조작적 정의❷ 과정을 거침.
- 수치화된 자료를 통계 기법을 활용하여 분석하고 결론을 도출함.

(4) **장점**

- 객관적이고 정밀한 연구가 가능함.
- 일반화와 인과 법칙의 발견이 용이함.
- 사회·문화 현상을 설명❸ 및 예측 가능함.

(5) **단점**

- 계량화하기 어려운 인간의 주관적 영역에 대한 탐구가 곤란함.
- 사회·문화 현상을 인간의 동기나 가치로부터 분리하여 연구하기 때문에 겉으로 드러나는 것만을 연구하는 데에 그칠 우려가 있음.
- 사회·문화 현상을 지나치게 단순화하고 기계적으로 인식함.

답 가설

❶ 경험적 자료
연구자가 직접적으로 관찰이나 조사를 통해서 습득한 자료이다.

❷ 개념의 조작적 정의
추상적인 개념을 측정할 수 있고 수치화할 수 있는 자료로 바꾸는 과정이다.

❸ 설명
사회·문화 현상을 관찰하고, 연구 대상의 내용을 잘 이해하도록 밝혀 말한다는 뜻으로, 양적 연구 방법에서 사용하는 표현이다.

개념 확인

1 다음 중 양적 연구 방법의 장점에 해당하는 것을 모두 고르시오.

(가) 연구자의 주관 개입을 통제할 수 있다.
(나) 일반화와 인과 법칙의 발견이 어렵다.
(다) 사회·문화 현상을 지나치게 단순화하고 기계적으로 인식한다.
(라) 정확하고 정밀한 연구를 할 수 없다.
(마) 사회·문화 현상을 설명하거나 예측할 수 있다.

(   )

1 주
3일

2 다음 글에 나타난 학자가 사회·문화 현상을 연구하는 방법을 쓰시오.

콩트(Comte, A.)는 인간 정신의 발전을 세 단계로 나눈다. 첫 번째 단계는 신학적 단계이다. 이 수준에서는 인간은 자연 현상을 신이나 초자연적 힘을 빌려 설명하려고 한다. 두 번째 단계는 형이상학적 단계이다. 이 단계에서는 이성이 신앙을 대신한다. 세 번째 단계는 실증 과학의 단계이다. 이 단계에서는 인간은 경험적으로 증명할 수 있는 것만을 믿으며 어떤 현상이 반복되는지를 관찰함으로써 법칙을 끌어낸다. 콩트는 세상의 모든 것이 실증 과학의 단계에 이르러서만 제대로 설명된다고 여겼다. 따라서 종교나 정신에 기대어 설명하던 사회와 삶의 원리도 실증적으로 해명할 수 있다고 믿었다.

제시문에 나타난 연구 방법이 무엇인지 찾고, 연구 방법과 관련한 옳은 설명을 고르는 문제가 많이 나와. 질적 연구 방법과 특징을 비교해서 기억해야 해.

3 ☐ 안에 들어갈 알맞은 용어를 쓰시오.

사회·문화 현상을 연구하는 방법 중 양적 연구 방법에서는 추상적인 사회·문화 현상을 측정 가능한 구체적인 지표로 바꾸는 작업인 ☐☐☐ ☐☐☐ ☐☐을/를 실시한다. ☐☐☐ ☐☐☐ ☐☐의 사례로는 '부모와 자녀와의 친밀감'을 '부모와 자녀의 하루 대화 시간'으로 설정하는 것을 들 수 있다.

양적 연구 방법과 관련한 용어들은 자료 수집 방법이나 연구 절차를 물어볼 때도 많이 나타나. 미리미리 기억해 두자!

답 1. (가), (마) 2. 양적 연구 방법(또는 방법론적 일원론) 3. 개념의 조작적 정의

일 사회·문화 현상의 탐구 방법 ❶

키워드 #6 질적 연구 방법

1 질적 연구 방법

(1) **의미** 경험적 자료를 토대로 사회·문화 현상에 담긴 인간 행위의 동기나 목적을 심층적으로 파악하는 연구 방법

(2) **전제**
- 사회·문화 현상은 자연 현상과 본질적으로 다름.
- 자연 현상과 ☐☐ 방법으로 사회·문화 현상을 연구함. ➞ 방법론적 이원론

(3) **특징**
- 직관적 통찰❶을 통한 해석적 이해가 필요하다고 봄. ➞ 해석적 연구 방법
- 연구자의 경험, 지식, 직관적 통찰을 활용하고, 연구 대상이 처한 상황이나 사회적 맥락을 통해 관찰한 행위에 대한 의미 해석을 시도함.
- 연구자가 연구 대상자의 느낌이나 의도 등에 공감대를 형성하여 대상을 이해하는 것을 추구함. ➞ 감정 이입적 이해
- 대화록, 편지, 일기 등 비공식적❷이고 계량화하지 않은 자료를 활용함.

(4) **장점**
- 계량화하기 어려운 영역을 탐구할 수 있음.
- 행위 이면에 담긴 주관적인 의미를 심층적으로 이해하는 데 유용함.

(5) **단점**
- 연구의 객관성에 대한 문제 제기를 받을 수 있음.
- 연구자의 주관적 가치가 개입될 우려가 큼.
- 개별 사례에 집중하므로 일반화된 지식을 얻거나 법칙을 발견하기 어려움.
- 개인 행위에 영향을 끼치는 사회 구조나 제도적 측면을 소홀히 할 수 있음.

❶ 직관적 통찰
연구자의 지식과 판단 능력에 의존하여 감각적으로 현상의 의미를 파악하는 것을 말한다.

❷ 비공식적 자료
대화록, 관찰 일지, 개인 편지 등 인간의 행위 동기나 목적 등 주관적 세계를 담고 있는 자료를 말한다.

답 다른

개념 확인

1 다음 내용이 질적 연구 방법의 장점에 해당하면 '장', 단점에 해당하면 '단' 이라고 쓰시오.

(1) 드러난 행위 이면에 담긴 주관적인 의미를 심층적으로 이해하는데 유용하다. (　　)

(2) 연구자의 객관성에 대한 문제 제기가 있을 수 있다. (　　)

(3) 연구자의 주관적 가치가 개입될 우려가 크다. (　　)

(4) 계량화하기 어려운 영역을 탐구할 수 있다. (　　)

1 주

3일

2 ▢ 안에 들어갈 알맞은 말을 쓰시오.

막스 베버(Weber, M.)는 독일의 사회학자로 19세기 후반 독일 사회학계의 주류였던 역사학적 혹은 사회 정책주의적 연구에 대한 이론적 약점을 지적하면서 사회 과학 연구의 객관성을 강조하려고 하였다. 그는 콩트와 달리 인간의 행동 이면에는 의도나 목적이 존재하기에 계량화하는 것이 어렵다고 보았다. 사회 과학의 연구 대상은 '의미 있는 사회적 행위'에 의해 이루어지는 사회 현상이기 때문이다. 따라서 사회 현상을 잘 이해하기 위해서는 자연 현상을 연구하는 방법과 다른 ▢▢▢▢ 연구를 사용해야 한다고 주장하였다.

질적 연구 방법도 양적 연구 방법과 마찬가지로 제시문에 나타난 연구 방법이 무엇인지 찾고, 연구 방법과 관련한 옳은 설명을 고르는 문제가 많이 나와.

3 다음 연구에서 사용한 연구 방법을 쓰시오.

1. 연구 주제: 청소년 아르바이트의 과정과 의미
2. 연구 설계: ○○ 지역의 고등학생 15명을 대상으로 면접 조사 실시
3. 자료 수집: 학교 근처에서 2회 이상, 1회당 2시간 정도의 심층 면접
4. 자료 분석: 청소년들은 아르바이트로 주로 전단 돌리기와 패스트푸드점 근무, 주유소, 음식 배달 등을 하였다. 청소년들이 아르바이트를 하는 동기는 '용돈이 부족해서', '특별한 물건을 사고 싶어서', '하고 싶은 일이 있어서'인 경우가 많았다. 청소년들은 아르바이트를 통해 경제 관념 및 성취감, 시간 관리, 대인 관계에 대한 경험, 사회적 관계망의 확장 등을 얻는 것으로 나타났다. 반면, 아르바이트를 하면서 학업에 지장을 받거나, 비행으로 연결될 위험 등이 있었던 것으로 드러났다.
5. 결론 도출: 청소년의 아르바이트 경험은 돈을 벌기 위한 수단이 아니라 살아 있는 사회 경험으로 보아야 한다.

답 1. (1) 장 (2) 단 (3) 단 (4) 장　2. 해석학적　3. 질적 연구 방법

3일 사회·문화 현상의 탐구 방법 ❶

| 학평 기출 응용 |

1 다음 글의 갑이 활용한 연구 방법에 대한 옳은 설명을 〈보기〉에서 고른 것은?

> 연구자 갑은 A 부족의 문신에 관한 문화 기술적 연구를 하였다. 그는 부족 사람들에 대한 참여 관찰을 통해 몸에 곰 문신을 하는 문화적 배경에 대해 알아보았다. 그 결과 곰 문신은 단순한 치장이 아닌 해당 부족의 탄생 신화와 사후 세계에 대한 관념이 반영된 문화임을 알게 되었다.

보기

ㄱ. 사회·문화 현상과 자연 현상이 본질적으로 같다고 본다.
ㄴ. 연구자의 직관적 통찰을 통해 사회·문화 현상을 이해하고자 한다.
ㄷ. 상황 맥락 속에서 사회·문화 현상이 지닌 의미에 대한 해석을 추구한다.
ㄹ. 개념의 조작적 정의를 통해 사회·문화 현상을 계량화하여 분석하고자 한다.

① ㄱ, ㄴ ② ㄱ, ㄷ ③ ㄴ, ㄷ ④ ㄴ, ㄹ ⑤ ㄷ, ㄹ

| 모평 기출 응용 |

2 그림은 사회·문화 현상의 연구 방법 (가), (나)를 구분한 것이다. 이에 대한 옳은 설명을 〈보기〉에서 고른 것은?

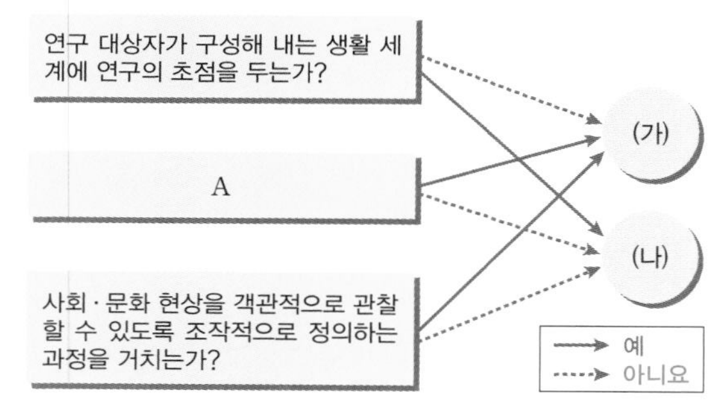

보기

ㄱ. (가)는 방법론적 일원론에 근거한다.
ㄴ. (나)는 연구자의 주관적 의도가 개입된다는 비판을 받는다.
ㄷ. (가)는 (나)와 달리 연구자의 직관적 통찰과 감정 이입적 이해를 중시한다.
ㄹ. A에는 '결론의 재생 가능성이 낮은가?'가 들어갈 수 있다.

① ㄱ, ㄴ ② ㄱ, ㄷ ③ ㄴ, ㄷ ④ ㄴ, ㄹ ⑤ ㄴ, ㄹ

| 학평 기출 |

3 사회·문화 현상의 연구 방법 A, B에 대한 옳은 설명을 〈보기〉에서 고른 것은?

> 자연 현상과 마찬가지로 사회·문화 현상에도 규칙성이 존재한다고 보는 사람들은 A를 통해 사회·문화 현상을 연구해야 한다고 주장한다. 이와 달리 사회·문화 현상은 행위 주체에 의해 의미가 부여되기 때문에 규칙성을 갖지 않는다고 보는 사람들은 B를 통해 사회·문화 현상을 연구해야 한다고 주장한다.

보기

ㄱ. A는 연구자의 감정 이입적 이해를 중시한다.
ㄴ. B는 통계 분석을 위해 계량화된 자료를 선호한다.
ㄷ. A와 달리 B는 연구 대상자의 의도 및 행위 동기를 심층적으로 이해하는 데 적합하다.
ㄹ. B와 달리 A는 변수 간의 관계 규명을 통한 법칙 발견을 목적으로 한다.

① ㄱ, ㄴ ② ㄱ, ㄷ ③ ㄴ, ㄷ ④ ㄴ, ㄹ ⑤ ㄷ, ㄹ

| 학평 기출 |

4 다음 글에 나타난 사회·문화 현상의 연구 방법의 일반적인 특징에 대한 옳은 설명을 〈보기〉에서 고른 것은?

> 사회·문화 현상의 행위 주체인 사람은 자신에게 가해지는 사회의 영향을 나름대로 해석하고 의미를 부여해 행동한다. 그러므로 사회·문화 현상의 연구는 행위자의 의식에 내재되어 있는 지식, 가치관, 문화 그리고 행위자가 자신의 행위에 부여하는 주관적인 의미를 밝혀내야 한다. 이러한 것들은 행위에의 참여, 행위자에 대한 관찰 및 이들과의 대화 등을 통해 알아낼 수 있다.

보기

ㄱ. 인간 행위의 이면에 담긴 의미 파악을 중시한다.
ㄴ. 연구자의 직관적 통찰과 감정 이입적 이해를 중시한다.
ㄷ. 경험적 자료의 분석을 통한 법칙 발견을 목적으로 한다.
ㄹ. 방법론적 일원론에 기초하여 사회·문화 현상을 탐구한다.

① ㄱ, ㄴ ② ㄱ, ㄷ ③ ㄴ, ㄷ ④ ㄴ, ㄹ ⑤ ㄷ, ㄹ

정답과 해설 3쪽

| 학평 기출 응용 |

5 다음에 나타난 사회·문화 현상의 연구 방법 A, B에 대한 설명으로 옳은 것은?

> A는 사회·문화 현상에도 자연 현상과 같이 법칙이 존재한다는 전제하에, 과학적으로 정밀한 도구와 절차에 따른 탐구를 통해서 법칙을 발견하고자 한다. 반면, B는 사회·문화 현상과 자연 현상은 본질적으로 다르기 때문에 구체적 사례에 담긴 인간의 주관적 동기와 의미를 해석하여 이해하고자 한다.

① A는 감정 이입과 직관적 통찰을 통한 이해를 중시한다.
② B는 사회·문화 현상 연구에 자연 과학적 연구 방법을 사용한다.
③ A는 B와 달리 계량화된 자료의 통계적 분석을 중시한다.
④ B는 A와 달리 경험적 자료를 중시한다.
⑤ A, B 모두 연구자가 연구 대상으로부터 분리될 수 있다고 본다.

| 학평 기출 |

6 사회·문화 현상의 연구 방법 A, B의 일반적인 특징에 대한 설명으로 옳은 것은?

> 갑 저는 객관적인 관찰과 실험, 측정 등을 통하여 사회·문화 현상의 규칙성을 증명해야 한다고 생각합니다. 이를 위해 연구자는 자료에 대한 계량적인 분석을 중시하는 A을/를 수행해야 합니다.
> 을 저는 계량적 분석으로는 인간의 내면적 영역을 이해하는 데 한계가 있다고 봅니다. 연구자는 직관적 통찰 등을 활용하는 B을/를 수행하여 연구 대상자의 삶의 경험 속에 담긴 의미를 해석해야 합니다.

① A는 연구자와 연구 대상자 간 정서적 교감을 중시한다.
② B는 연구 대상자의 행위가 이루어지는 상황에 대한 맥락적 이해를 강조한다.
③ A는 B와 달리 경험적 자료를 바탕으로 사회·문화 현상을 연구한다.
④ B는 A와 달리 인간 행위의 동기보다는 행위 자체를 주된 분석 대상으로 삼는다.
⑤ A는 방법론적 이원론, B는 방법론적 일원론을 제시한다.

| 학평 기출 |

7 표는 질문에 대한 답변을 통해 사회·문화 현상의 연구 방법 A와 B를 비교한 것이다. 이에 대한 옳은 설명을 〈보기〉에서 고른 것은?

질문	연구 방법	
	A	B
방법론적 이원론을 바탕으로 하는가?	예	아니요
(가)	아니요	예
(나)	예	아니요
(다)	㉠	㉡

보기
ㄱ. A는 B와 달리 사실과 가치가 분리될 수 있음을 전제로 한다.
ㄴ. (가)에 '일반화나 법칙 정립을 목적으로 하는가?'가 들어갈 수 없다.
ㄷ. (나)에 '비공식적 자료와 감정 이입적 이해를 중시하는가?'가 들어갈 수 있다.
ㄹ. (다)에 '경험적 관찰을 통해 자료를 수집하는가?'가 들어가면, ㉠과 ㉡은 모두 '예'이다.

① ㄱ, ㄴ ② ㄱ, ㄷ ③ ㄴ, ㄷ ④ ㄴ, ㄹ ⑤ ㄷ, ㄹ

| 학평 기출 |

8 사회·문화 현상의 연구 방법 A, B에 대한 옳은 설명을 〈보기〉에서 고른 것은?

> 갑 A는 사회·문화 현상의 규칙성을 발견하여 일반화하거나 미래의 결과를 예측하는 데 유용해.
> 을 B는 사회·문화 현상 속에서 인간 행동의 주관적인 의미를 깊이 있게 이해하고자 하는 연구에 적합해.
> 병 맞아. A, B 모두 사회·문화 현상을 과학적으로 연구할 수 있는 방법이야.

보기
ㄱ. A는 B와 달리 경험적 자료를 활용한다.
ㄴ. B는 A에 비해 결론의 재생 가능성이 낮다.
ㄷ. B는 A와 달리 연구 대상자가 구성해 내는 생활세계에 초점을 둔다.
ㄹ. 일반적으로 A는 귀납적 과정, B는 연역적 과정을 통해 결론을 도출한다.

① ㄱ, ㄴ ② ㄱ, ㄷ ③ ㄴ, ㄷ ④ ㄴ, ㄹ ⑤ ㄷ, ㄹ

일 사회·문화 현상의 탐구 방법 ❷

키워드 #7 문헌 연구법과 실험법

문헌을 통해서
지난 50년 동안의 우리 동네 인구 변화
자료를 한 번에 찾을 수 있어!
210
209
슬픈 영화를 보고 달리기를
하면 덜 슬플까?

1 문헌 연구법

(1) **의미** 기존 문헌에서 자료를 수집하는 방법

(2) **특징** 기존 연구 동향을 파악하여 연구 문제나 가설을 설정할 때 많이 사용함.

(3) **장점**
- 자료 수집 시 시간과 비용을 절약할 수 있음.
- 시간적·공간적 제약을 극복할 수 있음.

(4) **단점**
- 문헌 자료의 신뢰성이 낮으면 연구 신뢰도❶에도 문제가 발생함.
- 문헌 분석이나 해석 과정에서 연구자의 □□이/가 개입될 소지가 있음.

2 실험법

(1) **의미** 계획적으로 실험 집단❷에 인위적인 조작을 가한 후, 그에 따른 행동이나 태도 등의 변화를 통제 집단❸의 것과 비교하여 자료를 수집하는 방법

(2) **특징**
- 연구 대상에 독립 변수❹를 처치하고, 종속 변수❺가 변화하는 것을 파악함.
- 주로 양적 연구의 자료 수집 방법으로 활용됨.

(3) **장점**
- 독립 변수와 종속 변수 간의 인과 관계를 파악할 수 있어 법칙 발견에 유리함.
- 실증적이고 객관화된 자료를 구하는 데 활용 가능함.

(4) **단점**
- 실험에 영향을 주는 외부 변수의 개입을 철저하게 통제하기 어려움.
- □□을/를 실험 대상으로 한다는 점에서 윤리적 문제가 발생할 수 있음.
- 통제된 실험 내용을 일상생활에 그대로 적용하기 어려움.

❶ 신뢰도
검사 도구가 오차 없이 정확하게 측정한 정도

❷ 실험 집단
실험에서 독립 변수의 효과를 측정하기 위해 실험 처리를 하는 집단

❸ 통제 집단
실험에서 실험 요인을 적용한 실험 집단과 비교하기 위해 실험 처리를 하지 않은 집단

❹ 독립 변수
연구 대상에게 인위적으로 가한 일정한 조작

❺ 종속 변수
독립 변수에 영향을 받아 그 값이 변화하는 변수

답 주관, 인간

개념 확인

1 **☐ 안에 알맞은 말을 쓰시오.**

(1) 문헌 연구법은 자료를 수집할 때 ☐☐와/과 ☐☐을/를 절약할 수 있다.
(2) 문헌 자료의 신뢰성이 낮으면 연구 ☐☐☐에도 문제가 발생한다.
(3) 실험법은 독립 변수와 종속 변수 간의 ☐☐ ☐☐을/를 파악할 수 있어 법칙 발견에 유리하다.
(4) 실험법은 인간을 실험의 대상으로 한다는 점에서 ☐☐☐ ☐☐이/가 발생할 수 있다.

1 주

4일

2 **한 연구자가 '감사함을 표현하는 활동이 사람들의 자아 존중감을 높이는 데 영향을 주는 지'를 연구하고자 실험하였다. (가)와 (나)안에 들어갈 알맞은 말을 쓰시오.**

실험법과 관련한 문제는 주어진 예시와 개념이 옳게 연결되었는지 묻는 문제가 많이 출제되고 있어.

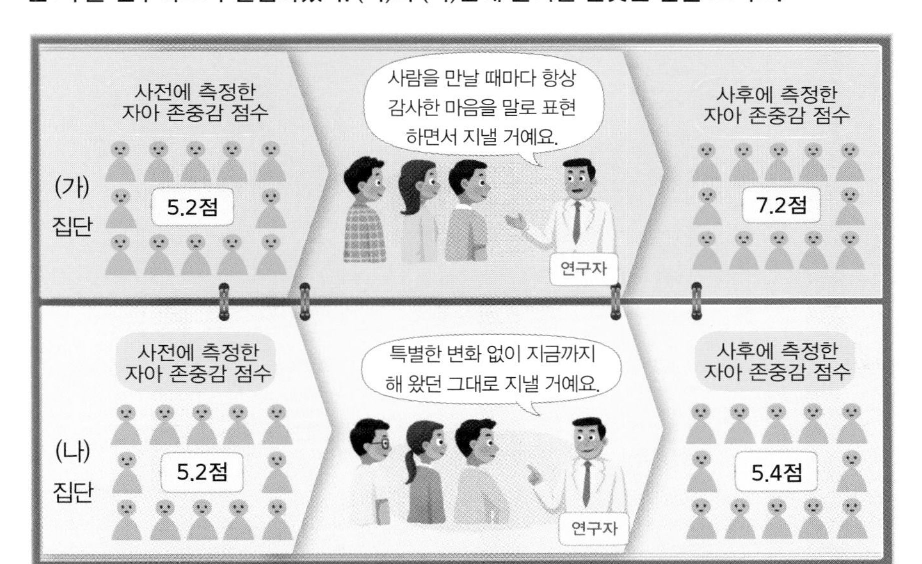

(가): ______________ (나): ______________

3 **다음 연구에서 활용한 자료 수집 방법을 쓰시오.**

질문이나 제시문에 나타난 자료 수집 방법이 무엇인지 파악하고, 그와 관련한 옳은 설명을 고르는 문제가 주로 출제되고 있어.

학생 체벌의 필요성에 대한 연구

1. 연구 주제: 학생 체벌이 꼭 필요한 것인가?
2. 연구 설계: 신문 등을 통한 체벌 사례 및 연구 결과 수집
3. 자료 수집: 신문에서 미국, 영국, 독일 등 외국 학교의 체벌이 어떻게 시행되고 있는지를 소개한 내용과 우리나라 심리 단체나 교원 단체가 주장하는 내용을 읽고 정리하여 학생 체벌의 필요성 여부에 대해 탐색한다.

답 1. (1) 시간, 비용 (2) 신뢰도 (3) 인과 관계 (4) 윤리적 문제 2. (가) 실험 집단 (나) 통제 집단 3. 문헌 연구법

4일 사회·문화 현상의 탐구 방법 ②

키워드 #8 질문지법

1 질문지법

(1) **의미** 조사할 내용을 질문지로 작성하고 연구 대상자가 기입한 답변을 통해 자료를 수집하는 방법

(2) **특징**
- 많은 사람을 대상으로 자료를 수집할 때 주로 사용함.
- 모집단❶을 대표할 수 있는 표본❷ 집단을 추출하여 표본 조사를 수행함.
- 표본의 □□□이/가 확보되면 분석 결과를 모집단으로 일반화할 수 있음.
- 답변 자료를 수치화할 수 있어 양적 연구의 자료 수집 방법으로 활용됨.

(3) **장점**
- 비교적 짧은 시간에 적은 비용으로 대량의 자료를 수집할 수 있음.
- 수집된 자료는 대부분 수치화하므로 통계 및 비교 분석이 용이함.
- 자료를 수집할 때 연구자의 가치 개입을 줄일 수 있음.

(4) **단점**
- 질문 구성이 잘못되거나 질문지 회수율과 응답률이 낮으면 결과가 왜곡될 수 있음.
- 문맹자에게 활용하기 어려움.
- 깊이 있는 정보를 얻기 어려움.

답 대표성

❶ **모집단**
연구 대상이 되는 집단 전체를 말한다.

❷ **표본**
모집단 중에서 실제 조사를 위해 선택한 집단을 말한다.

개념 확인

1 **괄호 안의 내용 중 옳은 것에 ○표 하시오.**

(1) 질문지법은 자료 수집에 시간이 (길게, 짧게) 걸리는 편이다.
(2) 질문지법으로 수집된 자료는 대부분 통계 및 비교 분석하기에 (난해하다, 용이하다).
(3) 자료를 수집할 때, (연구자, 대상자)의 가치 개입을 줄일 수 있다.
(4) 질문지법의 단점은 (표면적인, 심층적인) 정보를 얻기 어렵다는 것이다.

2 **다음 두 학생이 사용할 자료 수집 방법을 쓰시오.**

규칙적인 아침 식사가 학업 집중력에 어떤 영향을 미치는지 궁금해. 어떤 방법으로 알아볼 수 있을까?
갑

우리 학교의 학생들 1,200명을 대상으로 설문을 실시해 보자.
을

질문지법은 많은 사람들을 대상으로, 짧은 시간에 적은 비용으로 자료를 수집할 수 있다는 장점이 있어.

3 **다음 중 질문지법의 특징으로 옳은 것을 모두 고르시오.**

(가) 많은 사람을 대상으로 자료를 수집할 때 주로 사용한다.
(나) 모집단을 대표할 수 있는 표본 집단을 추출하면 표본의 대표성이 확보된다.
(다) 언제나 분석 결과를 모집단으로 일반화할 수 있다.
(라) 질문지법으로 수집한 자료는 주로 질적 연구의 자료 수집 방법으로 활용된다.
(마) 자료를 수집할 때 시간이 오래 걸리지만 다수의 대상에게서 자료를 수집할 수 있다.

(　　　　　　　　　　)

답 1. (1) 짧게 (2) 용이하다 (3) 연구자 (4) 심층적인　2. 질문지법　3. (가), (나)

사회·문화 현상의 탐구 방법 ②

| 모평 기출 응용 |

1 다음 연구에 대한 옳은 설명만을 〈보기〉에서 모두 고른 것은?

연구자 갑은 '방관자 효과'를 검증하기 위한 연구에 착수하였다. 갑은 접이식 커튼을 쳐, 보이지는 않지만 소리를 들을 수 있는 공간에서 연구 대상자들에게 도움을 청하는 노인의 녹음된 비명을 듣게 하였다. 연구 대상자들은 두 집단으로 구분되었는데, 한 연구 조건에서는 ㉠ 연구 대상자만 있게 했고, 다른 연구 조건에서는 의도적으로 노인의 비명에 반응하지 않도록 연구자와 공모한 방관자들을 ㉡ 연구 대상자와 함께 있게 했다. ㉢ 방관자들의 존재 여부에 따른 반응을 비교한 결과, '나 홀로 조건'에서는 연구 대상자의 70%가 도움을 주려고 한 반면, '방관자 조건'에서는 20%만이 도움을 주려고 하였다.

※ 방관자 효과 : 방관자들이 있으면 곤경에 처한 사람이 낯선 사람으로부터 도움을 받을 가능성이 줄어든다.

보기

ㄱ. ㉠은 실험 집단, ㉡은 통제 집단에 해당한다.
ㄴ. ㉢은 독립 변수에 해당한다.
ㄷ. 실제성이 높은 현장 자료를 얻기 용이한 자료 수집 방법을 사용하였다.
ㄹ. 연구자가 설정한 상황을 바탕으로 연구 대상자를 관찰하는 자료 수집 방법을 사용하였다.

① ㄱ, ㄴ ② ㄱ, ㄷ ③ ㄴ, ㄷ ④ ㄴ, ㄹ ⑤ ㄷ, ㄹ

| 학평 기출 |

2 다음 연구에 대한 설명으로 옳은 것은?

갑은 또래 활동 프로그램이 청소년의 공격성을 약화시킬 것이라는 가설을 세우고 연구를 하였다. 갑은 공격성이 강한 남자 고등학생 100명을 뽑아 각각 50명씩 A 집단과 B 집단으로 구분하였다. 이후 8주 동안 A 집단에는 또래 활동 프로그램을 적용하고, B 집단에는 이를 적용하지 않았다. 그 결과 A 집단에서는 공격성이 크게 감소하였고, B 집단에서는 거의 변화가 없었다.

① 가설이 기각되었다.
② 2차 자료를 수집하여 분석하였다.
③ 독립 변인은 청소년의 공격성이다.
④ 연구 결과를 청소년에게 일반화할 수 있다.
⑤ A 집단은 실험 집단, B 집단은 통제 집단이다.

| 학평 기출 |

3 다음 연구에 대한 옳은 설명을 〈보기〉에서 고른 것은?

갑은 ○○ 고등학교 1학년 학생들 중 ㉠ 자발적으로 연구 참여에 동의한 학생 16명을 모집하여, 이를 8명씩 두 개의 집단으로 분류하였다. 먼저 두 집단의 문제 해결 능력을 파악하기 위해 ㉡ 원인 분석 능력 지수, 대안 개발 능력 지수 등을 측정하는 검사를 실시하였다. 이후 A 집단에는 소논문 쓰기 프로그램을 실시하였고, B 집단에는 아무런 처치를 하지 않았다. A 집단에 대한 소논문 쓰기 프로그램이 끝난 후, 같은 검사를 다시 실시한 결과 B 집단에 비해 A 집단의 점수가 유의미하게 높게 나타나 ㉢ 가설이 수용되었다.

보기

ㄱ. A 집단은 실험 집단, B 집단은 통제 집단이다.
ㄴ. ㉠은 독립 변수 외의 변수를 통제하기 위한 작업이다.
ㄷ. ㉡은 종속 변수를 조작적으로 정의한 것이다.
ㄹ. ㉢은 '고등학생의 문제 해결 능력이 우수할 수록 소논문 쓰기 프로그램 점수가 높을 것이다.'이다.

① ㄱ, ㄴ ② ㄱ, ㄷ ③ ㄴ, ㄷ ④ ㄴ, ㄹ ⑤ ㄷ, ㄹ

| 학평 기출 |

4 밑줄 친 ㉠~㉧에 대한 옳은 설명을 〈보기〉에서 고른 것은?

갑은 ㉠ 초등학생의 ㉡ 자아 존중감에 ㉢ 놀이 프로그램이 미치는 영향에 대해 연구하였다. 갑은 ㉣ A 초등학교 학생 중 3학년 ㉤ 1반 학생들과 ㉥ 2반 학생들을 연구 대상으로 선정하여 ㉦ 사전 검사를 하였다. 이후 3학년 2반에 대해서만 놀이 프로그램을 실행하고 두 반 모두 ㉧ 사후 검사를 하였다.

보기

ㄱ. ㉠은 모집단, ㉣은 표본이다.
ㄴ. ㉡은 종속 변수, ㉢은 독립 변수이다.
ㄷ. ㉤은 통제 집단, ㉥은 실험 집단이다.
ㄹ. ㉦과 ㉧은 독립 변수에서 나타나는 변화를 파악하기 위한 검사이다.

① ㄱ, ㄴ ② ㄱ, ㄷ ③ ㄴ, ㄷ ④ ㄴ, ㄹ ⑤ ㄷ, ㄹ

정답과 해설 4쪽

| 모평 기출 |

5 밑줄 친 ㉠~㉣에 대한 옳은 설명을 〈보기〉에서 고른 것은?

◎ 연구 주제: 고등학생의 스포츠 활동과 행복 간의 관계 연구
◎ 연구 가설: ㉠ 스포츠 활동 참여도가 고등학생의 생활 만족도에 긍정적인 영향을 미칠 것이다.
◎ 자료 수집
- 조사 대상: ㉡ A 지역 남자 고등학생 1,000명
- 조사 내용: ㉢ 학교 생활 만족도, 교우 관계 만족도, 주당 스포츠 활동 참여 시간
- 자료 수집 방법: ㉣ 질문지법

◎ 자료 분석 결과

주당 스포츠 활동 참여 시간	만족도 평균(5점 만점)	
	학교 생활	교우 관계
2시간 미만	3.4	3.2
2시간 이상~5시간 미만	4.1	4.1
5시간 이상	4.6	4.7

보기
ㄱ. ㉠은 독립 변수이다.
ㄴ. ㉡은 모집단의 특성을 대표한다.
ㄷ. ㉢은 독립 변수와 종속 변수에 대한 조작적 정의에 해당한다.
ㄹ. ㉣에서는 연구 대상의 주관적 인식을 묻지 않아야 한다.

① ㄱ, ㄴ ② ㄱ, ㄷ ③ ㄴ, ㄷ ④ ㄴ, ㄹ ⑤ ㄷ, ㄹ

| 학평 기출 |

6 밑줄 친 ㉠~㉣에 대한 옳은 설명을 〈보기〉에서 고른 것은?

갑은 청소년의 ㉠ 자아 존중감에 ㉡ 미술 치료 프로그램이 미치는 효과를 검증해 보기로 하였다. 이를 위해 중학생 100명을 A, B 두 집단으로 나누고 자아 존중감 척도 검사를 실시하였다. 그 후 ㉢ A 집단에게만 미술 치료 프로그램을 6개월 동안 진행한 뒤에 다시 두 집단에게 자아 존중감 척도 검사를 실시하였다. 검사를 통해 얻은 ㉣ 자료를 분석한 결과 ㉤ B 집단은 첫 번째와 두 번째 검사 점수의 변화가 거의 없는 반면 A 집단은 통계적으로 유의미한 차이를 보였다. 이를 토대로 갑은 ㉥ 미술 치료 프로그램이 자아 존중감을 향상시키는 효과가 있다는 결론을 내렸다.

보기
ㄱ. ㉠은 독립 변수, ㉡은 종속 변수이다.
ㄴ. ㉢은 실험 집단, ㉤은 통제 집단이다.
ㄷ. ㉣은 ㉠에 대한 조작적 정의를 토대로 얻은 양적 자료이다.
ㄹ. ㉥을 모집단 전체에 일반화시킬 수 있다.

① ㄱ, ㄴ ② ㄱ, ㄷ ③ ㄴ, ㄷ ④ ㄴ, ㄹ ⑤ ㄷ, ㄹ

| 학평 기출 |

7 그림의 자료 수집 방법 A~C에 대한 옳은 설명을 〈보기〉에서 고른 것은? (단, A~C는 각각 문헌 연구법, 실험법, 질문지법 중 하나이다.)

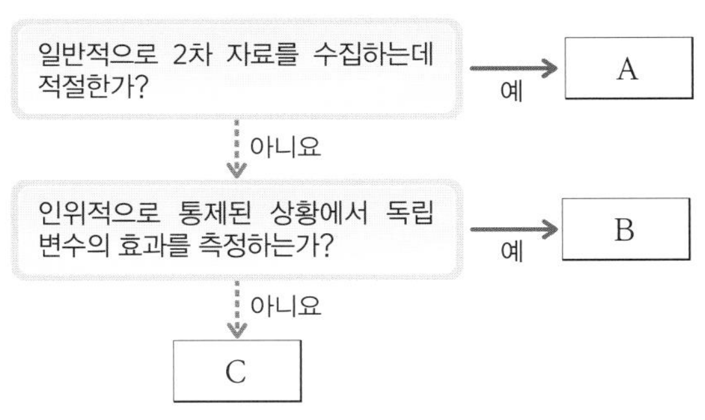

보기
ㄱ. A는 시간과 장소의 제약이 크다.
ㄴ. B는 질적 연구에서 주로 활용한다.
ㄷ. C는 다수를 대상으로 자료를 수집하는 데 유용하다.
ㄹ. B, C는 구조화된 자료 수집 방법이다.

① ㄱ, ㄴ ② ㄱ, ㄷ ③ ㄴ, ㄷ ④ ㄴ, ㄹ ⑤ ㄷ, ㄹ

사회·문화 현상의 탐구 방법 ③

키워드 #9 면접법

1 면접법

(1) **의미** 연구자가 연구 대상을 직접 만나 ☐☐하고, 응답을 통해 정보를 수집하는 방법

(2) **특징**
- 비교적 적은 수의 인원을 대상으로 정보를 수집함.
- 연구 대상의 내면적이고 깊이 있는 정보를 얻고자 할 때 사용함.
- 질적 연구의 자료 수집 방법으로 활용됨.

(3) **장점**
- 문맹자를 대상으로 실시할 수 있음.
- 연구자의 유연성❶이 높으므로 추가적인 질문을 통해 심층적인 정보를 얻을 수 있음.
- 응답률이 높고 응답자가 질문의 내용을 잘못 이해할 가능성이 적음.

(4) **단점**
- 연구 목적에 적합한 연구 대상자 선정이 어려움.
- 일일이 면접해야 하므로 시간과 비용이 많이 듦.
- 자료 수집 과정에서 연구자의 주관이 개입될 소지가 있음.
- 면접자의 자질과 능력에 따라 자료 수집이 제대로 이루어지지 못할 수 있음.

답 질문

❶ 연구자의 유연성
자료 수집 과정 중 연구자가 상황에 따라 융통성을 발휘하는 것을 말한다. 추가 질문을 하거나, 질문을 연구 대상자에 맞도록 적절하게 변형하는 것이 연구자의 유연성에 해당한다.

개념 확인

1 **다음 내용이 면접법의 장점에 해당하면 '장', 단점에 해당하면 '단' 이라고 쓰시오.**

(1) 연구 대상자를 일일이 면접해야 하므로 시간과 비용이 많이 든다. (　　　)

(2) 추가적인 질문을 통해 심층적인 정보를 얻을 수 있다. (　　　)

(3) 연구자의 주관적 가치가 개입될 우려가 크다. (　　　)

(4) 면접자의 자질과 능력에 따라 자료 수집이 제대로 이루어지지 않을 수 있다.
(　　　)

1주 5일

2 **다음과 같은 자료 수집 방법이 무엇인지 쓰시오.**

> 갑 동계 올림픽 유치 과정에서 스포츠 외교관 역할을 하셨는데요. 많이 생소하고 어려웠을 것 같은데, 어땠나요?
> 을 다른 분들보다 조금 늦게 합류해서 오랫동안 함께하지는 못했어요. 그렇지만 짧은 시간 동안 함께 노력한 분들과 정도 많이 들었고 항상 감사한 마음을 가지고 있었는데, 이렇게 좋은 결과가 나와서 정말 기뻐요. 스포츠 외교관이라고 하기에는 부끄러울 만큼 잠깐 경험을 했는데, 부담스럽고 힘들었지만 평생 잊지 못할 경험이 될 것 같아요.

3 **다음 표를 보고, ㉠과 ㉡에 들어갈 알맞은 답을 쓰시오.**

구분	질문지법	면접법
연구 대상의 규모	다수	소수
경제성	높음	㉠
주관 개입 가능성	낮음	㉡
조사 결과의 계량화 정도	높음	낮음

자료 수집 방법에 관한 문제는 다른 자료 수집 방법과 비교하는 방식으로 많이 출제돼. 여러 가지 자료 수집 방법의 특징을 알고 있어야 풀 수 있겠지?

답 1. (1) 단 (2) 장 (3) 단 (4) 단　2. 면접법　3. ㉠ 낮음 ㉡ 높음

일

사회·문화 현상의 탐구 방법 ❸

키워드 #10 참여 관찰법

1 참여 관찰법❶

(1) **의미** 연구자가 연구 대상과 함께 생활하면서 현상을 직접 관찰하여 자료를 수집하는 방법

(2) **특징** 질적 연구의 자료 수집 방법으로 활용됨.

(3) **장점**

- 의사소통이 어려운 집단을 조사할 수 있음.
- 언어나 문자로 표현할 수 없는 생동감 있고 실제성 높은 정보를 직접 얻을 수 있음.

(4) **단점**

- 관찰하고자 하는 현상이 나타날 때까지 기다려야 하므로 시간과 비용이 많이 듦.
- 관찰 내용을 기록하는 과정에서 연구자의 ☐☐이/가 개입될 수 있음.
- 연구 대상이 연구자를 의식하여 평소와 다른 행동을 하면 정확한 자료 수집이 어려움.

답 주관

❶ 참여 관찰법
참여 관찰법은 멀리 떨어진 낯선 상황에 대해서만 사용하는 연구법이 아니라 연구자 자신이 살아가는 현장에서 일어나는 현상에 대해서 연구할 수 있는 방법이다.

개념 확인

1 **빈칸에 들어갈 말을 〈보기〉에서 골라 쓰시오.**

보기
공간, 관찰, 시간, 연구 대상, 연구자, 의사소통, 현상

(1) 참여 관찰법은 연구자가 (   )와/과 함께 생활하면서 현상을 직접 관찰하여 자료를 수집하는 방법이다.
(2) 참여 관찰법은 (   )이/가 어려운 집단을 조사할 수 있다는 장점이 있다.
(3) 관찰하고자 하는 현상이 나타날 때까지 기다려야 하므로 (   )와/과 비용이 많이 든다.

2 **□ 안에 들어갈 알맞은 말을 쓰시오.**

연구자 갑은 노숙자들의 삶에 관한 연구를 하려고 1년 동안 노숙자들과 함께 생활하였다. 그는 쓰레기통 뒤지기, 지하도에서 잠자기 등 노숙자들의 일상적인 생활을 함께하면서 그들과 '부대끼면서 지낸 것'을 자료로 수집하였다. 그 결과, □□□ 있고 실제성이 높은 자료를 수집할 수 있었다.

참여 관찰법은 연구 대상과 함께 생활하면서 현상을 직접 관찰하는 자료 수집 방법이야. 연구자가 연구 대상자와 함께 생활하기 때문에 연구 대상이 의사소통이 어려워도 조사가 가능하고, 언어나 문자로 표현할 수 있는 것 이상으로 자료를 수집할 수 있지.

3 **다음 연구 일지를 읽고, 연구가 실패한 이유를 쓰시오.**

연구 일지

03월 10일
고등학교 학생들의 식습관에 관한 연구를 위해 1주일에 3번, 1학기가 끝날 때까지 ◇◇ 고등학교에서 점심시간과 저녁시간에 학생들이 식사하는 모습을 관찰하기로 했다.

04월 10일
한 달이 지났다. 오늘까지 관찰한 결과, 학생들은 특별히 싫어하는 반찬 없이 골고루 식사하는 것으로 보였다.

04월 24일
문제가 생겼다. 평소 다니던 요일이 아니라 다른 요일에 관찰을 진행했더니 평소 관찰할 때와 다르게 편식하는 습관을 가진 학생들이 많이 보였다. 아무래도 밥을 잘 먹는지 둘러보러 다니는 내 모습이 문제였던 것 같다.

답 1. (1) 연구 대상 (2) 의사소통 (3) 시간 2. 생동감 3. 연구 대상(학생들)이 연구자를 의식했기 때문이다.

사회·문화 현상의 탐구 방법 ③

| 수능 기출 |

1 자료 수집 방법 A~C에 대한 옳은 설명을 〈보기〉에서 고른 것은? (단, A~C는 각각 질문지법, 면접법, 실험법 중 하나이며, 각 연구는 연구 내용에 가장 적합한 자료 수집 방법을 활용했다.)

연구 내용	자료 수집 방법
폭력 예방 교육이 폭력성 감소에 미치는 효과를 교육 전후의 검사를 통해 측정	A
청소년 1,000명을 대상으로 비행 친구 교제 여부와 비행 간의 상관관계 분석	B
가출 청소년의 가출 동기와 가출 후 생활 및 비행에 이르는 과정 이해	C

보기

ㄱ. A는 B와 달리 질적 자료를 수집하기에 용이하다.
ㄴ. B는 C에 비해 시간과 비용 측면에서 효율적이다.
ㄷ. C는 B에 비해 조사자의 주관적 가치가 개입될 가능성이 크다.
ㄹ. B는 A, C에 비해 자료 수집 상황에 대한 통제 정도가 높다.

① ㄱ, ㄴ ② ㄱ, ㄷ ③ ㄴ, ㄷ ④ ㄴ, ㄹ ⑤ ㄷ, ㄹ

| 모평 기출 |

2 자료 수집 방법 A~C의 일반적인 특징에 대한 설명으로 옳은 것은? (단, A~C는 각각 면접법, 질문지법, 참여 관찰법 중 하나이다.)

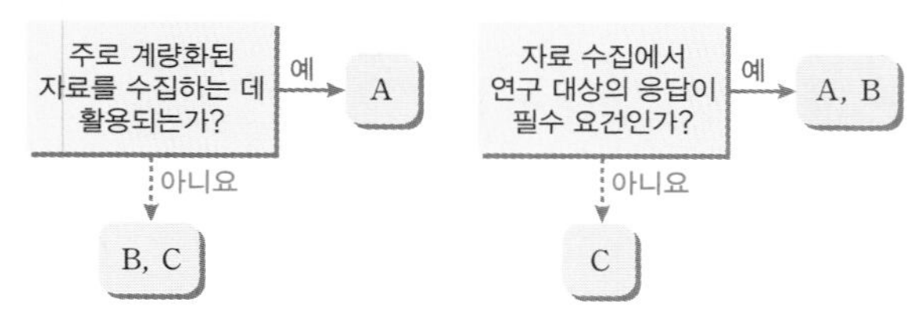

① A는 B와 달리 연구 대상의 주관적인 인식을 파악할 수 없다.
② B는 A에 비해 다수를 대상으로 자료를 수집하기가 용이하다.
③ C는 A, B와 달리 연구자의 직관적 통찰로 해석해야 하는 자료를 수집할 수 있다.
④ B, C는 A에 비해 연구 대상과 연구자 간 신뢰감 형성의 중요성이 강조된다.
⑤ 자료 수집 상황에 대한 통제 수준은 A〉C〉B이다.

| 수능 기출 |

3 다음은 자료 수집 방법 A~D를 분류한 것이다. 이에 대한 설명으로 옳은 것은? (단, A~D는 각각 면접법, 실험법, 질문지법, 참여 관찰법 중 하나이다.)

구분		주로 계량화된 자료를 수집하는 데 활용되는가?	
		예	아니요
(가)	예	A	B
	아니요	C	D

① (가)는 '인위적으로 통제된 상황에서 변수의 효과를 관찰하는 방법인가?'가 적절하다.
② (가)가 '언어적 상호 작용에 의한 자료 수집이 필수적인가?'라면 A는 질문지법, D는 참여 관찰법이다.
③ (가)가 '자료 수집 시 연구 대상자의 응답이 필수적인가?'라면 B는 면접법, C는 질문지법이다.
④ A가 질문지법이라면 (가)는 '다수를 대상으로 한 자료 수집에 주로 사용되는가?'가 적절하다.
⑤ B가 참여 관찰법이라면 (가)는 '연구자가 현상이 실제로 발생한 현지에 가서 연구해야 하는가?'가 적절하다.

| 모평 기출 |

4 A~D에 해당하는 자료 수집 방법의 일반적인 특징에 대한 설명으로 옳은 것은? (단, A~D는 각각 면접법, 실험법, 질문지법, 참여 관찰법 중 하나이다.)

- A와 달리 B에서는 언어적 상호 작용이 필수적이다.
- B와 달리 D에서는 연구 변수에 대한 인위적인 처치와 조작을 강조한다.
- C와 달리 A는 ((가))(이)라는 장점이 있다.
- C, D는 모두 양적 연구에서 흔히 사용된다.

① A는 문맹자에게 사용하기 어렵다.
② B는 기존 연구의 경향성 파악에 용이하다.
③ C는 일상생활을 심층적으로 파악하기에 용이하다.
④ 자료 수집 상황에 대한 통제 수준은 D〉C〉B〉A 순서이다.
⑤ (가)에는 "다수를 대상으로 자료를 수집하기에 용이하다."가 적절하다.

정답과 해설 5쪽

| 모평 기출 응용 |

5 **다음 대화에 나타난 자료 수집 방법 A~C의 일반적인 특징에 대한 옳은 설명을 〈보기〉에서 고른 것은?**

> 갑 저는 청소년들의 팬덤 문화와 소비 양식의 관계를 분석해 보기 위해 우리 학교 학생들을 대상으로 설문 조사를 하려고 합니다.
> 을 저는 청소년들의 팬덤 문화가 그들에게 어떤 의미인지 알아보기 위해 팬클럽에 가입하고 공연장과 팬미팅 현장에 가서 직접 느끼고 확인해 볼 생각입니다.
> 병 저는 청소년들의 팬덤 문화 실태를 살펴보기 위해 최근의 언론 자료와 주요 연구 논문 등을 찾아 정리해 보겠습니다.
> 교사 갑은 A, 을은 B, 병은 C를 통해 자료를 수집하겠군요.

보기
ㄱ. A는 B에 비해 대규모 집단을 대상으로 한 자료 수집에 적합하다.
ㄴ. B는 C에 비해 접근이 어려운 지역을 조사하기에 용이하다.
ㄷ. C는 A에 비해 공간의 제약을 적게 받는다.
ㄹ. C는 B에 비해 수집한 자료의 실제성이 높다.

① ㄱ, ㄴ ② ㄱ, ㄷ ③ ㄴ, ㄷ ④ ㄴ, ㄹ ⑤ ㄷ, ㄹ

| 수능 응용 |

6 **표는 자료 수집 방법을 구분한 것이다. A~D의 일반적인 특징에 대한 설명으로 옳은 것은? (단, A~D는 각각 면접법, 실험법, 질문지법, 참여 관찰법 중 하나이다.)**

질문 \ 자료 수집 방법	A	B	C	D
질적 자료를 수집하기에 용이한가?	×	○	○	×
연구 대상자와의 언어적 상호 작용이 필수적인가?	×	×	○	○

① A는 방법론적 일원론에 근거한 연구에서 주로 사용된다.
② B는 면접법, C는 참여 관찰법이다.
③ B는 A보다 연구자의 가치 개입 가능성이 작다.
④ C는 A에 비해 윤리적인 문제에 직면할 가능성이 크다.
⑤ C는 D와 달리 구조화된 자료 수집 방법이다.

| 학평 기출 |

7 **자료 수집 방법 A~C의 일반적인 특징에 대한 설명으로 옳은 것은? (단, A~C는 각각 문헌 연구법, 질문지법, 참여 관찰법 중 하나이다.)**

자료 수집 방법	적용 사례
A	외국인의 시각에서 바라본 19세기 조선의 생활사를 연구하기 위해 영국인 선교사의 여행기를 찾아 분석하였다.
B	비혼 청년들의 공동 주거 생활을 직접 경험하고 살펴보면서 비혈연 공동체 생활을 통한 삶의 방식 변화가 이들에게 갖는 의미를 탐구하였다.
C	부모의 양육 방식과 자녀의 학업 성취 간의 상관관계 연구를 위해 설문 문항을 제작하여 청소년 1,000명과 그 부모를 대상으로 조사하였다.

① A는 B와 달리 1차 자료를 수집하는 데 사용된다.
② B는 C에 비해 실제성 높은 생생한 자료를 수집하기에 용이하다.
③ C는 A와 달리 조사자의 주관적 가치가 개입될 우려가 있다.
④ A는 B, C에 비해 수집된 자료를 통계적으로 처리하기에 용이하다.
⑤ B는 A, C에 비해 시간과 비용 측면에서 효율적이다.

누구나 100점 테스트

1 밑줄 친 ㉠~㉣과 같은 현상의 일반적인 특징에 대한 질문에 모두 옳게 응답한 학생은?

> 전염성이 강한 AI 바이러스는 닭과 오리 등의 ㉠ 체내에 침투한 뒤 세포에 붙어 폐사에 이르게 해 농가에 막대한 피해를 주고 있다. 이에 국내 연구팀은 SL이 ㉡ 조류의 체내에 침투한 AI 바이러스가 세포에 달라붙는 것을 막아 감염을 차단하는지를 확인하기 위해 동물 실험을 했다. 이 실험에서 닭에게 SL을 먹이면 AI 바이러스가 체내에 있는 ㉢ SL의 올리고당과 결합해 체외로 배출되는 결과를 확인했다. 이를 토대로 ㉣ 닭의 사료에 SL을 섞어 사육하면 AI 바이러스 감염과 확산을 예방할 수 있다고 발표했다.
>
> * AI: 조류 인플루엔자의 약자
> ** SL: 인체의 면역 성분인 시알릭락토스의 약자

질문 \ 학생	갑	을	병	정	무
㉠과 같은 현상은 가치 함축적인가?	×	○	×	×	○
㉡과 같은 현상은 동일한 조건하에서는 항상 동일한 결과가 발생하는가?	○	×	×	○	×
㉢과 같은 현상은 보편성과 특수성이 공존하는가?	×	○	○	×	×
㉣과 같은 현상은 당위 법칙을 따르는가?	×	×	○	○	○

(○: 예, ×: 아니요)

① 갑 ② 을 ③ 병 ④ 정 ⑤ 무

2 다음은 A에 대한 검색 결과이다. 이에 대한 설명으로 옳지 않은 것은?

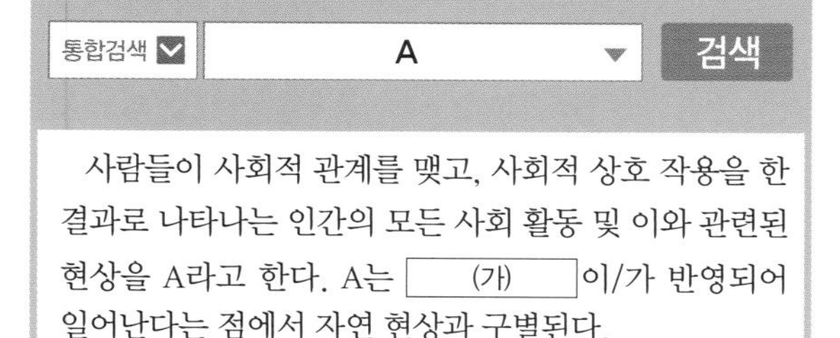
통합검색 A 검색

사람들이 사회적 관계를 맺고, 사회적 상호 작용을 한 결과로 나타나는 인간의 모든 사회 활동 및 이와 관련된 현상을 A라고 한다. A는 (가) 이/가 반영되어 일어난다는 점에서 자연 현상과 구별된다.

① A는 가치 함축적이다.
② A는 존재 법칙을 따른다.
③ A는 개연성의 원리가 작용한다.
④ A는 시대나 사회적 상황에 따라 특수성을 갖는다.
⑤ (가)에는 '인간의 의지와 가치'가 들어갈 수 있다.

3 사회·문화 현상을 바라보는 갑, 을의 관점에 대한 설명으로 옳은 것은?

갑: 스포츠는 기존 체제에 대한 피지배 집단의 불만과 관심을 다른 곳으로 돌리는 수단으로 이용되고 있습니다.

을: 그렇지 않습니다. 스포츠는 사회 구성원들 간의 결속력을 강화하여 사회 통합을 이루는 기능을 수행합니다.

① 갑의 관점은 현상에 대한 주관적 상황 정의를 중시한다.
② 갑의 관점은 사회 각 부분이 유기체처럼 연관되어 있다고 본다.
③ 을의 관점은 갈등이 사회 변동과 발전의 원동력이라고 본다.
④ 을의 관점은 사회가 균형을 유지하려는 속성을 지닌다고 본다.
⑤ 갑, 을의 관점은 모두 사회 구조의 영향력을 경시한다는 비판을 받는다.

4 (가)~(다)는 수업 시간에 학생들이 세운 가설이다. 이에 대한 평가로 가장 적절한 것은?

> (가) 사람이라면 모름지기 착하게 살아야 한다.
> (나) 부모와 자녀의 친밀도가 높을수록 자녀의 학업 의욕이 높을 것이다.
> (다) 여성의 가사 노동 시간이 남성의 가사 노동 시간보다 많을 것이다.

① (가)는 검증의 필요성이 있다.
② (나)에는 변수들 간의 인과 관계가 나타나 있다.
③ (다)는 경험적으로 검증할 수 없는 현상을 다루고 있다.
④ (가)는 (다)와 달리 가치 중립적으로 진술되어 있다.
⑤ (다)는 (나)와 달리 계량화가 불가능한 변수로 구성되어 있다.

정답과 해설 6쪽

5 다음 대화에서 을이 활용하고자 하는 자료 수집 방법에 대한 설명으로 옳은 것은?

규칙적인 아침 식사가 학업 집중력에 어떤 영향을 미치는지 궁금해. 어떤 방법으로 알아볼 수 있을까?
갑

우리 학교의 학생들 1,200명을 대상으로 설문을 실시해 보자.
을

① 통계 분석과 비교 분석이 용이하다.
② 문맹자에게도 자료를 수집하기 용이하다.
③ 생동감 있고 깊이 있는 정보를 얻는 데 유리하다.
④ 자료 수집에 있어 시간과 공간의 제약을 적게 받는다.
⑤ 의사소통이 어려운 사람들을 대상으로 자료를 수집하기에 적절하다.

6 다음 연구에 나타난 자료 수집 방법에 대한 설명으로 옳지 않은 것은?

토의 수업이 학생들의 성적 향상에 미치는 영향을 알아보려고 성적이 비슷한 학생들을 A 집단과 B 집단으로 나누었다. A 집단은 토의 수업을 하고, B 집단은 기존 방식으로 수업을 하였다. 이후 두 집단 간의 성적을 비교한 결과 A 집단의 성적이 더 높게 나타났다.

① A 집단은 실험 집단, B 집단은 통제 집단이다.
② 인과 관계를 확인할 수 있어 가설 검증에 용이하다.
③ 연구 결과가 현실에 그대로 적용된다고 단정할 수 없다.
④ 실험 과정에서 다른 변수가 개입되는 것을 완벽히 통제하기 어렵다.
⑤ 토의 수업 여부는 종속 변수, 성적 향상 정도는 독립 변수에 해당한다.

7 표는 자료 수집 방법의 일반적 특징을 알아보기 위해 일부 항목을 비교한 것이다. ㉠~㉢에 들어갈 자료 수집 방법으로 옳은 것은? (단, ㉠~㉢은 각각 질문지법, 면접법, 참여 관찰법 중 하나이다.)

항목	특징
수집 도구의 정형화 정도	㉠이 가장 낮고, ㉡이 가장 높다.
연구자의 주관 개입 가능성	㉠과 ㉢이 ㉡보다 크다.
비언어적 자료 수집의 용이성	㉠이 가장 크다.

	㉠	㉡	㉢
①	면접법	질문지법	참여 관찰법
②	면접법	참여 관찰법	질문지법
③	질문지법	면접법	참여 관찰법
④	참여 관찰법	면접법	질문지법
⑤	참여 관찰법	질문지법	면접법

8 밑줄 친 '이 자료 수집 방법'에 대한 옳은 설명을 〈보기〉에서 고른 것은?

이 자료 수집 방법은 현장 연구의 대표적인 방법으로서 연구자가 직접 현상이 발생하는 상황 속에 들어가야 한다. 따라서 이 자료 수집 방법을 수행하는 동안 연구자는 다양한 돌발 상황의 문제에 직면할 우려가 있다.

보기
ㄱ. 시간과 비용 측면에서 효율적이다.
ㄴ. 자료의 실제성을 확보하는 데 유리하다.
ㄷ. 2차 자료의 수집용으로 활용되는 경우가 많다.
ㄹ. 의사소통이 통하지 않는 집단에게도 조사를 수행할 수 있다.

① ㄱ, ㄴ　② ㄱ, ㄷ　③ ㄴ, ㄷ
④ ㄴ, ㄹ　⑤ ㄷ, ㄹ

1 주

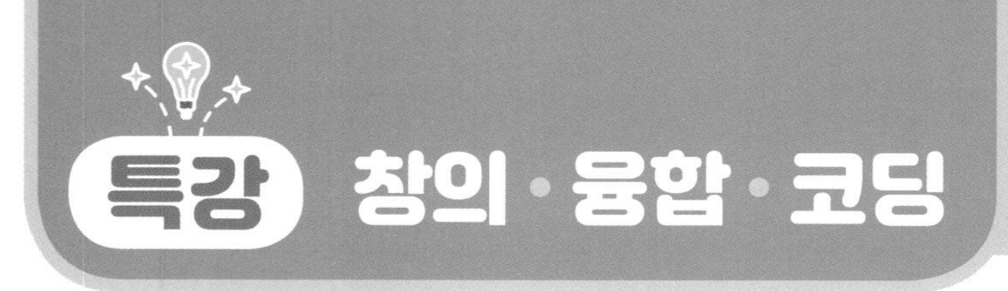

1. 자연 현상과 사회·문화 현상

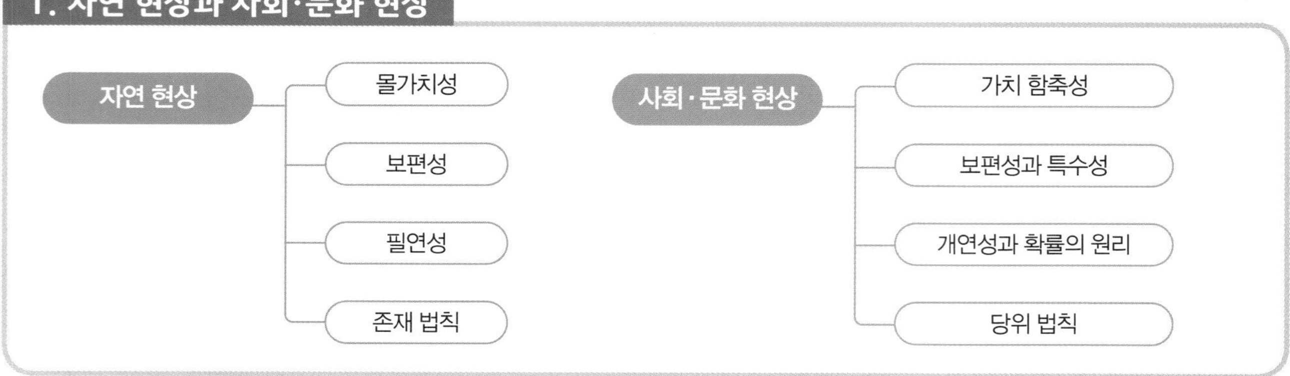

2. 사회·문화 현상을 보는 관점

거시적 관점

기능론

- 사회는 하나의 살아있는 유기적 통합 체계
- 사회 구성 요소들은 서로 조화와 균형을 이룸.
- 사회 질서 유지와 안전을 위해 규범과 가치를 지켜야 함.
- 사회 문제나 갈등을 일시적 병리 현상으로 여김.

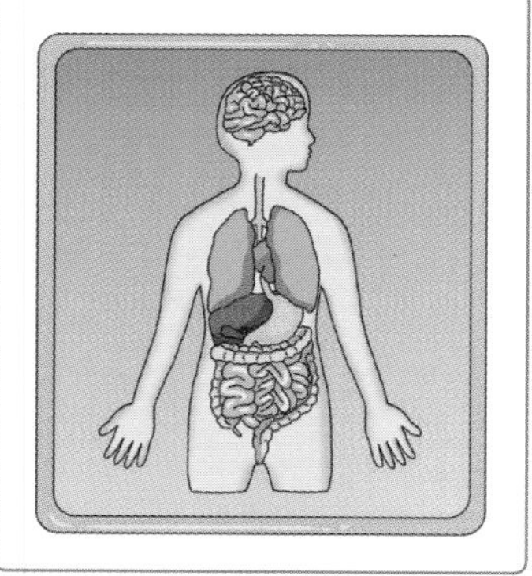

갈등론

- 사회는 희소가치를 많이 가진 집단이 그렇지 않은 집단을 지배하는 관계
- 사회 구성 요소들은 대립과 갈등 상태로 존재
- 사회 구성 요소의 기능과 역할은 지배 집단에게 유리하게 규정
- 갈등과 대립은 불가피하게 나타나는 현상, 발전과 변화의 원동력

미시적 관점

상징적 상호 작용론

- 개인이 하는 행위의 주관적인 동기와 의미의 해석에 초점을 두고 현상을 봄.
- 개인은 상황 정의에 따라 행동
- 인간은 상징을 활용해 상호 작용함.
- 개인은 상징적 상호 작용을 통해 자아를 형성하고, 자신에게 기대되는 역할과 행동을 학습함.
- 사람들이 행위의 의미를 공유하기 때문에 매끄러운 상호 작용 가능

3. 사회·문화 현상의 탐구 방법

구분	양적 연구 방법	질적 연구 방법
의미	사회·문화 현상 속에 담긴 인과 관계를 파악하여 일반화된 법칙을 발견하는 연구 방법	사회·문화 현상에 담긴 인간 행위의 동기나 목적을 심층적으로 파악하는 연구 방법
특징	• 사회·문화 현상에도 법칙이 존재하므로 자연 현상과 같은 방법으로 연구함. → 방법론적 일원론 • 가설을 세우고 계량화된 자료를 분석하여 증명하는 것을 강조 → 실증적 연구 방법 • 수치화된 자료를 통계 기법을 활용하여 분석하고 결론을 도출함. • 일반화와 인과 법칙의 발견이 용이함. • 사회·문화 현상을 지나치게 단순화하고 기계적으로 인식함.	• 사회·문화 현상은 자연 현상과 본질적으로 다르기 때문에 자연 현상과 다른 방법으로 연구함. → 방법론적 이원론 • 직관적 통찰을 통한 해석적 이해가 필요하다고 봄. → 해석적 연구 방법 • 비공식적이고 계량화하지 않은 자료를 활용함. • 행위 이면에 담긴 주관적인 의미를 심층적으로 이해하는 데 유용함. • 연구자의 주관적 가치가 개입될 우려가 큼.

4. 자료 수집 방법

빈출 자료 1 자연 현상과 사회·문화 현상

㉠과 ㉣은 사회·문화 현상이다. 사회·문화 현상은 인간의 의지와 가치가 개입된 현상으로, '인간이 활동하여 생긴 사회적 결과인가?'를 생각하면 쉽게 구분할 수 있다.

미세 먼지는 주로 ㉠ 자동차, 발전소 등에서 화석 연료를 사용할 때 발생한다. 미세 먼지는 코와 기도를 통해 폐에 도달할 수 있으며, 그 중 ㉡ 크기가 작은 것은 폐포를 통과해서 혈액에 유입되기도 한다. 미세 먼지는 ㉢ 호흡기 및 심혈관계 질환을 유발할 수 있는데, 미세 먼지로 인한 피해는 상대적으로 면역력이 약한 아이와 노인에게서 더 크게 나타난다. 이러한 피해를 줄이기 위해 우리나라에서는 ㉣ 대기 중의 미세 먼지 농도를 예측하여 발표하고 있다.

㉡과 ㉢은 자연 현상이다. 자연 현상은 인간의 의지나 노력과 관계없이 일어나는 일로, '인간이 의식적으로 할 수 있는 일인가?'를 생각하면 구분할 수 있다.

자료 분석

자연 현상의 특징은 몰가치성, 필연성과 확실성의 원리, 보편성, 존재 법칙이다. 반면 사회·문화 현상의 특징은 가치 함축성, 개연성과 확률의 원리, 보편성과 특수성, 당위 법칙이다.

자연 현상과 사회·문화 현상을 구분할 줄 알아야 해! 각 현상을 구분하고 특징을 묻는 문제가 자주 출제돼.

대표 예제와 기출 선택지

㉠~㉣과 같은 현상에 대한 설명으로 옳은 것에 모두 ○표 하시오.

① ㉠과 같은 현상은 몰가치적이다. ( )
② ㉡과 같은 현상은 인과 관계가 분명하다. ( )
③ ㉢과 같은 현상은 확실성의 원리를 따른다. ( )
④ ㉣과 같은 현상은 존재 법칙의 지배를 받는다. ( )
⑤ ㉢과 같은 현상은 ㉣과 달리 특수성을 지닌다. ( )

답 ②, ③

빈출 자료 2 자연 현상과 사회·문화 현상

㉠ 역간척 사업은 갯벌을 기존의 생태 환경으로 되돌리기 위해 인간이 시행하는 사업이므로 사회·문화 현상이다.

최근 갯벌의 경제적·환경적 가치가 재조명되면서 ㉠ 기존의 생태 환경으로 되돌리는 역(逆)간척 사업이 시행되고 있다. 역간척 사업 이후 자정 능력을 갖추게 된 ㉡ 갯벌 생태계는 원래대로 회복되어 안정적으로 작동할 수 있게 된다.

㉡ 갯벌 생태계는 인간의 의지와 관계없이 작동하는 자연 현상이다.

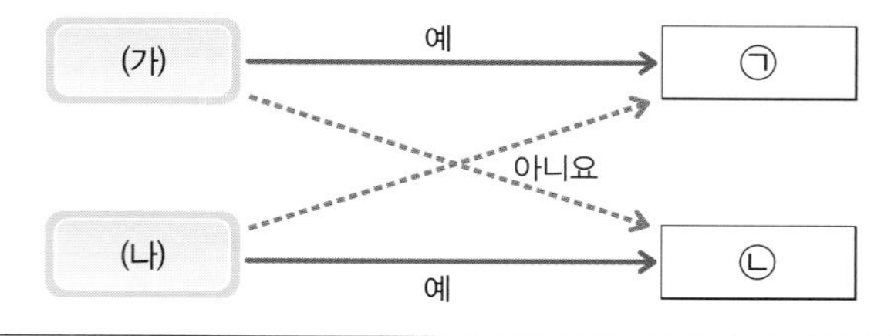

기존과는 다른 방식으로 자연 현상과 사회·문화 현상을 구분하는 문제야! ㉠과 ㉡이 어떤 현상인지 파악하고, (가)와 (나)에 어떤 질문이 들어갈 수 있을지 확인하면 돼.

대표 예제와 기출 선택지

(가), (나)에 들어갈 수 있는 질문으로 옳은 것에 모두 ○표 하시오.

① (가) 존재 법칙의 지배를 받는가? ( )
② (가) 경험적 자료를 통해 탐구할 수 있는가? ( )
③ (가) 개연성을 통해 설명할 수 있는가? ( )
④ (나) 확실성의 원리가 적용되는가? ( )
⑤ (나) 인간의 사회 활동과 관련된 현상인가? ( )

답 ③, ④

빈출 자료 3 사회·문화 현상을 보는 관점

〈수행 평가〉

◎문제: 법 제도를 서로 다른 관점에서 논하시오.

◎학생 답안

법이 사회 구성원 모두의 합의를 반영하여 제정된다고 보는 관점은 기능론이다.

관점	내용
(가)	법은 사회 구성원 모두의 합의를 반영하여 제정된다. 이렇게 제정된 법에 의해 사회 구성원 모두의 권리와 이익이 보장되고, 사회 질서가 유지된다.
(나)	법은 특정 집단의 의도와 가치관을 반영하여 제정된다. 따라서 법은 특정 집단의 이익을 보장하고, 이에 대항하는 집단을 억압하고 통제하는 수단에 불과하다.

법이 특정 집단의 의도와 가치관을 반영하여 제정된다고 보는 관점은 갈등론이다.

내용을 읽고, 주어진 글이 어떤 사회·문화 현상을 보는 관점을 가지고 있는지 구분할 줄 알아야 해. 보통 문제에서 드러난 사회·문화 현상을 보는 관점에 대한 옳은 설명을 고르는 문제가 출제돼.

대표 예제와 기출 선택지

사회·문화 현상을 보는 관점 (나)의 특징으로 옳은 것에 모두 ○표 하시오.

① 미시적 관점에서 사회·문화 현상을 바라본다. ( )
② 사회적 희소가치를 둘러싼 집단 간 갈등 관계에 주목한다. ( )
③ 사회의 안정과 통합을 중시한다. ( )
④ 사회 구성원들은 상징을 활용하여 의사소통을 한다. ( )
⑤ 사회 변동은 사회 구성원들 사이의 대립과 투쟁의 결과이다. ( )

답 ②, ⑤

빈출 자료 4 사회·문화 현상을 보는 관점

갑의 입장은 기능론이다. 기능론은 대립과 갈등이 일시적인 병리 현상이라고 생각한다. 이러한 갈등은 사회 스스로 기능을 회복해서 해소할 수 있다.

사회자 학교 폭력 방지 대책에 관해 말씀해 주십시오.
갑 학교 폭력을 막으려면 청소년들이 스트레스를 해소하고 건전한 청소년 문화를 만들어 갈 수 있도록 정부 차원에서 청소년 지원 센터를 많이 마련해야 합니다.
을 정부 차원의 대책도 중요하지만, 그것보다는 친구들끼리 서로의 마음을 이해하려는 소통의 시간을 늘려 나가는 것이 더 중요합니다.
병 학교 폭력은 기성세대가 청소년들을 강압적으로 통제하고 관리하는 과정에서 쌓인 갈등이 분출되는 현상입니다. 따라서 사회 체제의 변화가 필요합니다.

을의 입장은 상징적 상호 작용론이다. 상징적 상호 작용론은 행위의 주관적인 동기와 의미의 해석에 초점을 맞추어 사회·문화 현상을 본다. 대신 사회 구조나 제도는 경시하는 경향이 있다.

병의 입장은 갈등론이다. 갈등론은 희소가치가 배분되는 과정에서 집단 간에 대립과 갈등이 일어난다고 본다. 대립과 갈등은 체제나 구조의 변화를 통해서만 해소되며, 사회 발전과 변화의 원동력이 된다.

갑, 을, 병이 어떤 관점을 가지고 있는지 파악하고, 발언자들의 관점에 따른 옳은 설명을 고를 줄 알아야 해.

대표 예제와 기출 선택지

자료를 읽고 갑의 입장에 대한 설명으로 옳은 것에 모두 ○표 하시오.

① 사회는 스스로 균형을 유지하려는 속성이 있다고 본다. ( )
② 사회 구성원 간의 관계를 대립적으로 이해한다. ( )
③ 사회 구성원 사이의 사회적 합의를 중시한다. ( )
④ 갈등과 해체를 필연적이고 자연스러운 것으로 생각한다. ( )
⑤ 사회 구조나 제도의 영향을 중시한다. ( )

답 ①, ③, ⑤

빈출 자료 5 양적 연구 방법과 질적 연구 방법

양적 연구 방법은 사회·문화 현상이 자연 현상과 동일하게 객관적이고 수치화된 지표를 통해 측정할 수 있다고 본다.

갑 나는 사랑도 측정할 수 있다고 생각해. 상대방이 나를 만났을 때의 심장 박동 수, 하루 동안의 통화 횟수와 사랑한다고 말하는 횟수 등이 줄면 사랑이 식은 거야.

을 사랑은 서로를 바라보는 눈빛, 상대방을 배려하는 마음 등으로 파악하는 거지. 어떻게 실험처럼 측정한다는 건지 알 수가 없구나.

질적 연구 방법은 사회·문화 현상이 자연 현상과 본질적으로 다르기 때문에 자연 현상과 다른 방법으로 사회·문화 현상을 연구해야 하며, 행위 이면을 이해하려는 자세가 중요하다고 본다.

양적 연구 방법과 질적 연구 방법을 비교하는 문제가 출제돼. 두 방법의 특징을 잘 파악하고 있어야 해!

대표 예제와 기출 선택지

갑이 선택한 연구 방법에 대한 설명으로 옳은 것에 모두 ○표 하시오.

① 자연 현상과 같은 방법을 사용하여 연구한다. ( )

② 인간 행위의 동기나 목적을 파악할 수 있다. ( )

③ 직관적 통찰을 통한 이해가 필요하다고 본다. ( )

④ 가설을 세우고 자료를 분석하여 증명하는 과정을 거친다. ( )

⑤ 객관적이고 정밀한 연구가 가능하다. ( )

답 ①, ④, ⑤

빈출 자료 6 자료 수집 방법

㉠은 개발한 다이어트 프로그램이 독립 변수이고, 그 효과성이 종속 변수인 가설이다.

갑은 ㉠ 자신이 개발한 다이어트 프로그램이 실제 효과가 있는지 검증하려고 일반 성인 여성 100명을 대상으로 실험을 하였다. 갑은 50명씩 두 집단을 구분하여 ㉡ 한 집단에는 개발한 프로그램을 적용하고, ㉢ 다른 집단에는 평소대로 식사할 것을 주문하였다. 실험 시작 전 구분된 두 집단의 ㉣ 체질량 지수 및 비만도, 건강 상태, 운동 시간 등은 동일하였다. 실험이 끝나고 결과를 확인해 보니, 프로그램이 예상했던 것 이상으로 엄청난 효과가 있었음을 알 수 있었다.

㉡은 인위적인 처치를 가하는 실험 집단, ㉢은 처치의 영향이 미치지 않도록 통제하는 통제 집단이다.

㉣은 실험 집단과 통제 집단의 동질성을 확보하기 위한 조건이다. 만약 실험 집단과 통제 집단이 이질적이라면, 처치의 효과를 정확하게 검증할 수 없기 때문이다.

대표 예제와 기출 선택지

자료 수집 방법 중 실험법에 대하여 옳은 것에 모두 ○표 하시오.

① 인위적으로 통제된 상황에서 변수의 효과를 관찰하는 방법이다. ( )

② 주로 계량화된 자료를 수집되는데 활용된다. ( )

③ 대규모 집단을 대상으로 자료를 수집할 수 있다. ( )

④ 연구자의 편견이 개입될 가능성이 크다. ( )

⑤ 주로 질적 연구에서 사용되는 자료 수집 방법이다. ( )

자료 수집 방법 중 실험법은 실험 상황을 제시하는 방식으로 출제되는 편이야. 실험법에서 등장하는 개념들을 기억해 두어야 해!

답 ①, ②

빈출 자료 7 자료 수집 방법

동행 합숙 취재를 통해 자료를 수집하는 것으로 보아 자료 수집 방법 A는 참여 관찰법이다. 참여 관찰법은 연구자가 연구 대상과 함께 생활하면서 직접 관찰하여 자료를 수집한다.

연구 주제	자료 수집 방법
동행 합숙 취재를 통한 가출 청소년들의 일상생활 탐구	A
보건 복지 통계 연보에 나타난 국민 건강 보험 적용 인구 조사	B
가정 폭력범을 대상으로 그들의 어린 시절 경험에 대한 심층적 이해	C

보건 복지 통계 연보를 통해 건강 보험 적용 인구를 조사하므로 자료 수집 방법 B는 문헌 연구법이다. 문헌 연구법은 기존 문헌에서 자료를 수집하며, 2차 자료를 수집하는 데 용이하다.

대상의 어린 시절 경험을 심층적으로 이해하는 데 가장 적절한 자료 조사 방법 C는 면접법이다. 면접법은 연구자가 연구 대상과 대화하면서 자료를 수집할 수 있기 때문에 내면적이고 깊이 있는 정보를 얻을 수 있다.

연구 내용에 적절한 자료 수집 방법을 적용시킬 줄 알아야 해. 제시된 연구 내용에 적용한 자료 수집 방법의 특징을 고르는 문제가 자주 출제되고 있어.

대표 예제와 기출 선택지

자료 수집 방법 C의 특징으로 옳은 것에 ○표 하시오.

① 실증적이고 객관화된 자료를 얻을 수 있다. ( )
② 자료 수집에 시간이 적게 걸린다. ( )
③ 심층적인 자료를 얻을 수 있다. ( )
④ 의사소통이 어려운 집단을 조사할 수 있다. ( )
⑤ 자료 수집 비용이 적게 든다. ( )

답 ③

빈출 자료 8 자료 수집 방법

계량화된 자료를 수집하는 연구는 양적 연구이다. 따라서 주로 활용되는 연구 방법이 양적 연구이면 '예', 질적 연구이면 '아니요'로 분류한다.

양적 연구 방법에서 주로 사용하는 자료 수집 방법은 실험법과 질문지법이다. (가)에는 실험법과 질문지법을 구분할 수 있는 질문이 들어가야 한다.

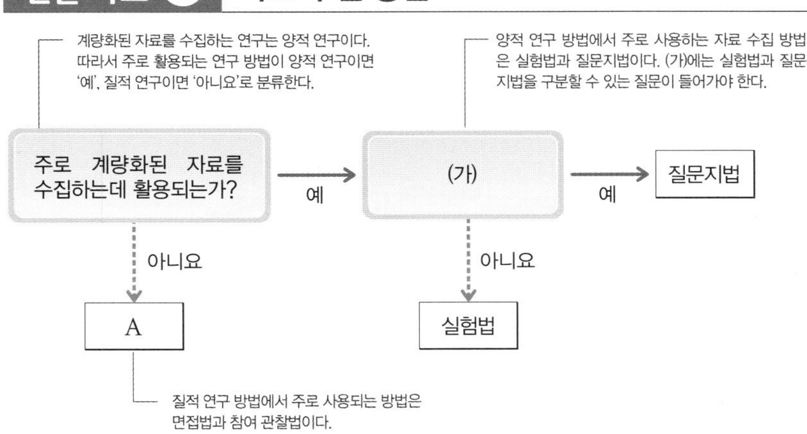

질적 연구 방법에서 주로 사용되는 방법은 면접법과 참여 관찰법이다.

주어진 질문에 따라 자료 수집 방법을 분류하고, 분류한 자료 수집 방법의 옳은 설명을 고르는 문제가 자주 출제돼!

대표 예제와 기출 선택지

(가)에 들어갈 수 있는 질문으로 알맞은 것에 ○표 하시오.

① 짧은 시간에 다수의 대상에게 자료를 수집할 수 있는가? ( )
② 윤리적인 문제가 발생할 수 있는가?( )
③ 연구 대상의 깊이 있고 내면적인 정보를 얻을 수 있는가? ( )
④ 관찰 내용을 기록하는 과정에서 연구자의 주관이 개입되는가? ( )
⑤ 연구 대상에 인위적인 실험처치를 진행하는가? ( )

답 ①

1주

Week

2

2주에는 무엇을 공부할까? ❶

전체 내용 파악하기

[관련 단원] Ⅰ. 사회·문화 현상의 탐구 ~ Ⅱ. 개인과 사회 구조

배울 내용

Week 2

2주에는 무엇을 공부할까? ②

수능 사회·문화 빈출 키워드#

1일

키워드#11 양적 연구 방법의 탐구 절차
키워드#12 질적 연구 방법의 탐구 절차

공부할 내용 추측해 보기 관련 페이지 52쪽

양적 연구 방법의 탐구 과정을 알고 있는 대로 적어 보자.

2일

키워드#13 사회 실재론
키워드#14 사회 명목론

A + B + C + D = A B C D

(개인) (사회)

A + B + C + D = A B C D

(개인) (사회)

공부할 내용 추측해 보기 관련 페이지 58, 60쪽

개인 행위와 사회 구조는 서로 어떤 관계를 가지고 있을까?
자신의 생각을 적어 보자.

3일

키워드 #15 사회화
키워드 #16 사회화 기관

공부할 내용 추측해 보기 관련 페이지 64쪽
사회화가 무엇인지 아는 대로 적어 보자.

___

4일

키워드 #17 사회적 지위와 역할
키워드 #18 역할 갈등

공부할 내용 추측해 보기 관련 페이지 72쪽
역할 갈등이 왜 일어나는지 아는 대로 적어 보자.

___

5일

키워드 #19 1차 집단, 2차 집단, 공동 사회, 이익 사회
키워드 #20 내집단, 외집단, 준거 집단

공부할 내용 추측해 보기 관련 페이지 76, 78쪽
사회 집단의 종류에 대해 아는 대로 적어 보자.

___

1일 사회·문화 현상의 탐구 절차

키워드 #11 양적 연구 방법의 탐구 절차

1 양적 연구 방법의 탐구 절차

① 문제 인식 및 연구 주제 선정	관심 있는 사회·문화 현상, 해결하고 싶은 문제, 기존 이론에 대한 새로운 주장 등 연구하고자 하는 문제를 인식함.
② 가설 설정	기존 연구 결과를 참조하여 변수들 간의 인과 관계에 대한 잠정적인 결론인 가설❶을 설정함.
③ 연구 설계	개념의 조작적 정의❷가 이루어지고, 연구 대상과 연구 기간, 자료 수집 방법, 분석 도구 등 가설을 증명하기 위한 연구 방법을 결정함.
④ 자료 수집	연구 설계에 따라 경험적 자료❸를 수집함.
⑤ 자료 분석	적합한 통계 방법을 적용하여 수집된 자료를 분석함.
⑥ 가설 검증 및 일반화	자료 분석 결과가 설정한 가설과 일치하면 가설을 채택하고, 그렇지 않으면 가설을 기각하여 사회·문화 현상의 결론을 도출함. 가설이 수용될 경우 가설을 □□□ 전체에 적용하는 일반화를 시도함.

2 연역법

연역법	• 가설을 검증하기 위해 개별적 □□을/를 조사하는 방법 • 양적 연구는 전체적인 흐름상 연역적 연구에 해당하지만, 구체적인 자료를 수집하고 분석하여 결론을 도출하는 귀납적 과정도 거침.

답 모집단, 사례

❶ 가설
가설은 주로 독립 변수와 종속 변수의 관계로 진술한다. 예를 들면 "아르바이트 경험이 있는 고등학생이 그렇지 않은 고등학생에 비해 소비 지향성이 더 높을 것이다." 라는 가설에서 독립 변수는 아르바이트 경험, 종속 변수는 소비 지향성이 된다.

❷ 조작적 정의
추상적인 개념을 측정 가능하도록 계량화된 지표로 바꾸는 과정이다.
예 물건을 사고 싶은 마음이 생기는 횟수나 유혹을 느끼는 정도

❸ 경험적 자료
연구 설계 단계에서 결정한 방법에 따라 연구자가 직접 습득한 자료를 말한다.

개념 확인

1 (가)~(바)는 양적 연구 단계를 순서없이 나열한 것이다. 이를 순서대로 나열하시오.

(가) 자료 분석
(나) 가설 설정
(다) 가설 검증 및 일반화
(라) 문제 인식 및 연구 주제 선정
(마) 자료 수집
(바) 연구 설계

양적 연구 방법의 탐구 절차가 연역적 이라는 것은 잠정적인 결론을 내리고 그 결론을 검증하기 위해 자료를 수집해서 조사하기 때문이야.

2주 1일

2 다음 가설에서 독립 변수와 종속 변수를 구분하시오.

가설: 독서량이 많을수록 학업 성취도가 높을 것이다.

(1) 독립 변수: ______

(2) 종속 변수: ______

3 양적 연구 방법의 탐구 절차와 그 설명을 바르게 연결하시오.

(1) 연구 설계 •　　　• ㉠ 연구하고자 하는 문제를 인식한다.

(2) 가설 설정 •　　　• ㉡ 자료 분석 결과가 가설과 일치하면 가설을 채택하고, 그렇지 않으면 가설을 기각하여 사회·문화 현상의 결론을 도출한다.

(3) 문제 인식 •　　　• ㉢ 연구 대상, 연구 기간, 자료 수집 방법, 분석 방법 등을 정한다.

(4) 가설 검증 및 일반화 •　　　• ㉣ 기존 연구 결과를 참조하여 주로 인과 법칙의 형태로 서술한다.

답 1. (라) – (나) – (바) – (마) – (가) – (다)　2. (1) 독서량 (2) 학업 성취도　3. (1) ㉢ (2) ㉣ (3) ㉠ (4) ㉡

1일 사회·문화 현상의 탐구 절차

키워드 #12 질적 연구 방법의 탐구 절차

1 질적 연구 방법의 탐구 절차

① 연구 문제 인식	• 심층적인 이해가 필요한 사회·문화 현상에 대한 연구 문제를 인식함. • 가설을 설정하지 않고 연구 주제와 관련된 대략적인 가정을 세움.
② 연구 설계	연구 대상을 선정하고, 자료 수집 방법과 분석 방법을 결정
③ 자료 수집 및 자료 분석	• 자료 수집과 분석이 구분되지 않고 거의 □□에 이루어짐. • 연구자의 직관적 통찰과 감정 이입적 이해를 통해 수집된 자료를 분석함. • 자료를 수집하고 분석하는 과정에서 연구 문제나 연구 설계를 조정하기도 함.
④ 결론 도출	• 자료 분석 결과를 바탕으로 관찰한 행위의 이면에 담긴 심층적인 의미를 해석함. • 자료 해석을 통해 발견한 의미를 중심으로 결론을 도출함.

2 귀납법

귀납법	• 구체적 사례들을 종합하여 일반적인 □□을/를 도출하는 방법 • 질적 연구는 일반적으로 구체적인 사례를 바탕으로 자료를 수집하여 결론을 도출하는 귀납적 과정을 거침.

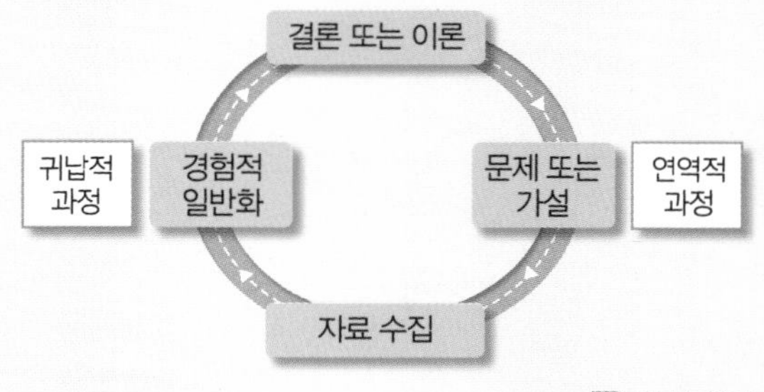

답 동시, 원리

개념 확인

1 **괄호 안의 내용 중 옳은 것에 ◯표 하시오.**

(1) 질적 연구는 연구 주제와 관련하여 (자세한 가설, 대략적인 가정)을 세운다.

(2) 자료를 수집하고 분석하는 과정에서 연구 문제나 연구 설계를 조정할 수 (있다, 없다).

(3) 자료 해석을 통해 발견한 (원리, 의미)를 중심으로 결론을 도출한다.

2 **▢ 안에 공통으로 들어갈 알맞은 말을 쓰시오.**

질적 연구에서는 왜 가설을 설정하지 않습니까?
질적 연구에서는 보통 심층적인 ▢▢이/가 필요한 사회·문화 현상을 연구합니다. 가설 설정은 현상을 있는 그대로 ▢▢하는 데 방해가 되어 연구의 폭을 제한할 수 있기 때문입니다.
갑
을

양적 연구 방법의 탐구 절차와 질적 연구 방법의 탐구 절차에서 가장 큰 차이는 가설을 설정하는가 여부야. 양적 연구에서는 가설을 설정하고, 질적 연구에서는 가설을 설정하지 않아.

3 **(가)~(라)는 질적 연구 단계를 순서 없이 나열한 것이다. 이를 순서대로 나열하시오.**

(가) 자료 수집 및 분석
(나) 연구 설계
(다) 결론 도출
(라) 연구 문제 인식

답 1. (1) 대략적인 가정 (2) 있다 (3) 의미 2. 이해 3. (라) – (나) – (가) – (다)

2주 1일

1일 사회·문화 현상의 탐구 절차

| 모평 기출 응용 |

1 밑줄 친 ㉠~㉦에 대한 설명으로 옳은 것은?

> 갑은 다문화 가정 자녀들의 ㉠ 학교생활 만족도에 ㉡ 차별 경험 정도가 미치는 영향에 대한 ㉢ 연구를 하였다. 이를 위해 ㉣ ○○ 지역 고등학교 다문화 가정 자녀들 중 ㉤ 설문에 자발적으로 참여한 100명을 대상으로 설문 조사를 실시하였다. ㉥ 수집한 자료를 분석한 결과, 차별 경험이 적을수록 학교생활 만족도가 높다는 유의미한 ㉦ 결론을 도출하였다.

① ㉠은 종속 변수, ㉡은 독립 변수이다.
② ㉢은 해석적 연구 방법에 기초하였다.
③ ㉣은 모집단, ㉤은 표본이다.
④ ㉥에서 독립 변수와 종속 변수는 양의 관계이다.
⑤ ㉥에서 ㉦을 도출하는 과정은 연역적이다.

| 학평 기출 |

2 그림은 사회·문화 현상의 연구 방법 A의 과정을 나타낸 것이다. 이에 대한 옳은 설명을 〈보기〉에서 고른 것은?

(가)	문제 인식 및 연구 주제 선정
(나)	가설 설정
(다)	자료 수집 및 분석
(라)	가설 검증
(마)	결론 도출 및 일반화

보기

ㄱ. A는 자연 현상과 사회·문화 현상이 본질적으로 다르다는 관점에 기초한다.
ㄴ. 개념의 조작적 정의는 (다) 이후에 실시한다.
ㄷ. (가), (나)에서는 연구자의 가치 개입이 허용된다.
ㄹ. (나)부터 (마)까지는 연역적 추론이 이루어진다.

① ㄱ, ㄷ ② ㄱ, ㄷ ③ ㄴ, ㄷ
④ ㄴ, ㄹ ⑤ ㄷ, ㄹ

| 학평 기출 |

3 밑줄 친 ㉠~㉦에 대한 설명으로 옳은 것은?

> 갑은 '㉠ 슬픈 감정이 상품의 ㉡ 구매 욕구에 미치는 영향' 이라는 ㉢ 주제를 선정하고 연구를 진행하였다. 갑은 먼저 ㉣ 연구 대상자 100명을 선정하여 무작위로 50명씩 A, B 두 집단으로 나누었다. 이후 ㉤ A 집단에게는 슬픈 감정을 일으키는 영상을, ㉥ B 집단에는 감정의 동요를 일으키지 않는 영상을 보여주었다. 영상 시청이 종료된 후 두 집단에게 동일한 상품을 보여주면서 ㉦ 상품 구매를 위하여 지불하고자 하는 금액을 묻자, A 집단이 B 집단에 비해 평균적으로 약 30% 높은 금액을 지불하겠다고 응답하였다.

① ㉠은 종속 변수이다.
② ㉢ 단계에서 연구자의 주관적 가치는 배제되어야 한다.
③ ㉣은 모집단이다.
④ ㉤은 통제 집단, ㉥은 실험 집단이다.
⑤ ㉦은 ㉡을 조작적으로 정의한 것이다.

| 학평 기출 |

4 밑줄 친 ㉠~㉦에 대한 설명으로 옳은 것은?

> 갑은 ㉠ 부모의 소득 수준이 높은 청소년일수록 외국인에 대한 수용성이 높을 것이라는 가설을 검증하기 위한 연구를 수행하였다. ㉡ ○○ 지역에 있는 고등학교 10개교를 무작위로 선정하고, ㉢ 학년별 3개 학급의 학생들을 대상으로 부모의 소득 수준, 외국인에 대한 수용성, 개인적 성격 등을 파악할 수 있는 ㉣ 질문이 포함된 설문지를 배부하여 조사하였다. ㉤ 외국인에 대한 수용성은 ㉥ 문화 개방성, 외국인과의 교류 의지 등을 5점 척도로 측정하였다. ㉦ 분석 결과, 부모의 소득 수준과는 관계없이 청소년 개인의 성격이 외향적일수록 외국인에 대한 수용성이 높다는 유의미한 결과가 나타났다.

① ㉠에서 독립 변수는 '외국인에 대한 수용성'이다.
② ㉡은 모집단, ㉢은 표본 집단이다.
③ ㉣에는 응답자의 가치 판단을 묻는 질문이 포함될 수 없다.
④ ㉥은 ㉤을 조작적으로 정의한 것이다.
⑤ ㉦으로 보아, ㉠의 가설은 수용되었을 것이다.

정답과 해설 7쪽

| 수능 기출 |

5 **다음 연구에 대한 설명으로 옳은 것은? (단, (가)~(라)는 연구 과정을 순서 없이 나열한 것이다.)**

• 연구 주제 설정: 정보 격차 문제를 파악하기 위해 A 지역 고등학생의 인터넷 이용 형태에 부모의 경제 수준 및 부모의 인터넷 이용 형태가 미치는 영향을 탐구하기로 하였다.

(가) ㉠ 부모의 경제 수준이 높을수록 자녀의 정보 지향적 인터넷 이용 정도가 높아지고, ㉡ 부모의 정보 지향적 인터넷 이용 정도가 높을수록 자녀의 정보 지향적 인터넷 이용 정도가 높아질 것이라고 가설을 설정하였다.

(나) A 지역에서 선정된 6개 ㉢ 고등학교 학생 1,000명 중 ㉣ 부모도 응답 가능한 300명을 대상으로 구조화된 질문지를 통해 자료를 수집하였다.

(다) 경제 수준은 ㉤ 월평균 소득으로, 정보 지향적 인터넷 이용 정도는 ㉥ 인터넷 이용 시간 중 정보 검색 시간 비중으로 측정하기로 하였다.

(라) 부모의 월평균 소득에 따라 자녀의 정보 검색 시간 비중은 통계적으로 유의미한 차이가 나타나지 않았다. 반면 부모의 정보 검색 시간 비중이 높을수록 자녀의 정보 검색 시간 비중은 통계적으로 유의미하게 높아지는 것으로 나타났다.

① ㉠은 독립 변수, ㉡은 종속 변수이다.
② ㉢은 모집단, ㉣은 표본이다.
③ ㉤은 ㉠의, ㉥은 ㉡의 조작적 정의에 해당한다.
④ (라)로 보아 가설은 검증되었다.
⑤ (다)-(나)-(가)-(라) 순서로 연구가 진행되었다.

| 학평 기출 |

6 **밑줄 친 ㉠~㉧에 대한 설명으로 옳은 것은?**

구분	내용
연구 주제	㉠ 학교 폭력 가해 행동에 청소년의 공감 능력이 미치는 영향
가설 설정	㉡ 공감 능력이 높은 청소년일수록 학교 폭력 가해 행동을 적게 할 것이다.
연구 대상	전국 청소년 중 ㉢ 1,000명을 무작위로 추출하여 선정
자료 수집	(1) 설문 조사를 통해 학교 폭력 가해 행동 횟수와 ㉣ 공감 능력 검사의 점수를 측정 (2) 설문 조사에 참여한 청소년 중 ㉤ 학교 폭력 가해 행동 횟수가 많은 청소년 20명에 대해 면접 실시
자료 분석	설문 조사를 통해 수집한 ㉥ 자료는 통계 처리, 면접을 통해 수집한 ㉦ 자료는 내용을 녹음하여 기록 후 코딩 분석
자료 분석 결과	㉧ 청소년의 공감 능력 정도는 학교 폭력 가해 행동 횟수와 음(−)의 상관관계가 통계적으로 유의미하게 나타남.

① ㉠은 독립 변수이다.
② ㉢은 통제 집단, ㉤은 실험 집단이다.
③ ㉣은 ㉠의 조작적 정의에 해당한다.
④ ㉥은 양적 자료, ㉦은 1차 자료이다.
⑤ ㉧으로 보아 ㉡은 기각되었다.

| 학평 기출 |

7 **(가)~(마)는 양적 연구의 탐구 절차를 순서 없이 나열한 것이다. 이에 대한 설명으로 옳은 것은?**

(가)		(나)		(다)		(라)		(마)
가설 설정	→	연구 설계	→	연구 문제 인식	→	자료 수집 및 분석	→	가설 검증 및 결론 도출

① (가)에서는 가설의 진위 여부를 판단한다.
② (나)에서는 연구 대상과 기간, 자료 수집 방법 등을 정한다.
③ (다), (라)는 연구자의 엄격한 가치 중립이 요구되는 단계이다.
④ (마)에서는 변인들 간의 관계에 대해 잠정적인 결론을 내린다.
⑤ 일반적으로 (다) → (나) → (라) → (가) → (마)의 순서로 연구를 진행한다.

2일

인간의 사회화 ❶

키워드 #13 사회 실재론

1 사회 실재론의 기본 입장과 특징

기본 입장	사회 실재론은 사회가 개인의 □□에 실제로 존재한다고 보는 관점
특징	• 사회는 개인의 사고와 행위의 한계를 정하고 구속함. • 개인은 독자적인 판단이나 사고에 따라 행동하는 것이 아니라 사회의 영향을 받아 행동함. • 개인의 이익이나 권리보다 공익을 중시함. • 사회는 개인의 총합보다 큼. → 사회 유기체설❶과 같은 맥락

2 사회 실재론의 장점과 한계

장점	개인이 사회의 영향을 받아 사고하고 행동한다는 점을 잘 설명함.
한계	• 인간의 주체적 행위를 설명하기 곤란함. • 개인이 사회의 구속으로부터 자율성을 갖고 사회를 변화시킬 수 있는 존재라는 점을 간과할 수 있음. • 개인을 사회의 □□적인 존재로 볼 수 있음. • 전체를 위한 개인의 희생을 정당화할 우려가 있음.

└ 지나칠 경우 전체주의❷로 흐를 수 있다.

답 외부, 종속

❶ 사회 유기체설
사회를 거대한 유기체로 보고 개인은 이를 구성하는 세포, 조직으로 인식하는 이론이다. 사회 유기체설은 생물 유기체의 각 기관이 전체의 생존을 위해 존재하는 것처럼 개인은 사회를 위해 존재하며, 사회를 떠나서는 의미없는 존재가 된다고 본다.

❷ 전체주의
개인의 모든 활동은 민족·국가와 같은 전체의 존립과 발전을 위하여서만 존재한다는 이념 아래 개인의 자유를 억압하려는 사상이다.

개념 확인

1 **빈칸에 들어갈 말을 〈보기〉에서 골라 쓰시오.**

> 보기
> 공익, 내부, 사익, 사회 계약설, 사회 유기체설, 외부, 자유 의지

(1) 사회 실재론은 개인의 이익보다 (　　　　　　)을/를 중시한다.
(2) 사회 실재론은 사회가 개인의 총합보다 크고, 사회는 개인의 (　　　　　　)에 존재한다고 본다.
(3) 사회 실재론은 사회가 하나의 생물 유기체와 같다고 보는 (　　　　　　)와/과 같은 맥락이다.

2 **다음 글에 나타난 개인과 사회의 관계를 보는 관점을 쓰시오.**

> 내가 형제로서, 아버지로서 또는 시민으로서 나의 의무를 행하고 나에게 맡겨진 일을 할 때, 나는 법과 관습으로 규정되어 있는, 그리고 나와 나의 행위에 외재하는 의무를 수행하는 것이다. 내가 내 생각을 표현하기 위해 사용하는 기호 체계, 빚을 갚기 위해 사용하는 화폐 제도, 상업적 관계에서 사용하는 신용 도구, 나의 직업에서 행하는 일 등이 모두 내가 사용하는 것과는 독립적으로 기능한다.
>
> – 에밀 뒤르켐, 『사회학적 방법의 규칙들』 –

개인 행위가 개인의 힘으로는 좌지우지할 수 없는 특정한 사회관계의 틀이나 작동 규칙에 의해 강하게 규정되고 있다는 것으로 보아 사회 실재론적 관점에서 사회를 설명하고 있어.

3 **다음 중 사회 실재론의 한계에 해당하는 것을 모두 고르시오.**

> (가) 인간의 주체적 행위를 설명하기 곤란하다.
> (나) 개인이 사회의 영향을 받아 사고하고 행동한다고 설명한다.
> (다) 전체를 위한 개인의 희생을 정당화할 우려가 있다.
> (라) 개인의 이익만을 강조한다.
> (마) 개인이 사회의 구속으로부터 자율성을 갖고 사회를 변화시킬 수 있는 존재라는 점을 간과한다.

(　　　　　　　　　　)

답 1. (1) 공익 (2) 외부 (3) 사회 유기체설　2. 사회 실재론　3. (가), (다), (마)

2일 인간의 사회화 ①

키워드 #14 사회 명목론

1 사회 명목론의 기본 입장

기본 입장	사회는 개인의 합에 이름을 붙인 것으로 실제로 존재하지 않는다는 관점
특징	• 실제로 존재하는 것은 사회가 아니라 자유 의지에 따라 행동하는 개인 • 개인의 특성과 행동 양식에 초점을 맞춰 사회·문화 현상을 파악하려고 함. • 공익보다 개인의 ☐☐이나 권리 보장을 중시함. • 사회는 개인의 총합과 같음. → 사회 계약설❶과 같은 맥락

2 사회 명목론의 장점과 한계

장점	개인이 자유 의지를 가진 능동적인 존재이며, 사회를 변화시키는 ☐☐☐이/가 될 수 있다는 점을 인정함.
한계	• 사회가 개인에게 미치는 영향을 간과함. • 개인의 이익만이 강조되어 극단적 이기주의를 초래할 우려가 있음.

❶ **사회 계약설**
사회 계약설은 사회를 자유로운 개인의 계약의 산물로 본다. 사회 계약설에서는 인간을 태어나면서부터 자유와 평등의 권리를 가진 존재로 보며, 이 권리를 보다 잘 보장할 수 있도록 계약을 통해 국가를 구성했다고 본다.

답 이익, 원동력

개념 확인

1 **괄호 안의 내용 중 옳은 것에 ○표 하시오.**

(1) 사회 명목론은 (사회 유기체설, 사회 계약설)과 같은 맥락으로 사회와 개인의 관계를 본다.

(2) 사회 명목론은 (사회, 개인)이/가 실제로 존재하지 않는 것이라고 생각한다.

(3) 사회 명목론은 개인의 이익만을 강조하기 때문에 (극단적 이기주의, 극단적 이타주의)을/를 초래할 우려가 있다.

2 **다음 글을 읽고, 사회 명목론의 관점에서 ㉠~㉣을 실제로 존재하는 것과 실제로 존재하지 않는 것을 구분하시오.**

> ㉠ 국가는 인간의 노력으로 만들어지는 인위적인 산물이다. 사람들은 자연 상태에서 일어날 수 있는 분쟁을 해결하고 자신의 생명과 자유와 재산을 더 안전하게 지키고 누리기 위해, 각자가 스스로 동의한 계약에 따라 국가를 형성한다. 이때 ㉡ 사회 구성원 각자가 국가에 양도하는 권력은 국가가 그 역할을 수행할 정도에서 그쳐야 한다.
>
> – 로크, 『시민 정부』 –
>
> ㉢ 개인과 개인은 연합하여 각 개인의 생명과 재산을 방어하고 보존하는 일종의 ㉣ 연합체를 만든다. 그 후 개인은 이러한 연합체에 결합하지만 종전처럼 자기 자신에게만 복종하고 전처럼 자유를 잃지 않은 형태로 연합체가 유지되도록 해야 한다. 이것이 사회 계약으로 이루어져야 할 근본 문제이다.
>
> – 루소, 『사회 계약론』 –

(1) 실제로 존재하는 것: ______________________

(2) 실제로 존재하지 않는 것: ______________________

3 **다음 중 사회 명목론의 입장에 해당하는 것을 모두 고르시오.**

(가) 사회는 개인의 외부에 존재한다.
(나) 사회는 개인의 합이다.
(다) 사회는 허구적 개념에 불과하다.
(라) 개인의 이익만이 강조된다.
(마) 개인은 사회의 영향을 받아 사고하고 행동한다.

( )

사회 명목론과 사회 실재론 중 하나를 제시하고, 제시한 관점의 입장으로 옳은 진술을 고르는 문제가 주로 출제되고 있어.

답 1. (1) 사회 계약설 (2) 사회 (3) 극단적 이기주의 2. (1) ㉡, ㉢ (2) ㉠, ㉣ 3. (나), (다), (라)

일 인간의 사회화 ①

| 학평 기출 |

1 다음 자료에 대한 옳은 설명만을 〈보기〉에서 모두 고른 것은?

주제: 개인과 사회의 관계를 보는 관점

(가) 사회를 개인들의 단순한 집합체에 붙여진 이름에 불과하다고 봄.
(나) 사회를 개인의 외부에 존재하는 독립적인 실체라고 봄.

〈형성 평가〉

질문 \ 관점	(가)	(나)
개인의 행동을 사회에 의해 구조화된 것으로 보는가?	㉠	㉡
㉢	예	아니요

보기

ㄱ. ㉠은 '예', ㉡은 '아니요'이다.
ㄴ. ㉢에는 '사회의 속성은 개인의 속성에 의해 결정된다고 보는가?'가 들어갈 수 있다.
ㄷ. (가)는 개인의 자율성과 능동성을 강조한다.
ㄹ. (나)는 의식 개혁보다 제도 개선에 의한 사회 문제 해결을 강조한다.

① ㄱ, ㄴ ② ㄱ, ㄹ ③ ㄴ, ㄷ
④ ㄱ, ㄷ, ㄹ ⑤ ㄴ, ㄷ, ㄹ

| 학평 기출 응용 |

2 개인과 사회의 관계를 보는 다음 글의 관점에 부합하는 진술로 가장 적절한 것은?

개인의 행위는 외적 강제, 의무, 명령, 관습 등 사회·문화적인 요소들에 의해 구속된다. 예를 들어 층간 소음 문제는 이웃의 부주의가 아니라 주거와 관련된 사회 제도로 인한 것이며, 기업의 성공은 개별 구성원의 역량이 아닌 조직 문화가 결정하는 것이다.

① 집단의 속성은 개개인 속성의 총합이다.
② 사회는 개인의 외부에 실제로 존재한다.
③ 사회는 개인의 목표를 실현해주는 수단에 불과하다.
④ 사회 규범은 개인들이 그것을 옳다고 믿기에 존재한다.
⑤ 사회 문제의 해결을 위해서는 제도 개혁보다 의식 개선이 중요하다.

| 수능 기출 |

3 개인과 사회의 관계를 바라보는 관점 (가), (나)에 대한 옳은 설명을 〈보기〉에서 고른 것은?

[(가)]에 따르면 결혼, 가족, 종교의 본질은 해당 제도에 대응되는 개인적 욕구인 성적 욕구, 부모의 애정, 종교적 본능 등으로 구성된 것이다. 이 경우 개인의 정신 상태가 유일하게 관찰 가능한 대상이 된다. 그러나 제도란 그 자체로 다양하고 복합적인 역사적 맥락을 가지며 개인의 의식 외부에 실체로서 존재하는 것이다. 실체가 존재하지 않는다면 사회학은 그 자체의 연구 대상을 가질 수가 없기에, [(나)]을 바탕으로 할 때 사회학이 연구 대상을 가지게 된다.

보기

ㄱ. (가)는 사회가 개인들의 속성으로 환원될 수 없다고 본다.
ㄴ. (가)는 사회가 개인의 자율적인 의지에 의해 형성된다고 본다.
ㄷ. (나)는 개인이 사회 속에서만 존재 의미를 갖는다고 본다.
ㄹ. (나)는 개인들이 옳다고 믿기 때문에 사회 규범이 존재한다고 본다.

① ㄱ, ㄴ ② ㄱ, ㄷ ③ ㄴ, ㄷ
④ ㄴ, ㄹ ⑤ ㄷ, ㄹ

정답과 해설 8쪽

| 모평 기출 |

4 다음 글에 나타난 개인과 사회의 관계를 바라보는 '나'의 관점에 부합하는 진술을 〈보기〉에서 고른 것은?

> 한 사회학자의 분석에 따르면, 규범적 통합이 강한 집단에서는 자살률이 낮은 반면 규범적 통합이 약한 집단에서는 자살률이 높다고 한다. 이것은 사회 통합의 정도에 따라 개인의 행위가 달라질 수 있다는 것으로 해석된다. 그러나 '나'는 자살률의 높고 낮음이 집단의 특성이 아니라 개인의 특성에서 비롯된다고 생각한다. 사회 현상에 대한 이해는 개별 인간의 행위에 대한 이해를 통해서만 가능하다. 그러므로 개인의 행위에 초점을 두고 사회를 연구해야 한다.

보기
ㄱ. 사회는 개인의 외부에 존재한다.
ㄴ. 사회는 개인의 속성을 모두 합한 것에 불과하다.
ㄷ. 개인은 전체 사회와의 관련 속에서만 존재의 의미를 갖는다.
ㄹ. 사회적 조건보다 개인의 자유 의지가 인간 행동에 더 큰 영향을 미친다.

① ㄱ, ㄴ ② ㄱ, ㄷ ③ ㄴ, ㄷ ④ ㄴ, ㄹ ⑤ ㄷ, ㄹ

| 학평 기출 |

5 다음 글의 필자가 지닌 개인과 사회의 관계를 바라보는 관점에 부합하는 진술로 가장 적절한 것은?

> 우리나라는 1997년의 IMF 외환 위기를 겪으면서 수많은 근로자가 실업자로 전락한 경험을 하였다. 또 어느 국가에서는 전쟁이 발발하여 시인이 군인이 되기도 하였다. 역사적으로는 시민 혁명과 산업 혁명을 거치면서 이전 사회의 귀족이 자본가가 되거나 완전히 몰락하기도 하였다. 이처럼 개인의 삶은 그의 의지가 아닌 사회 구조에 의해 결정된다. 따라서 개인의 삶을 올바르게 이해하기 위해서는 개인이 아닌 사회 구조의 힘을 이해해야 한다.

① 사회는 이름만 존재할 뿐 실체가 없다.
② 사회의 이익보다 개인의 이익이 우선한다.
③ 사회 현상은 개인의 자율적 의지에 의해 형성된다.
④ 사회는 개인들 간의 계약에 의한 합의로 만들어진다.
⑤ 사회 문제의 해결을 위해서는 의식 개혁보다 제도 개선이 중요하다.

| 모평 기출 |

6 개인과 사회의 관계를 바라보는 관점 (가), (나)에 대한 설명으로 옳은 것은?

> (가) 사회는 개인들 사이의 다양한 상호 작용의 총합과 동일시된다. 사회란 상호 작용에 의해 결합된 개인들을 지칭하는 개념일 뿐이다. 짧은 시간 상호 작용하는 사람들의 의식 속에서도 언제든지 사회는 구성된다.
> (나) 소소한 개인의 행위라도 사회적으로는 사소하지 않다. 개인의 행위는 일상에서 무심코 지나치는 사회 구조적 상황의 산물이다. 사회 속 개인의 어떠한 행위 양식도 개인의 의지로 이루어지는 것은 없다.

① (가)의 관점은 사회에 대한 개인의 불가항력성을 강조한다.
② (가)의 관점은 사회가 개인의 외부에 존재하는 독자적 실체라고 본다.
③ (나)의 관점은 개인에게 영향을 끼치는 사회 제도의 힘을 중시한다.
④ (나)의 관점은 사회 현상을 개인 행위로 환원하여 설명할 수 있다고 본다.
⑤ (가)의 관점은 개인에 대한 사회의 구속성을, (나)의 관점은 사회로부터의 개인의 자율성을 중시한다.

일

인간의 사회화 ②

키워드 #15 사회화

● 사회화는 사회생활에 필요한 가치나 규범을 습득해서 사회적 존재로 성장하는 과정이다. 사회화는 사람이 살아있는 동안에는 언제든지 이루어지며, 우리 사회가 지속될 수 있도록 유지하는 역할을 한다.

1 사회화❶의 의미와 중요성

의미		사회적 상호 작용을 통해 자신이 속한 사회의 행동 양식, 규범, 가치 등을 내면화하면서 사회적 존재로 성장해 가는 과정
중요성	개인적 차원	사회생활에 필요한 규칙과 규범 습득, 자아 정체성❷ 및 인성 형성
	사회적 차원	기존 사회의 가치, 규범 등을 학습함으로써 한 사회의 □□□을/를 유지함.

2 사회화의 유형

재사회화	• 사회 변화나 새로운 환경에 적응하기 위해 이전과는 다른 규범, 가치 및 행동 양식을 학습하는 과정 • 직장 내 재교육, 대중 매체를 통한 사회 교육, 노인이나 주부를 대상으로 한 평생 교육
예기 사회화	• □□에 지위 변화가 예상될 때 새로 갖게 될 지위에 따른 역할을 미리 배우고 준비하는 과정 • 신입생 예비 교육, 신입 사원 연수
탈사회화	• 새로운 환경이나 문화에 적응하기 위해 기존에 습득한 규범이나 생활 방식을 버리는 과정 • 북한 이탈 주민이 북한에서 배웠던 사회화 내용을 버리는 것

답 지속성, 미래

❶ **사회화**
인간의 사회화 과정은 전 생애에 걸쳐 이루어진다. 사회화의 구체적 내용이나 방법은 사회와 환경에 따라 다르고, 한 사회 내에서도 계층과 지역 등에 따라 다를 수 있다.

❷ **자아 정체성**
자신의 성격, 취향, 가치관, 능력 등에 대해 명료하게 이해하고 있으며, 그러한 이해가 지속성과 통합성을 지니고 있는 상태를 말한다.

개념 확인

1 괄호 안의 내용 중 옳은 것에 ◯표 하시오.

(1) 사회화는 사회적 상호 작용을 통해 자신이 속한 사회의 행동 양식, 규범, 가치 등을 (외부화, 내면화)하면서 성장하는 과정이다.
(2) 사회생활에 필요한 규칙과 규범을 학습하고, 자아 정체성 및 인성을 형성하는 것은 (개인적 차원, 사회적 차원)의 기능이다.
(3) 신입생 예비 교육은 사회화의 유형 중 (재사회화, 예기 사회화)에 해당한다.
(4) 북한 이탈 주민이 북한에서 지키고 있던 규범이나 생활 양식을 버리는 과정은 (예기 사회화, 탈사회화)이다.

2 다음 인간의 생애 주기를 보고, 사회화가 일어나는 시기를 모두 쓰시오.

▲ 유아기 ▲ 청소년기 ▲ 성인기 ▲ 노년기

3 (가)에 들어갈 알맞은 사회화의 유형을 쓰시오.

(가)
• 대표적 예시
OO 기업 신입 사원 연수
유학 상담

예시를 보여주고 그것에 알맞은 사회화 유형을 묻는 문제가 자주 출제되고 있어.

답 1. (1) 내면화 (2) 개인적 차원 (3) 예기 사회화 (4) 탈사회화 2. 유아기, 청소년기, 성인기, 노년기 3. 예기 사회화

3일 인간의 사회화 ❷

키워드 #16 사회화 기관

가족, 학교, 또래 집단, 대중 매체는
모두 개인의 사회화에 영향을 미치는 기관이야.
이런 기관들을 사회화 기관이라고 불러.

1 형성 목적에 따른 분류

(1) **공식적 사회화 기관**
- □□□ 자체를 목적으로 형성된 기관
- 학교, 직업 훈련소 등

(2) **비공식적 사회화 기관**
- 사회화를 목적으로 형성된 것은 아니지만 사회화가 이루어지는 기관
- 가족❶, 직장❷, 대중 매체❸ 등

2 사회화 내용에 따른 분류

(1) **1차적 사회화 기관**
- 어린 시절 자아와 인성의 기본 틀을 형성하고 사회생활의 기초적인 행동 양식을 습득하는 데 많은 영향을 미치는 기관
- 가족, 또래 집단❹ 등

(2) **2차적 사회화 기관**
- □□□ 지식과 정보 등을 사회화하는 기관
- 학교, 직장, 대중 매체 등

❶ 가족
기초적인 사회화 기관으로 언어, 예절, 의식주 습관 등 기본적인 생활 양식을 습득하는데, 유아기와 아동기에 중요하다.

❷ 직장
개인이 직업 활동을 수행하는 데 필요한 지식, 가치, 태도 및 업무 방식 등을 형성한다.

❸ 대중 매체
새로운 정보와 지식 및 생활 양식을 제공하고 변화된 삶의 방식을 소개한다.

❹ 또래 집단
또래 집단과의 상호 작용으로 집단생활의 규칙이나 질서의식을 학습한다.

답 사회화, 전문적

개념 확인

1 **다음에 해당하는 사회화 기관에 ✔표 하시오.**

(1) 사회화를 목적으로 형성된 것은 아니지만 사회화가 이루어지는 기관이다.

☐ 공식적 사회화 기관 ☐ 비공식적 사회화 기관

☐ 1차적 사회화 기관 ☐ 2차적 사회화 기관

(2) 전문적 지식과 정보 등을 사회화하는 기관이다.

☐ 공식적 사회화 기관 ☐ 비공식적 사회화 기관

☐ 1차적 사회화 기관 ☐ 2차적 사회화 기관

2주 3일

2 **☐ 안에 들어갈 알맞은 말을 쓰시오.**

사회화 기관은 분류 기준에 따라 구분할 줄 알아야 해.

사회화 기관			
(1) ☐☐☐☐에 따른 분류		(2) ☐☐☐☐☐에 따른 분류	
공식적 사회화 기관	비공식적 사회화 기관	1차적 사회화 기관	2차적 사회화 기관
학교, 직업 훈련소	가족, 직장, 대중 매체	가족, 또래 집단	학교, 직장, 대중 매체

3 **☐ 안에 들어갈 알맞은 말을 쓰시오.**

☐☐☐ 사회화 기관

1. 의미: 개인의 인성 형성에 가장 중요한 시기는 유아기와 아동기인데, 이 시기에 자아와 인성의 기본 틀을 형성하고 사회생활의 기초적인 행동 양식을 습득하는 데 많은 영향을 미치는 사회화 기관이다.
2. 대표적 사회화 기관: 가족, 친지, 이웃, 또래 집단 등

답 1. (1) 비공식적 사회화 기관 (2) 2차적 사회화 기관 2. (1) 형성 목적 (2) 사회화 내용 3. 1차적

일 인간의 사회화 ②

| 학평 기출 |

1 그림은 사회화 기관을 질문에 따라 분류한 것이다. (가), (나)에 적절한 질문만을 〈보기〉에서 고른 것은? (단, 질문에 대해 '예'와 '아니요' 중 같은 답을 할 수 있는 것끼리 한 묶음으로 처리한다.)

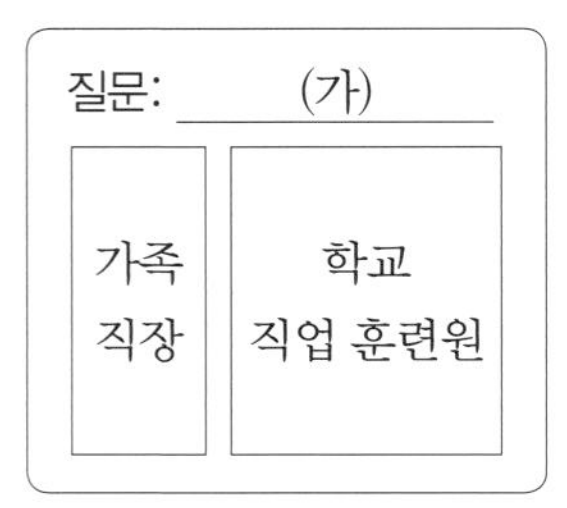

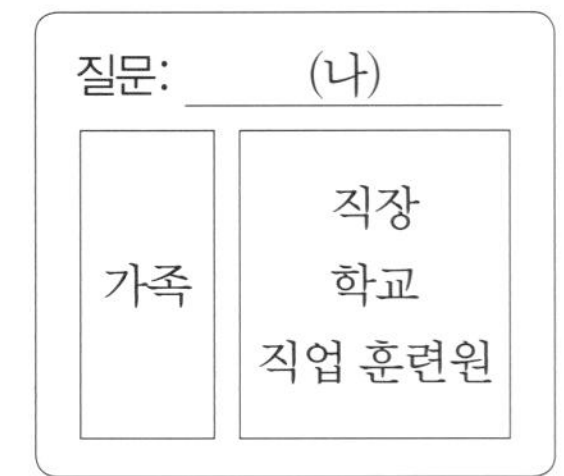

보기

ㄱ. (가) – 1차적 사회화 기관에 해당하는가?
ㄴ. (가) – 사회화를 목적으로 설립된 기관인가?
ㄷ. (나) – 비공식적 사회화 기관에 해당하는가?
ㄹ. (나) – 전문적인 지식과 기능의 사회화를 담당하는가?

① ㄱ, ㄴ ② ㄱ, ㄷ ③ ㄴ, ㄷ ④ ㄴ, ㄹ ⑤ ㄷ, ㄹ

| 수능 응용 |

2 사회화 기관 A~C에 대한 옳은 설명을 〈보기〉에서 고른 것은?

전통 사회에서는 한 개인이 출생을 통해 소속되는 [A]이/가 개인의 사회적 신분을 결정하고 그에 따른 역할과 규범을 학습시켰다. 현대 사회에서도 [A]이/가 위치한 사회적 계층에 따라 사회화의 차이가 존재한다. 아동은 비슷한 연령의 타인과 [B]을/를 이루고, 상호 작용을 통해 자신들만의 사회적 규칙을 만드는 등 교환과 협동의 경험을 한다. 한편 [C]은/는 공식적 사회화를 통해 아동에게 지식과 기술, 가치와 태도 등을 가르쳐 그들을 더 큰 사회로 인도한다.

보기

ㄱ. A는 B와 달리 비공식적 사회화 기관이다.
ㄴ. B에서는 주로 전문적인 내용의 사회화가 이루어진다.
ㄷ. 직업 훈련소와 C는 공식적 사회화 기관이다.
ㄹ. A, B는 1차적 사회화 기관, C는 2차적 사회화 기관이다.

① ㄱ, ㄴ ② ㄱ, ㄷ ③ ㄴ, ㄷ ④ ㄴ, ㄹ ⑤ ㄷ, ㄹ

| 모평 기출 |

3 갑~병의 대화를 (가)~(라)에 관련지어 옳게 설명한 것은?

갑 오늘 ○○사관학교 입시 설명회 같이 갈래?
을 아빠가 회사에서 승진하셔서 오늘 가족과 식사 약속이 있어.
병 신문에 나온 입시 요강을 보면 돼. 난 안 갈래.
갑 난 꼭 가 보고 싶어. 군인이 되기 위해 필요한 것을 직접 가서 알아보고 싶어.
을 갔다 와서 연락해. 내일 친구들과 목욕 가자.

구분	1차적 사회화 기관	2차적 사회화 기관
공식적 사회화 기관	(가)	(나)
비공식적 사회화 기관	(다)	(라)

① ○○사관학교는 (가)에 해당한다.
② 갑은 (나)에 속하는 사회화 기관에서 예기 사회화를 경험하고 있다.
③ 을은 (라)에 속하는 사회화 기관을 중요시한다.
④ 병은 (나)보다 (다)에 속하는 사회화 기관의 사회화 기능을 더 선호한다.
⑤ 갑~병의 대화에 나타난 사회화 기관 중 (라)에 속하는 것은 2개이다.

정답과 해설 9쪽

| 수능 기출 |

4 ㉠, ㉡에 해당하는 사회화 기관에 대한 설명으로 옳은 것은?

> 인간이 개인적 존재에서 사회적 존재로 성장하는 데 영향을 주는 사회적 관계 또는 장소를 사회화 기관이라고 한다. 사회화 기관을 목적에 따라 분류할 때, [㉠]은 사회화를 목적으로 설립하여 체계적으로 사회화를 수행하는 기관을 의미하고, [㉡]은 본연의 목적이 따로 있으나 부수적으로 사회화 기능을 담당하는 기관을 의미한다.

① ㉠은 1차적 사회화 기관이다.
② ㉡에는 또래 집단과 대중 매체가 해당된다.
③ ㉠은 ㉡과 달리 성인기의 재사회화를 담당한다.
④ ㉠은 ㉡과 달리 정서적인 부분의 사회화를 담당한다.
⑤ ㉡은 ㉠과 달리 전문적 사회화를 담당한다.

| 학평 기출 응용 |

5 밑줄 친 ㉠~㉤에 대한 설명으로 옳은 것은?

> A국에서 가장 존경받는 대통령으로 손꼽히는 갑은 가난한 ㉠ 가정 출신이었다. 그는 어린 적부터 책을 좋아했지만 집안의 생계를 위해 일을 해야 했기 때문에 고민이 많았다. 결국 그는 ㉡ 학교를 제대로 다니지 못하여 독학으로 학식을 쌓고 ㉢ 변호사 자격을 취득하였다. 그 후 주변의 권유로 ㉣ 정치인이 된 갑은 수차례 의회 선거에 나섰지만 노예제 폐지를 주장했기 때문에 번번이 낙선하였다. 하지만 갑은 자신의 신념을 굽히지 않고 끊임없이 사람들을 설득하여 결국 ㉤ 대통령으로 당선되었다.

① ㉠은 공식적 사회화 기관이다.
② ㉡은 1차적 사회화 기관이다.
③ ㉠과 달리 ㉡에서는 전문적인 사회화가 이루어진다.
④ ㉢은 ㉣이 되기 위한 갑의 예기 사회화에 해당한다.
⑤ 갑은 ㉤이 되기 위해 탈사회화를 경험하였다.

| 모평 기출 |

6 〈자료 1〉의 밑줄 친 ㉠~㉣을 〈자료 2〉의 (가)~(다)로 옳게 분류한 것은?

> **〈자료 1〉**
> A국에서 ㉠ 대학을 다니던 갑은 난민 신청 절차를 거쳐 B국으로 입국하였다. B국에서 갑은 경제 및 의료 지원 프로그램을 운영하는 ㉡ '○○ 난민 지원 센터'로부터 정착을 위한 서비스를 제공받고 있다. ㉢ 신문에서 A국과 관련된 기사를 볼 때마다 갑은 고향에 두고 온 ㉣ 가족이 떠올라 잠을 이루지 못한다. 하지만 갑은 낯선 B국에 정착하기 위하여 노력하고 있다.
>
> **〈자료 2〉**

질문 \ 사회화 기관	(가)	(나)	(다)
사회화를 목적으로 설립되었는가?	예	아니요	아니요
기초적인 수준의 사회화를 담당하는가?	아니요	아니요	예

	(가)	(나)	(다)
①	㉠	㉡	㉢, ㉣
②	㉠	㉡, ㉢	㉣
③	㉡	㉢	㉠, ㉣
④	㉢	㉡, ㉣	㉠
⑤	㉠, ㉡	㉣	㉢

4일

사회 집단과 사회 조직 ①

키워드 #17 사회적 지위와 역할

1 사회적 지위

의미		개인이 ☐☐ 속에서 차지하는 위치
종류	귀속 지위	• 개인의 의지나 노력과 상관없이 선천적으로 주어진 지위 • 전통 사회에서 강조됨.
	성취 지위	• 개인의 의지나 노력에 의해 후천적으로 획득한 지위 • 현대 사회에서 강조됨.

2 역할과 역할 행동

역할 ❶	지위에 따라 사회적으로 기대하는 행동 양식
역할 행동 ❷	개인이 자신의 역할을 수행하는 구체적인 방식 → 개인마다 역할을 수행하는 방식이 다름.

답 사회

❶ 역할
한 사람이 가지는 지위가 다양하므로 기대되는 역할이 다양하며, 개인은 사회화를 통해 각 지위에 상응하는 역할을 학습한다.

❷ 역할 행동
역할 행동이 잘 이루어졌을 때는 보상이 주어지지만, 기대하는 바를 수행하지 못한 경우에는 제재가 가해진다.

개념 확인

1

빈칸에 들어갈 말을 〈보기〉에서 골라 쓰시오.

보기

선천적, 역할, 전통, 지위, 현대, 후천적

(1) 개인의 의지나 노력에 관계없이 (   )(으)로 주어진 지위는 귀속 지위이다.

(2) 개인의 의지나 노력에 의해 획득한 지위인 성취 지위는 (   ) 사회에서 강조된다.

(3) (   )은/는 지위에 따라 사회적으로 기대하는 행동 양식으로, 그에 맞추어 잘 행동하면 보상을 받는다.

2 주
4일

2

(가)~(라)를 귀속 지위와 성취 지위로 구분하시오.

(가) A 씨는 연예인 갑 씨의 자식이다.
(나) B 씨는 사회 현상을 연구하는 연구자이다.
(다) C 씨는 다섯 살 난 딸을 둔 아버지이다.
(라) D 씨는 15살로, 청소년이다.

(1) 귀속 지위: ____________________ (2) 성취 지위: ____________________

개인이 속한 집단 및 다른 사람들과의 사회적 관계 속에서 다양한 사회적 지위가 설정되기 때문에 한 사람은 여러 개의 지위를 가지고 있을 수 있어.

3

다음 상벌점 기록표는 학생의 무엇에 따른 보상과 제재인지 알맞은 개념을 쓰시오.

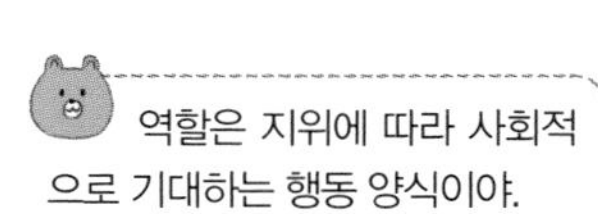

역할은 지위에 따라 사회적으로 기대하는 행동 양식이야.

상벌점 기록표

○학년 ○반 ○○번

사유	상점	벌점
지각함		3점
스스로 청소를 함	3점	
학습 태도 우수	5점	
과제를 제출하지 않음		2점

답 1. (1) 선천적 (2) 현대 (3) 역할 2. (1) (가), (라) (2) (나), (다) 3. 역할 행동

사회 집단과 사회 조직 ①

키워드 #18 역할 갈등

- 주말에 할아버지의 팔순 생신 잔치에 손자로서 참여해야 할 지, 친구와 약속한대로 놀이동산에 가야 할 지 고민하는 것은 손자로서의 역할과 친구로서의 역할이 충돌한 역할 갈등의 상황이다. 역할 갈등은 이처럼 동시에 두 가지 이상의 서로 다른 지위에 따른 역할을 수행하려고 할 때, 역할 간에 충돌이 발생하는 것이다.

1 역할 갈등❶의 의미와 사례

의미	한 개인이 동시에 두 가지 이상의 서로 다른 □□에 따른 역할을 수행하고자 할 때, 역할 간에 충돌이 발생하는 것
사례	경찰관이 신호를 위반한 아버지에게 교통 법규 위반 딱지를 떼어야 할 지, 자녀로서 아버지의 잘못을 덮어주어야 할 지 갈등하는 경우 자녀의 역할과 경찰의 역할 사이에서 충돌이 발생했다고 볼 수 있음.

2 역할 갈등의 해결 방안

개인적 차원	역할의 □□□□를 정하여 더 중요한 역할을 선택함
사회적 차원	• 사회적으로 사회 구성원들이 역할 갈등을 겪지 않도록 예방하고 지원하는 제도나 시설을 마련함. • 법관의 제척 및 회피 제도❷, 직장 어린이집 설치, 육아기 근로 시간 단축 등

답 지위, 우선순위

❶ 역할 갈등
사회가 복잡해지면서 개인이 지니는 지위도 많아졌기 때문에 역할 갈등이 발생할 가능성도 커지고 있다.

❷ 법관의 제척 및 회피 제도
법관이 소송 당사자와 인간관계나 이해관계로 얽혀있어서 불공정한 재판을 할 우려가 있을 때 재판에서 해당 법관을 배제하거나 스스로 재판을 회피할 수 있도록 하는 제도이다.

개념 확인

1 **괄호 안의 내용 중 옳은 것에 ○표 하시오.**

(1) 개인이 가진 두 가지 이상의 지위에 따른 역할을 수행하고자 할 때, 역할 간에 (조화, 충돌)이/가 발생하는 것을 역할 갈등이라고 한다.

(2) (개인적, 사회적) 차원에서 역할 갈등을 해결하는 방법은 사회 구성원들이 역할 갈등을 겪지 않도록 예방하고 지원하는 제도나 시설을 마련하는 것이다.

2 **다음 중 역할 갈등에 해당하는 것을 모두 고르시오.**

역할 갈등과 역할 갈등이 아닌 것을 구분할 줄 알아야 해.

(1) 아나운서인 갑은 방송사를 그만두고 더 큰 무대로 진출할 것인지, 안정된 직장에서 계속 있을지 고민하고 있다.
(2) 독립 영화제 집행 위원장을 맡은 영화배우 을은 독립 영화제의 홍보에 힘쓸지, 자신이 출연한 영화의 홍보에 힘쓸지 고민하고 있다.
(3) 곧 고등학교를 졸업하는 병은 대학에 진학하여 공부를 할지, 세계 일주를 통해 다양한 경험을 하고 돌아올지 고민하고 있다.
(4) 시장 상인회 총무인 정은 돌아오는 토요일에 있을 상인회 정기 단합대회에 참석할지, 시골에 계신 어머니를 뵈러 갈지 고민하고 있다.
(5) 회사원 무는 퇴근 후 어린이집에 자녀를 데리러 가기로 약속했는데 갑작스러운 회의 때문에 야근을 할 수 밖에 없어 어떻게 해야 할 지 고민하고 있다.

( )

3 **다음 내용이 개인적 차원의 해결 방안에 해당하면 '개', 사회적 차원의 해결 방안에 해당하면 '사' 라고 쓰시오.**

역할 갈등을 해결하기 위해서 역할의 우선순위를 판단해서 더 중요한 역할을 선택할 수 있고, 역할 수행 시간과 공간을 분리해서 생활하는 방법도 있어.

(1) 갑 씨는 친구들과의 약속과 아르바이트 일정이 겹치자 아르바이트가 더 중요한 일이라고 생각해서 약속을 취소하였다. ( )
(2) 을 씨는 얼마 전 태어난 아기를 직접 돌보기 위해 육아 휴직을 사용하기로 결정했다. ( )
(3) 병 씨는 공부에 집중하기 위해 영화 감상 동아리를 탈퇴하였다. ( )

답 1. (1) 충돌 (2) 사회적 2. (2), (4), (5) 3. (1) 개 (2) 사 (3) 개

사회 집단과 사회 조직 ①

| 수능 기출 |

1 밑줄 친 ㉠~㉦에 대한 설명으로 옳은 것은?

> 갑은 어려서부터 ㉠ 또래 집단과 어울리기보다는 혼자서 ㉡ 사색하기를 즐겼다. 청소년기에 접어든 갑은 어느 학자와의 만남을 계기로 학문에 뜻을 품고 철학, 사회, 역사 등 ㉢ 여러 분야의 서적을 섭렵했다. 그 후 철학자가 된 갑은 현실 사회를 비판하는 주장을 펼쳐 다른 입장을 가진 ㉣ 철학자들과 갈등을 겪었다. 그러나 갑은 왕성한 ㉤ 저술과 강연 활동으로 ㉥ 청년 세대의 지지와 존경을 받으면서 ㉦ 학문 발전을 위해 크게 힘썼다.

① ㉠은 비공식적 사회화 기관이자 2차적 사회화 기관이다.
② ㉡은 갑의 예기 사회화에 해당한다.
③ ㉢은 갑의 재사회화에 해당한다.
④ ㉣은 하나의 지위에 둘 이상의 역할이 동시에 기대될 때 나타나는 상황이다.
⑤ ㉤에 대한 보상에 ㉥은 해당하나 ㉦은 해당하지 않는다.

| 학평 기출 |

2 밑줄 친 ㉠~㉣에 대한 옳은 설명을 〈보기〉에서 고른 것은?

> 집안의 ㉠ 장남인 갑은 대학 졸업 후 ㉡ 취업을 할지 창업을 할지 고민하였다. 갑은 창업을 결심하고 직접 메뉴를 개발하여 포장마차를 시작하였는데 기대 이상의 큰 성공을 거두었다. 이를 계기로 갑은 요식업에 본격적으로 뛰어들어 ㉢ 유명한 프랜차이즈 사업가가 되었다. 이후 갑은 ㉣ 공중파 TV 방송에도 출연하여 요리 연구가로 유명세를 타고 있다.

보기
ㄱ. ㉡은 갑의 역할 갈등에 해당한다.
ㄴ. ㉣은 비공식적 사회화 기관에 해당한다.
ㄷ. ㉢은 ㉠으로서 갑의 역할 수행에 대한 보상이다.
ㄹ. ㉠은 귀속 지위, ㉢은 성취 지위에 해당한다.

① ㄱ, ㄴ ② ㄱ, ㄷ ③ ㄴ, ㄷ ④ ㄴ, ㄹ ⑤ ㄷ, ㄹ

| 모평 기출 |

3 밑줄 친 ㉠~㉦에 대한 설명으로 옳은 것은?

> 부부 소방관인 갑과 갑의 ㉠ 남편은 큰 화재를 진압한 공로가 인정되어 정부로부터 ㉡ 표창을 받았고, 여러 ㉢ 방송사로부터 출연 요청도 받았다. 방송 출연을 원했던 갑의 남편과 달리 세간의 이목이 집중되는 것이 부담스러웠던 갑은 남편과 ㉣ 갈등을 겪기도 했으나, ㉤ 막내딸의 중재로 화해하고 결국 부부가 방송에 출연하였다. 현재 갑은 남편의 정년퇴직을 기념하기 위해 부부동반 해외여행을 준비 중이고, 막내딸은 오랜 시간 준비해 온 ㉥ 소방 공무원 채용 면접 시험을 앞두고 있다. 갑은 자신의 응원을 기대하는 막내딸의 면접일과 해외여행 기간이 겹쳐 어떻게 해야 할지 ㉦ 고민 중이다.

① ㉠과 ㉤은 모두 귀속 지위이다.
② ㉡은 ㉠으로서의 역할 행동에 대한 보상이다.
③ ㉢은 2차적 사회화 기관이자 공식적 사회화 기관이다.
④ ㉥은 ㉤의 예기 사회화에 해당한다.
⑤ ㉦은 ㉣과 달리 갑의 역할 갈등에 해당한다.

| 모평 기출 |

4 밑줄 친 ㉠~㉥에 대한 옳은 설명을 〈보기〉에서 고른 것은?

> 가난한 집안의 ㉠ 장남인 갑은 원하던 ㉡ 회사에 합격해 입사 전 ㉢ 신입 사원 연수를 받았다. 입사 이후 회사 생활에 회의를 느낀 갑은 회사를 계속 다닐지 창업을 할지 ㉣ 고민하다가, 동료와 함께 창업 후 ㉤ 경영인상을 수상하는 등 기업의 ㉥ 대표로서 승승장구하고 있다.

보기
ㄱ. ㉠, ㉥은 모두 갑의 후천적 노력에 의해 획득한 지위이다.
ㄴ. ㉡은 ㉤과 달리 갑의 역할 행동에 대한 보상이다.
ㄷ. ㉢은 갑의 예기 사회화에 해당한다.
ㄹ. ㉣은 갑의 역할 갈등으로 볼 수 없다.

① ㄱ, ㄴ ② ㄱ, ㄷ ③ ㄴ, ㄷ ④ ㄴ, ㄹ ⑤ ㄷ, ㄹ

정답과 해설 9쪽

| 학평 기출 |

5 밑줄 친 ㉠~㉤에 대한 설명으로 옳은 것은?

가정에 방문하여 아이를 돌봐 주는 아이 돌봄 서비스로 직장에서는 일에 집중하고, ㉠ 가족의 행복도 찾으세요.

"아이 돌봄 서비스 실제 이용 후기"

저는 24개월 된 ㉡ 아들을 둔 직장인입니다. 아이가 아플 때마다 어린이집에 아이를 맡기고 ㉢ 회사에 출근을 해야 할지, 집에서 아이를 돌봐야 할지 ㉣ 고민이 되었습니다. 하지만 1년 전부터 아이 돌봄 서비스를 이용하여 걱정 없이 아이를 키우고 있고, 회사에서는 업무에 집중한 결과 최근에 팀장으로 ㉤ 승진했습니다.

① ㉠은 2차적 사회화 기관이다.
② ㉡은 성취 지위이다.
③ ㉢은 공식적 사회화 기관이다.
④ ㉣은 역할 갈등에 해당한다.
⑤ ㉤은 역할에 대한 보상이다.

| 수능 기출 |

6 밑줄 친 ㉠~㉧에 대한 설명으로 옳은 것은?

갑은 ㉠ 광고 회사 재직 중 세계 일주 여행을 결심하였다. 장기 휴가에 대해 상사에게 어떻게 말할지 ㉡ 고민하던 갑은 다니던 회사를 ㉢ 퇴직하기로 결정하였다. 갑은 자신의 퇴직에 대해 부모님과 ㉣ 갈등을 겪었으나 결국 여행을 떠났다. 여행 중 블로그에 올린 글과 사진을 모아 포토 에세이집을 출간한 갑은 ㉤ 출판 시장에서 좋은 반응을 얻으면서 큰 ㉥ 소득을 올렸다. 이를 계기로 마침내 갑은 ㉦ 청소년 시절부터 꿈꿔 왔던 ㉧ 베스트셀러 작가가 되었다.

① ㉠은 2차적 사회화 기관이자 공식적 사회화 기관이다.
② ㉡은 ㉣과 달리 갑의 역할 갈등이다.
③ ㉢은 ㉥과 달리 갑의 역할 행동에 대한 제재이다.
④ ㉤은 ㉧으로서의 갑의 역할 행동이다.
⑤ ㉦은 자연적으로 주어진 귀속 지위이다.

| 모평 기출 |

7 밑줄 친 ㉠~㉦에 대한 설명으로 옳은 것은?

㉠ 영화배우 갑은 극중 인물과의 동일시를 위해 극중 인물의 삶을 직접 체험하는 것으로 유명하다. 몸이 불편한 화가 역할을 위해 촬영 전부터 휠체어에서 생활하거나 북미 지역의 원주민 역할을 위해 ㉡ 직접 사냥한 고기만으로 식사를 하기도 하였다. 한번은 영화 속 원수인 상대 배우에게 실제로 적대감을 드러내 동료에게 ㉢ 비난을 받기도 하였다. ㉣ 배역에 대한 지나친 몰입으로 촬영이 끝난 후에 극심한 ㉤ 정체성의 혼란을 겪은 갑은 돌연 은퇴를 선언하였다. 그는 ㉥ 영화 제작사 임원 자리 제안을 거절하고 화가가 되겠다며 ㉦ 예술 대학원에 입학하였다.

① ㉠, ㉣은 모두 갑의 성취 지위이다.
② ㉡은 ㉠으로서 갑의 역할 행동이다.
③ ㉢은 갑의 역할에 대한 제재이다.
④ ㉤은 갑이 경험한 역할 갈등이다.
⑤ ㉥, ㉦은 모두 공식적 사회화 기관이다.

| 학평 기출 |

8 다음 사례에 대한 설명으로 옳은 것은?

3학년 학생 갑, '자랑스러운 인재상'에 선정	**㉣ ◇◇고등학교 교사 을, ㉤ 교육부 장관 표창 수상**
갑은 ㉠ 전교 학생회장으로서 ㉡ 공약으로 제시한 내용을 잘 이행하였다. 그 공로를 인정받은 갑은 시상식에서 "㉢ 청소년 단체의 가입 여부를 고민했었는데, 청소년 단체를 포기하고 학생회 활동에 집중한 것이 좋은 결과를 가져온 것 같습니다."라고 소감을 밝혔다.	㉥ 진로 체험 과정을 성공적으로 운영한 공로를 인정받아 표창을 받은 을은 "아빠로서 자녀 양육에 더 참여하였으면 하는 ㉦ 아내의 바람과, 교사로서 학생 진로 지도에 더 힘써주기를 바라는 학교의 요구 사이에서 고민했던 한 해였습니다."라고 소감을 밝혔다.

① 갑은 ㉢에서 예기 사회화를 경험하였다.
② ㉠과 ㉦ 모두 성취 지위이다.
③ ㉡은 갑의 역할, ㉥은 을의 역할 행동이다.
④ ㉣은 공식적 사회화 기관, ㉤은 1차적 사회화 기관이다.
⑤ 갑, 을 모두 역할 갈등을 경험하였다.

2주 4일

사회 집단과 사회 조직 ②

키워드 #19 1차 집단, 2차 집단, 공동 사회, 이익 사회

1 구성원 간의 접촉 방식에 따른 분류

구분	1차 집단(원초 집단)	2차 집단
의미	• 구성원들이 장기간 직접 접촉하며 ▢▢한 관계를 형성하는 전인격적인 집단 • 구성원 간의 인간관계 그 자체가 목적임.	• 구성원들이 간접적이고 부분적으로 접촉하며 상호 친밀감이 약한 집단 • 특정한 목적을 위해 결합한 집단
특징	• 개인의 자아 및 정체성 형성에 큰 영향을 줌. • 정서적 안정감 제공, 개인의 인성 형성에 큰 영향을 줌. • 비공식적 제재를 통한 구성원 통제	• 특정 이익이나 목적을 달성하기 위해 형성됨. • 구성원 간의 인간관계가 수단적이고 형식적임. • 규칙, 법률 등에 의한 공식적 통제

2 구성원의 결합 의지에 따른 분류

구분	공동 사회(공동체)	이익 사회(결사체)
의미	본질적·자연적 의지에 따라 자연 발생적으로 형성된 집단	합리적·선택적 의지에 따라 의도적으로 만들어진 집단
특징	• 결합 자체가 목적임. • 구성원 간의 관계가 친밀하고 신뢰와 협동심이 강함.	• 결합은 특정 목적을 달성하기 위한 수단임. • 타산적·목적 지향적 인간관계 • 공식적인 계약과 ▢▢에 따라 운영됨.

답 친밀, 규칙

개념 확인

1 괄호 안의 내용 중 옳은 것에 ◯표 하시오.

(1) 원초 집단은 구성원 간의 (목적 달성, 인간관계)이/가 목적이다.

(2) 구성원들 간의 접촉이 (간접적, 직접적)이고 상호 친밀감이 강한 집단은 원초 집단이다.

(3) 공동 사회는 (자연적, 선택적) 의지에 따라 형성된 집단이다.

(4) 이익 사회는 결합을 (목적, 수단)으로 생각한다.

2 ㉠, ㉡을 구성원 간의 접촉 방식에 따라 분류하시오.

㉠ 무역 회사에 다니는 갑은 업무를 모두 마친 후 같은 회사에 다니는 사람들끼리 모여 밴드 음악 연습을 한다. 이들은 회사 내에서 ㉡ 밴드 동아리를 결성하여 점심시간이나 퇴근 후에 만나서 각자의 악기를 연습한다. 하지만 만나면 악기 연습만 하는 것이 아니라 일에 대한 담소도 나누고, 한 달에 한 번씩은 동아리 회원들끼리 등산을 하러 가기도 한다. 회원에게 경조사가 생기면 모두 모여 자기 일처럼 도와준다.

㉠: ____________ ㉡: ____________

주어진 예시가 어느 집단에 속하는 지를 구분하는 문제가 자주 출제되니까 사회 집단을 기준에 따라서 분류할 수 있어야 해.

구성원 간의 접촉 방식	1차 집단
	2차 집단
구성원의 결합 의지	공동 사회(공동체)
	이익 사회(결사체)
구성원의 소속감	내집단
	외집단

3 (가), (나)를 구성원 간의 결합 의지에 따라 분류하시오.

〈사례 1〉
우리 동네 (가) 상가 번영회의 회원들은 상가 문을 닫으면 매일 저녁 회원 중 한 사람의 가게에 모여 일과에 대해 담소를 나누고 상가 발전을 위한 협의를 한다. 한 달에 한 번 상가가 쉬는 날이면 회원들끼리 등산이나 여행을 가기도 하고, 회원에게 경조사가 생기면 모두 모여 자기 일처럼 열심히 도와준다.

〈사례 2〉
을의 (나) 집안은 고향 동네에서 모르는 사람이 없는 유서 깊은 집안이다. 을의 아버지는 맏아들로서 고향에서 대대로 물려받은 선산과 집을 관리하고, 명절마다 옛 전통 그대로 조상님께 차례를 지낸다. 을은 장손으로서 훗날 가문의 전통을 이어받고자 한다.

(가): ____________ (나): ____________

답 1. (1) 인간관계 (2) 직접적 (3) 자연적 (4) 수단 2. ㉠ 2차 집단 ㉡ 2차 집단 3. (가) 이익 사회 (나) 공동 사회

일 사회 집단과 사회 조직 ②

키워드 #20 내집단, 외집단, 준거 집단

ㅇㅇ고 축구부

△△고 축구부

KOREA

나는 우리 학교 축구부 소속이야.
우리 축구부는 다른 학교 축구부들과는 경쟁하는 사이지.
나는 내 꿈인 국가대표 축구선수가 되기 위해
늘 최선을 다하고 있어.

1 구성원의 소속감에 따른 분류❶

구분	내집단	외집단
의미	개인이 소속되어 있으며 동질감 및 소속감을 느끼고 있는 집단	개인이 소속되어 있지 않으면서 소속감을 느끼지 못하고 이질감을 지니는 집단
특징	• '□□'라는 강한 동질감을 갖고 서로에 대해 동료애와 유대감을 느낌. • 자아 정체성을 형성하고 사회생활과 관련된 판단과 행동의 기준을 학습함. • '우리 집단'으로 불림.	• 우리와는 다른 타자들의 집단으로 여겨지며 이질감을 넘어 경쟁이나 적대감의 대상이 됨. • '그들 집단'으로 불림 → 내집단 의식을 강화

2 준거 집단❷

의미	개인이 자신의 행동과 판단의 □□으로 삼는 집단
특징	• 개인에게 생각이나 행동의 옳고 그름을 판단하는 지침을 제공함. → 개인의 인생관과 행복감 형성에 매우 커다란 영향을 미침. • 준거 집단과 소속 집단이 일치하면 만족감이 높아지지만, 일치하지 않으면 불만을 갖거나 상대적 박탈감을 느낄 수 있음. → 반면 준거 집단에 속하기 위한 동기부여의 원인이 되기도 함.

답 우리, 기준

❶ 내집단과 외집단
내집단과 외집단은 상황에 따라 달라질 수 있다. 학급별 경기를 할 때 다른 학급은 외집단이 되지만, 학교 대항별 경기를 할 때에는 다른 학급을 모두 포함하는 우리 학교가 내집단이 되기도 한다.

❷ 준거 집단
소속 집단과 준거 집단이 같으면 개인은 만족감과 안정감을 얻고, 적극적인 공동체 의식이 형성된다. 그러나 소속감과 준거 집단이 다를 경우 상대적 박탈감을 느끼기도 하고, 소속 집단에 대한 불만과 비협조적인 태도를 보이기도 한다. 더 나아가 소속 집단을 변경하여 준거 집단과의 일치를 추구하기도 한다.

개념 확인

1 **□ 안에 들어갈 알맞은 말을 쓰시오.**

(1) 외집단은 '그들 집단'으로 불리면서 □□□ 의식을 강화한다.

(2) 준거 집단은 개인이 행동과 판단의 기준으로 삼을 뿐만 아니라 인생관과 □□□ 형성에 매우 커다란 영향을 미친다.

(3) 준거 집단과 소속 집단의 불일치는 □□ □□의 원인이 되기도 한다.

2 **1반 학생들의 내집단과 외집단을 ㉠과 ㉡을 기준으로 구분하시오.**

> ㉠ 교내 합창 대회를 며칠 앞두고 1반 학생들은 신경이 몹시 곤두서 있었다. 왜냐하면 2반이 강력한 우승 후보로 손꼽히고 있었기 때문이다. 내심 실수라도 하기를 바랐지만, 결국 교내 합창 대회 대상은 2반이 받게 되었고, 1반 학생들은 크게 아쉬워했다. 하지만 2반이 ㉡ 지역 합창 대회에 학교 대표로 나가게 되자, 1반 학생들은 언제 그랬냐는 듯이 2반을 응원해 주었다. 지역 합창 대회에서 2반이 다른 학교 대표들을 제치고 대상을 받았다는 소식을 들었을 땐 모두가 자기 일처럼 기뻐하며 환호성을 질렀다.

내집단과 외집단의 경계와 범위는 상황에 따라 달라질 수 있어.

(1) ㉠일 때 내집단: ____________

(2) ㉠일 때 외집단: ____________

(3) ㉡일 때 내집단: ____________

(4) ㉡일 때 외집단: ____________

3 **다음 글에 나타난 집단을 소속감에 따라 분류하시오.**

> 4월 ○일
>
> 우리 ○○ 고등학교 3학년 학생들은 매년 봄마다 진학하고 싶은 대학으로 대학 탐방을 하러 가! 나는 △△ 대학교에 가기로 했어. 작년에 다녀온 선배들 얘기로는 대학생 선배들의 모습을 보면 진학에 대한 결의를 다지게 된대. 엄청 기대돼!

(1) ○○ 고등학교: ____________

(2) △△ 대학교: ____________

답 1. (1) 내집단 (2) 행복감 (3) 동기 부여 2. (1) 1반 (2) 2반 (3) 2반 (4) 다른 학교 대표들 3. (1) 내집단 (2) 준거 집단

사회 집단과 사회 조직 ②

| 학평 기출 |

1 밑줄 친 ㉠~㉦에 대한 설명으로 옳지 않은 것은?

> 갑 우리 셋이 함께 다니는 ㉠ A 고등학교를 졸업할 날이 얼마 남지 않았다고 생각하니 서운해. 너희는 어때?
> 을 ㉡ 입학 직후에는 우리 학교의 교육 방식이 너무 이질적으로 느껴져서 전학을 고민했지만, ㉢ 현재는 우리 학교의 졸업생이 된다는 게 자랑스러워.
> 병 나는 ㉣ 친족 중에 세 분이 우리 학교를 졸업하셨고 모두 ㉤ 회사 생활을 잘하고 계셔. 그래서인지 ㉥ 신입생 오리엔테이션에 참가했을 때부터 친숙한 느낌이었어. 지금은 ㉦ 유학 전문 학원을 다니며 유학을 준비하고 있지만, 어느 곳에서 지내더라도 우리 학교가 그리울 거야.

① ㉠과 ㉤은 '사회화를 주된 목적으로 하는 기관인가?' 라는 질문으로 구분된다.
② ㉥과 ㉦에서 병이 경험하는 사회화의 유형은 '사회 생활에 필요한 기초적인 수준의 사회화인가?'라는 질문으로 구분되지 않는다.
③ ㉣과 달리 ㉤은 선택 의지에 따라 결합된 사회 집단이다.
④ ㉠은 을에게 ㉡ 시점에는 외집단, ㉢ 시점에는 내집단이다.
⑤ ㉤, ㉦과 달리 ㉣은 구성원 간의 전인격적인 접촉이 중심이 된다.

| 학평 기출 |

2 밑줄 친 ㉠~㉧에 대한 설명으로 옳은 것은?

> 갑은 ㉠ 아버지의 희망대로 ㉡ 공무원이 되기 위해 열심히 공부하여 ㉢ 대학을 졸업하는 해에 ㉣ 공무원 시험에 합격하였다. 하지만 ㉤ 공무원 연수원에서 실무 교육을 받으며 공무원이 자신의 적성에 맞지 않는다는 것을 깨닫게 되어 공무원을 포기하였다. 이후 ㉥ 진로에 대한 많은 고민 끝에 고등학생 때부터 관심이 많았던 ㉦ 영화배우가 되고자 여러 영화의 단역에 지원하였다. 비록 단역이지만 항상 최선을 다해 연기한 결과 지금은 ㉧ 최고의 배우로 인정받고 있다.

① ㉡은 갑의 아버지의 준거 집단이자 내집단이다.
② ㉥은 갑의 역할 갈등에 해당한다.
③ ㉠과 달리 ㉦은 성취 지위이다.
④ ㉢과 달리 ㉤은 사회화를 목적으로 설립된 공식적 사회화 기관이다.
⑤ ㉣과 ㉧은 모두 갑의 역할 행동에 대한 보상이다.

| 수능 기출 |

3 밑줄 친 ㉠~㉦에 대한 설명으로 옳은 것은?

> 유명 연예인인 어머니의 반대에도 불구하고, 배우가 되고 싶었던 갑은 ㉠ 연예인 2세라는 것을 숨기고 ㉡ A 인터넷 쇼핑몰에서 모델로 일하며 ㉢ 연기 학원에서 연기와 노래를 배우고 있었다. 갑은 스스로 인지도를 높이기 위해 ㉣ 시청자 평가단의 투표 결과에 따라 ㉤ 가수 데뷔가 결정되는 ㉥ TV 프로그램에 지원하여 치열한 경쟁 과정을 통해 가수로 데뷔하였다. 인기가 높아지자 갑은 가수로 계속 활동해야 할지 가수를 그만두고 원래 계획했던 대로 배우로 전향해야 할지 ㉦ 고민이다.

① ㉠, ㉤ 모두 개인의 능력과 노력에 의해 획득한 지위이다.
② ㉡은 비공식적 사회화 기관, ㉢은 2차적 사회화 기관이다.
③ ㉣은 갑의 외집단이자 준거 집단이다.
④ ㉥은 재사회화에 해당한다.
⑤ ㉦은 갑의 역할 갈등에 해당한다.

정답과 해설 10쪽

| 학평 기출 |

4 다음 사례에 대한 분석으로 옳은 것은?

> • 장녀인 갑은 평소 꿈꾸던 경영학과를 졸업했다. 부모님이 경영하는 회사의 공개 채용에 합격하여 신입 사원 연수를 받은 후 영업팀에 배치되었다. 갑의 가정 배경을 모르는 팀원들은 항상 최선을 다하는 갑을 신뢰하였다. 이에 갑은 자신의 정체를 밝혀야 할지 고민에 빠졌다.
> • 차남인 을은 간호학과와 언론학과에 합격했지만 어머니의 영향으로 간호학과에 입학했다. 신입생 오리엔테이션에 참가하고 전공 강의도 열심히 들었으나 적성에 맞지 않아 학교를 계속 다닐지 고민하였다. 결국 을은 예전부터 동경해오던 언론학과에 진학하기 위해 재학 중인 학교를 자퇴하고, 현재 대학 입학시험을 준비 중이다.

① 갑은 을과 달리 역할 행동에 따른 보상과 제재를 경험하였다.
② 갑은 을과 달리 2차적 사회화 기관을 통해 예기 사회화를 경험하였다.
③ 을은 갑과 달리 현재 공식적 사회화 기관에 소속되어 있다.
④ 을은 갑과 달리 소속 집단과 준거 집단의 불일치를 경험하였다.
⑤ 갑, 을 모두 귀속 지위와 성취 지위 간 역할 갈등을 경험하였다.

| 수능 기출 응용 |

5 밑줄 친 ㉠~㉦에 대한 설명으로 옳은 것은?

> 갑은 아버지의 뜻에 따라 ㉠ 건축학과에 진학했지만, 요리에 관심을 갖게 되면서 졸업 후 외식 사업에 뛰어들었다. 한때는 매출 부진으로 인해 자신이 세운 회사의 ㉡ 대표 이사 자리에서 해임되기도 했지만 이후 재기를 도모하여 현재는 여러 브랜드를 소유할 정도로 ㉢ 사람들에게 널리 인정받는 ㉣ 기업인이 되었다. 또한 갑은 꿈을 찾는 청소년을 위해 ㉤ 청소년 수련원에 후원금을 내고 있다. 최근에는 경쟁 관계에 있는 두 개의 ㉥ 방송사 프로그램에서 동시에 출연 제의를 받고 ㉦ 어느 쪽을 선택할지 고민하는 중이다.

① ㉠은 갑의 아버지의 준거 집단이자 내집단이다.
② ㉡과 ㉢은 각각 ㉣로서의 갑의 역할 행동에 대한 제재와 보상이다.
③ ㉤은 앞으로 얻게 될 지위에 요구되는 역할을 미리 학습하는 1차적 사회화 기관이다.
④ ㉠, ㉥은 공식적인 사회화 기관, ㉤은 비공식적 사회화 기관이다.
⑤ ㉦은 갑이 복수의 성취 지위로 인해 겪고 있는 역할 갈등이다.

| 모평 기출 응용 |

6 밑줄 친 ㉠~㉤에 대한 설명으로 옳은 것은?

> 갑은 어린 시절부터 꿈꾸어 왔던 아나운서가 되기 위해 ㉠ ○○방송사에 입사한 후 다양한 프로그램에서 종횡무진으로 활동하였다. 이후 갑은 ㉡ 더 큰 무대로 진출할 것인지 안정된 직장을 선택할 것인지 고민하다가 ○○방송사를 그만두며 프리랜서를 선언하고 ㉢ 연기자가 되었다. 이후 비교적 짧은 기간에 여러 편의 드라마에 출연하는 등 ㉣ 대중의 인기를 얻었으나, 해외에서 어려운 아이들을 돕는 프로그램에 참여한 것을 계기로 △△국의 빈민 지역으로 이주하여 현재 ㉤ 자원봉사자로 활동하고 있다.

① ㉠은 갑의 내집단이자 준거 집단이다.
② ㉡은 갑이 겪었던 역할 갈등이다.
③ ㉢이 되기 위해 갑은 ㉠에서 재사회화를 경험하였다.
④ ㉣은 ㉢으로서의 갑의 역할에 대한 보상이다.
⑤ ㉤은 갑의 성취 지위이다.

2주 5일

누구나 100점 테스트

1 다음 조건을 모두 충족한 가설을 〈보기〉에서 모두 고른 것은?

- 가치 중립적으로 진술해야 한다.
- 변수 간의 인과 관계가 명확해야 한다.
- 경험적 관찰로 검증할 수 있어야 한다.

보기

ㄱ. 결혼 연령이 높아질수록 1인 가구가 증가할 것이다.
ㄴ. 1인 가구의 증가에 따라 소형 아파트의 수요가 증가할 것이다.
ㄷ. 1인 가구의 증가는 기존의 가족 형태를 해체하므로 바람직하지 않다.
ㄹ. 1인 가구 사람들이 외로움과 고독감을 느끼지 않도록 정부 차원에서 적극적으로 지원해야 한다.

① ㄱ, ㄴ ② ㄱ, ㄹ ③ ㄴ, ㄹ
④ ㄱ, ㄴ, ㄹ ⑤ ㄴ, ㄷ, ㄹ

2 다음 글에 나타난 개인과 사회의 관계를 바라보는 관점에 대한 설명으로 옳은 것은?

사회 이전의 자연 상태에서 각 개인은 평등하게 소유의 권리를 누린다. 그러면 왜 사람들은 사회를 형성하는가? 자연 상태에서는 자연법의 집행권, 곧 자연법의 위반자를 처벌할 수 있는 권리가 각 개인의 손에 위임된다. 그래서 자연 상태에서는 소유권의 보호는 매우 불확실하고 타인의 침해를 받을 우려가 있다. 이 때문에 사람들은 소유권의 보존을 위해 서로 결합하여 사회와 국가를 형성하게 된다.

① 사회는 외재성과 독자성을 지닌다.
② 사회 전체의 이익이 사적 이익에 우선한다.
③ 개인은 사회 유기체를 떠나서는 존재할 수 없다.
④ 사회 현상은 결국 개인의 심리 현상으로 환원된다.
⑤ 사회 현상을 분석할 때는 사회 구조나 제도를 우선적으로 이해해야 한다.

3 사회화 기관을 형성 목적에 따라 분류할 때 밑줄 친 ㉠~㉤ 중 성격이 나머지와 다른 하나는?

갑은 스무 살이 되면서 ㉠ 직업 훈련 학교에 들어가 2년간 부지런히 기술을 배워 ㉡ A 중공업에 입사하였다. 그러나 노동조합에 가입하여 근로 조건을 두고 회사와 대립하다가 부당 해고를 당했다. 이후 ㉢ 가족의 만류에도 불구하고 노동자 권익을 위해 자신의 청춘을 바치기로 한 갑은 ㉣ 정당에 가입하고 ㉤ 대중 매체를 통해 노동 현실을 알리는 등 활발히 활동하고 있다.

① ㉠ ② ㉡ ③ ㉢ ④ ㉣ ⑤ ㉤

4 (가), (나)에 나타난 사회화의 종류를 바르게 연결한 것은?

(가) 스마트폰과 같은 새로운 매체로 간접적인 접촉이 활발해지면서 친구, 동료 간 공유되는 게임이나 누리 소통망(SNS)이 생활에 중요한 요소가 되었다. 그래서 청소년부터 중년층은 물론, 노년층까지 스마트폰의 다양한 활용법을 배운다.
(나) 연예 기획사의 연습생들은 학교 수업을 마치면 연습실로 향한다. 이들은 일대일 레슨으로 보컬 트레이닝을 받고, 매일 기본적으로 한 시간 이상 춤 연습을 한다. 해외 진출에 대비하여 외국어 교육을 받는 것은 물론, 주말에는 인성 교육과 성교육까지 받는다.

	(가)	(나)
①	재사회화	탈사회화
②	재사회화	예기 사회화
③	탈사회화	예기 사회화
④	예기 사회화	재사회화
⑤	예기 사회화	탈사회화

정답과 해설 11쪽

5 회사원 갑의 일과를 나타낸 것이다. 갑이 경험한 사회화 내용으로 옳은 것은?

○월 ○일

- 12:00 회사 동료들과 점심을 먹으면서 친밀감을 느낌.
- 18:00 퇴직 이후 귀농(歸農)을 위해 △△ 농부 학교에 출석함.
- 20:00 ☆☆ 대학교에서 회사 업무에 필요한 중국어 강좌를 수강함.
- 23:00 TV 뉴스를 시청함.

① 개인이 최초로 경험하는 사회화 기관이 나타나 있다.
② 공식적 사회화 기관에서 정서적 만족감을 얻었다.
③ 2차적 사회화 기관에서 모든 사회화가 이루어지고 있다.
④ 초기 사회화가 이루어지는 사회화 기관에서 재사회화가 이루어지고 있다.
⑤ 새로운 환경이나 문화에 적응하려고 사회화된 내용을 버리는 과정이 나타나 있다.

6 지위와 역할에 대한 설명으로 옳지 않은 것은?

① 학생, 회사원은 성취 지위에 해당한다.
② 같은 지위를 지닌 개인들이 역할을 수행하는 방식은 같다.
③ 개인이 자신의 역할을 수행하는 구체적인 방식을 역할 행동이라고 한다.
④ 여성이 육아와 직장 생활을 놓고 고민하는 사례는 역할 갈등에 해당한다.
⑤ 역할 행동이 사회적 기대를 충족시키면 보상을 받고, 기대에 미치지 못하면 제재가 가해지기도 한다.

7 A 회사 게시판에 붙은 내용이다. 이에 대한 옳은 설명을 〈보기〉에서 고른 것은?

승진 공고

영업부 대리 갑
위 직원을 영업부 과장으로 승진 임명함.
△△ 주식회사 사장

징계 공고

마케팅부 과장 을
위 직원의 3개월 정직을 공고함.
○○ 주식회사 사장

보기
ㄱ. 갑은 새로운 지위를 획득하였다.
ㄴ. 갑은 역할 행동에 대한 보상을 받았다.
ㄷ. 을은 두 가지 지위에 따른 역할 갈등을 겪고 있다.
ㄹ. 을은 귀속 지위에 따른 역할 행동이 기대에 미치지 못해 제재를 받았다.

① ㄱ, ㄴ ② ㄱ, ㄷ ③ ㄴ, ㄷ
④ ㄴ, ㄹ ⑤ ㄷ, ㄹ

8 밑줄 친 ㉠~㉤에 대한 설명으로 옳은 것은?

○○ 마을 회관 게시판

㉠ 다른 동네 주민은 마을 회관 출입 허가를 받기 바랍니다. - ○○ 마을 이장 -

㉡ 우리 동네 주민을 위한 ㉢ '가족 노래 자랑'이 토요일 12시에 시작됩니다. 많은 참여 바랍니다. - ㉣ □□ 군청 -

△△ 박씨 문중 회의가 이번 주 일요일 2시에 있습니다. - ㉤ △△ 박씨 문중 -

① ㉠은 준거 집단에 가깝다.
② ㉡은 구성원이 소속감을 지니고 있지 않다.
③ ㉢은 2차 집단의 성격을 지닌다.
④ ㉣은 자연 발생적인 이익 사회이다.
⑤ ㉤은 ㉢과 함께 공동 사회의 예이다.

2주

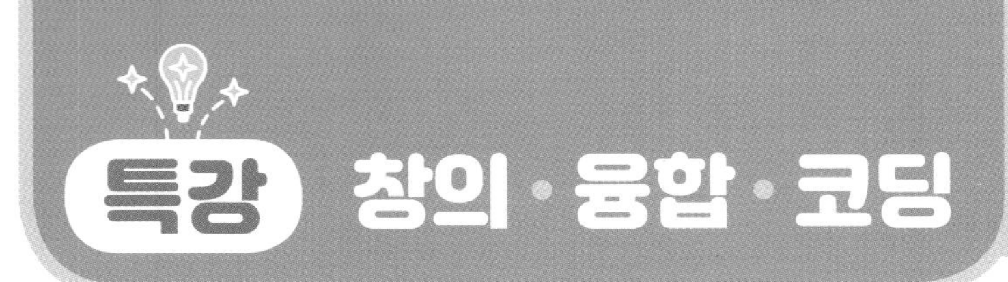

1. 사회·문화 현상의 탐구 절차

양적 연구 방법

문제 인식 및 연구 주제 설정 ➡ 가설 설정 ➡ 연구 설계 ➡ 자료 수집 ➡ 자료 분석 ➡ 가설 검증 및 일반화

질적 연구 방법

연구 문제 인식 ➡ 연구 설계 ➡ 자료 수집 및 분석 ➡ 결론 도출

2. 개인과 사회의 관계를 바라보는 관점

구분	사회 실재론	사회 명목론
기본 입장	사회가 개인의 외부에 실제로 존재한다고 봄.	사회는 개인의 합에 이름을 붙인 것으로 실제로 존재하지 않는다고 봄.
특징	• 개인은 독자적인 판단이나 사고에 따라 행동하는 것이 아니라 사회의 영향을 받아 행동함. • 개인의 이익이나 권리보다 공익을 중시함. • 사회는 개인의 총합보다 큼. → 사회 유기체설과 같은 맥락 • 개인이 사회의 구속으로부터 자율성을 갖고 사회를 변화시킬 수 있는 존재라는 점을 간과할 수 있음. • 전체를 위한 개인의 희생을 정당화할 우려 있음.	• 실제로 존재하는 것은 사회가 아니라 자유 의지에 따라 행동하는 개인 • 공익보다 개인의 이익이나 권리 보장을 중시함. • 사회는 개인의 총합과 같음. → 사회 계약설과 같은 맥락 • 개인의 특성과 행동 양식에 초점을 맞춰 사회·문화 현상을 파악하려고 함. • 개인의 이익만이 강조되어 극단적 이기주의를 초래할 우려가 있음.

사회 실재론을 그림으로 나타내면 이렇게 표현할 수 있어!

A + B + C + D = A B C D

(개인) (사회)

사회 명목론을 그림으로 나타내면 이렇게 표현할 수 있어!

A + B + C + D = A B C D

(개인) (사회)

도표로 한눈에 정리

3. 사회화의 유형

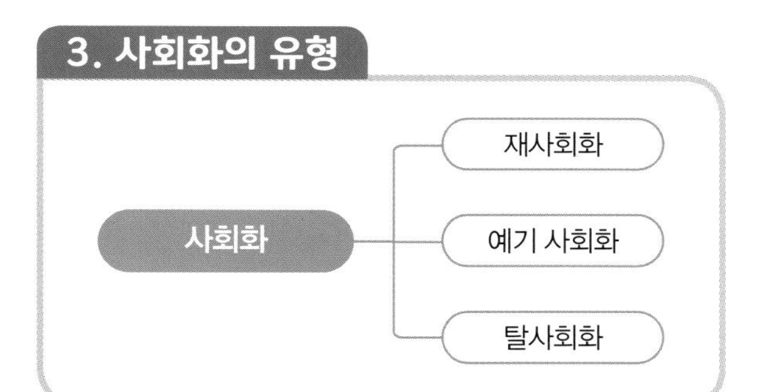

4. 사회화 기관

5. 사회적 지위와 역할

6. 사회 집단의 유형

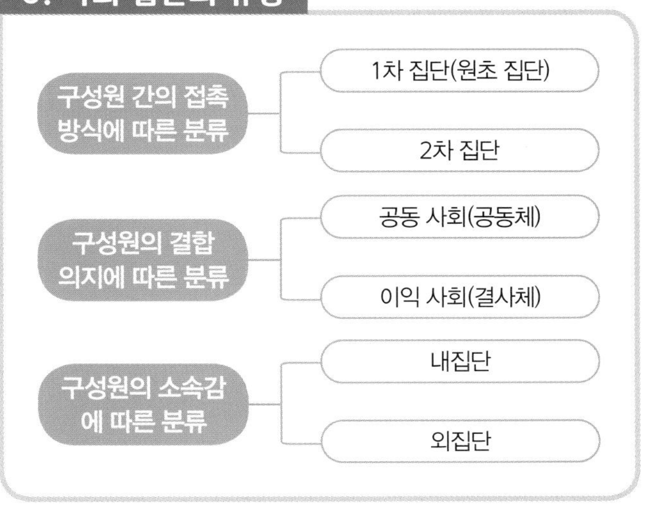

빈출 자료 1 사회·문화 현상의 탐구 절차

자료 수집을 위해 질문지를 배포하기로 결정한 것으로 보아 (나)는 연구 설계 단계이며, 자료 수집 방법으로 질문지법을 택하였다.

(가) 방과 후 학교의 효과에 관한 연구 주제를 선정하였다.
(나) 전국에 있는 고등학생 500명을 대상으로 질문지를 배포하기로 결정하였다.
(다) 분석 결과 방과 후 학교 참여 시간이 많을수록 학업 성취도가 높았음을 확인할 수 있었다.
(라) '방과 후 학교 참여 시간이 많을수록 학업 성취도가 높을 것이다.'라는 잠정적인 결론을 설정하였다.
(마) 자료를 수집하고, 수집된 질문지를 통계 처리 프로그램을 활용하여 변수 간의 상관관계를 분석하였다.

표본 집단 / 독립 변수 / 종속 변수

잠정적인 결론은 가설과 같은 의미이므로 이 연구는 양적 연구임을 알 수 있다.

자료 분석

주어진 연구에서 (가)는 문제 인식 및 연구 주제 설정 단계, (나)는 연구 설계 단계, (다)는 가설 검증 및 일반화 단계, (라)는 가설 설정 단계, (마)는 자료 분석 단계이다. 양적 연구 방법의 탐구 절차는 [문제 인식 및 연구 주제 설정 – 가설 설정 – 연구 설계 – 자료 수집 – 자료 분석 – 가설 검증 및 일반화]이다. 따라서 올바른 순서는 (가) – (라) – (나) – (마) – (다)이다.

주어진 연구 과정의 내용을 통해 연구 방법과 자료 수집 방법을 파악하고, 선택지의 설명이 옳은 지 구분할 수 있어야 해.

대표 예제와 기출 선택지

주어진 연구에 대한 설명으로 옳은 것에 모두 ○표 하시오.

① 전국에 있는 고등학생 500명은 표본 집단이다. ( )
② 질문지법을 사용하였다. ( )
③ 연구 결과 가설을 수용하였다. ( )
④ (가) – (라) – (나) – (다) – (마) 순서로 연구가 진행되었다. ( )
⑤ 연구 결과, 독립 변수와 종속 변수는 음의 관계이다. ( )

답 ①, ②, ③

빈출 자료 2 사회·문화 현상의 탐구 절차

(가) 경력 단절 여성의 재취업 과정 — 경력 단절 여성의 재취업 과정에 대한 자료를 면접법을 통하여 수집하고 있다.

방송 작가로 일하다가 출산 이후 "밤 못 새우는 아줌마는 필요 없다."라는 이유로 해고당한 A 씨는 새로운 직업 모색 이유를 다음과 같이 설명하였다. "아이를 키우면서 밤새우는 것이 자신 없었고, 40대 방송 작가를 본 적이 없기 때문에 다시 일을 시작해도 오래 할 수 없다고 생각했어요." 이렇듯 육아와 직장 생활의 병행이 어려운 업무 조건 때문에 이 연구의 참여자들은 육아와 직장 생활 병행이 가능한 취업 분야를 새롭게 모색하였다. 결국 출산과 육아는 여성의 경력 단절을 야기하는 원인일 뿐만 아니라, 재취업 직종 선택에도 영향을 미침을 알 수 있다. — 결론에서 연구자의 직관적 통찰이 이루어지는 질적 연구의 모습을 보이고 있다.

(나) 연구 단계 — 연구 단계에서 가설 설정 단계가 없고, 자료의 수집과 분석이 완전히 분리되지 않은 것으로 보아 질적 연구 방법의 탐구 절차이다.

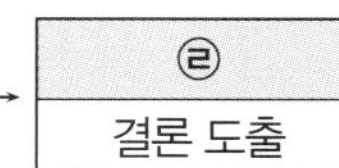

㉠	→	㉡	→	㉢	→	㉣
연구 문제 인식		연구 설계		자료 수집 및 분석		결론 도출

양적 연구 방법과 다른 질적 연구 방법의 특징을 구분할 수 있어야 해.

대표 예제와 기출 선택지

(나)의 연구 단계 ㉠~㉣에 대한 설명으로 옳은 것에 모두 ○표 하시오.

① ㉠ 법칙 발견을 목적으로 한다. ( )
② ㉡ 가설을 검증하기 위해 누구를 대상으로 언제, 어떻게 연구할 것인가를 설계한다. ( )
③ ㉢ 일반적으로 자료의 수집과 분석이 완전히 분리되지 않는다. ( )
④ ㉢ 주로 통계적인 기법을 활용한다. ( )
⑤ ㉣ 자료 해석을 통해 발견한 의미를 중심으로 결론을 도출한다. ( )

답 ③, ⑤

빈출 자료 3 개인과 사회의 관계를 바라보는 관점

우리가 사는 지역구의 국회 의원을 뽑을 때 어떤 점을 고려해야 할까요?
갑

선거에서 후보자를 선택할 때에는 소속 정당을 봐야 한다고 생각해요. 어떤 후보가 국회 의원이 되더라도 자신이 속한 정당의 결정에서 자유로울 수가 없기 때문이죠.
을

개인의 선택은 사회 구조의 영향을 받는다고 보는 관점은 사회 실재론적 관점이다.

대표 예제와 기출 선택지

을의 관점에 대한 설명으로 옳은 것에 모두 ○표 하시오.

① 사회는 개인의 총합 이상이다. ( )
② 개인은 자유 의지에 따라 행동하는 존재이다. ( )
③ 개인의 특성에 초점을 맞춰 사회·문화 현상을 파악한다. ( )
④ 개인의 이익과 권리보다는 사회 전체의 이익을 우선 고려한다. ( )
⑤ 개인의 속성이 사회의 속성을 결정한다. ( )

주어진 글에서 개인과 사회의 관계를 어떻게 바라보는 지 파악할 수 있어야 해. 개인과 사회 중에서 개인이 더 중요하다고 생각하면 사회 명목론, 사회가 더 중요하다고 생각하면 사회 실재론의 관점이야.

답 ①, ④

빈출 자료 4 개인과 사회의 관계를 바라보는 관점

사회의 고유한 특성이 있다고 생각하는 것으로 보아, 사회가 개인의 외부에 존재한다고 보는 사회 실재론에 해당한다.

갑 현재 우리 사회에서 학력을 중시하는 현상은 학생들의 선택 의지와 무관합니다. 학생들을 비롯한 사회 구성원의 행동은 학력을 중시하는 우리 사회의 고유한 특성으로 인해 발생한 것입니다.

을 개인을 초월하여 고유한 특성을 갖는 사회가 존재하는 것은 아닙니다. 학력을 중시하는 현상은 학생을 비롯하여 사회 구성원 대다수가 그것이 필요하다고 생각하기 때문에 나타난 것입니다.

사회가 개인을 초월할 수 없다고 생각하는 것으로 보아, 사회는 개인의 총합이라고 보는 사회 명목론에 해당한다.

대표 예제와 기출 선택지

을의 관점에 대한 설명으로 옳은 것에 ○표 하시오.

① 사회가 개인들의 속성으로 환원될 수 없다. ( )
② 사회 규범은 개인들이 옳다고 믿기에 존재한다. ( )
③ 사회는 외재성과 독자성을 지닌다. ( )
④ 사회 현상은 개인적 요인보다 사회적 요인으로 설명되어야 한다. ( )
⑤ 사회는 개인의 삶을 규제하고 구속한다. ( )

제시문에 나타난 관점이 무엇인지 파악하고, 관점에 따른 옳은 설명을 고르는 문제가 자주 나와.

답 ②

빈출 자료 5 사회화 기관

학교는 사회화를 목적으로 형성된 기관이며, 전문적인 지식과 정보를 사회화하는 기관이다.

직장은 사회화를 목적으로 형성된 집단은 아니지만 사회화가 이루어지는 기관이며, 전문적인 지식과 정보를 사회화하는 기관이다.

㉠ ○○ 대학교를 졸업한 후 ㉡ A 기업에 취업한 갑은 가족과 친구들의 축하를 받으며 A 기업의 ㉢ 신입 사원 연수 캠프에 입소하였다. 캠프에서 직장인으로서의 각오와 의지를 다진 갑은 마케팅팀으로 발령받았다. 갑은 선배 을 대리로부터 업무에 대해 배우며, 신입 사원으로서 주어진 일을 열심히 수행하고 있다.

신입 사원 연수 캠프는 사회화를 목적으로 형성된 기관이며, 전문적인 지식과 정보를 사회화하는 기관이다.

자료 분석

사회화 기관은 형성 목적에 따라서 공식적 사회화 기관과 비공식적 사회화 기관으로 나눌 수 있다. 또, 사회화 내용에 따라서 1차적 사회화 기관과 2차적 사회화 기관으로 구분할 수 있다.

자료의 사회화 기관들이 유형에 따라 어느 사회화 기관으로 분류되는지 묻는 문제가 주로 출제 돼!

대표 예제와 기출 선택지

㉠~㉢에 대해 옳은 것에 모두 ○표 하시오.

① ㉠은 1차적 사회화 기관이다. ( )
② ㉠은 공식적 사회화 기관이다. ( )
③ ㉡에서는 주로 전문적인 내용의 사회화가 이루어진다. ( )
④ ㉢은 2차적 사회화 기관이다. ( )
⑤ ㉢은 공식적 사회화 기관이다. ( )

답 ②, ③, ④, ⑤

빈출 자료 6 사회화

직장은 2차적 사회화 기관이며, 비공식적 사회화 기관이다.

학교는 2차적 사회화 기관이며, 공식적 사회화 기관이다.

1학기에 졸업 학점을 다 채운 나는 졸업을 앞둔 2학기에는 ㉠ 학교 수업이 없어서 ㉡ 디자인 회사에서 인턴으로 일하고 있다. 의상 디자이너의 꿈을 안고 대학에서 4년째 공부해 왔지만, 회사는 더 많은 능력을 요구하였다. 그래서 퇴근 후 ㉢ 어학 학원, 컴퓨터 학원을 다니는 등 열심히 노력하고 있다. ㉣ 텔레비전이나 영화에서 보여 주는 멋진 디자이너의 모습을 보고 가진 꿈이지만 직업의 현실은 가시밭길인 것 같다. 주말에는 힘든 몸과 마음을 위로하려고 어릴 적부터 함께 지낸 ㉤ 동네 친구들을 만나 치킨을 먹으며 수다를 떨었다.

어학 학원이나 컴퓨터 학원을 다니는 것은 재사회화 과정으로 볼 수 있다.

또래 집단은 1차적 사회화 기관이며, 비공식적 사회화 기관이다.

대중 매체는 2차적 사회화 기관이며, 비공식적 사회화 기관이다.

사례를 통해 사회화 기관뿐만 아니라 사회화 과정이나 지위, 역할 등 다양한 사회화 개념들을 복합적으로 묻기도 해.

대표 예제와 기출 선택지

㉠~㉤에 대한 설명으로 옳은 것에 모두 ○표 하시오.

① ㉠은 지속적이고 체계적으로 교육을 담당하는 사회화 기관이다. ( )
② ㉡에서는 전문적인 지식과 정보를 사회화한다. ( )
③ ㉡은 사회화 자체를 목적으로 한다. ( )
④ ㉢은 새로운 사회에 적응하기 위해 기존에 습득한 규범이나 생활 양식을 버리는 과정이다. ( )
⑤ ㉣은 사회화를 목적으로 하지는 않았지만 사회화가 이루어진다. ( )

답 ①, ②, ⑤

빈출 자료 7 사회적 지위와 역할, 역할 갈등

글에서 드러난 갑의 지위는 군인, 남편, 아들 총 3가지이다.

㉠ 군인 갑은 오늘 결혼 1주년 기념으로 ㉡ 아내와 기억에 남을 만한 식사를 하려고 저녁 7시에 호텔 뷔페 예약을 해 두었다. 그런데 갑작스럽게 상부 기관에서 부대 내 전 군인들에게 근무 명령을 내려 야근을 해야 하는 상황이 되었다. 밤에는 시골에 계신 ㉢ 어머니께서 반찬거리를 들고 올라오신다는데 집에 가지 못해서 큰 ㉣ 고민에 빠졌다.

갑은 군인, 남편, 아들이라는 지위에 따라 기대되는 역할들이 서로 충돌하여 역할 갈등이 발생하였다.

자료 분석

사회적 지위는 개인이 사회 속에서 차지하는 사회적 위치이며, 역할은 지위에 따라 사회적으로 기대되는 행동 양식을 말한다. 한 사람이 가지는 지위가 다양하기 때문에 기대되는 역할이 다양하며, 개인은 사회화를 통해 각 지위에 상응하는 역할을 학습한다.

주어진 사례에서 인물의 지위와 역할 등 다양한 사회학적 개념을 파악하고, 옳은 설명을 고르는 문제가 많이 출제 되고 있어.

대표 예제와 기출 선택지

다음 중 ㉠~㉣에 대한 설명으로 옳은 것에 모두 ○표 하시오.

① ㉠은 성취 지위에 해당한다. ( )

② 갑은 ㉠과 ㉡ 사이에서 역할 갈등이 일어났다. ( )

③ ㉡은 태어나면서 가지게 된 지위이다. ( )

④ ㉡과 ㉢은 모두 성취 지위에 해당한다. ( )

⑤ ㉢은 개인의 능력과 노력에 의해 획득한 지위이다. ( )

답 ①, ④, ⑤

빈출 자료 8 사회 집단

09 : 00	○○ 대학교 ㉠ 심리학과 신입생 오리엔테이션 참석
11 : 00	'청소년기 ㉡ 또래 집단이 인격 형성에 미치는 영향'을 주제로 한 모둠별 발표 준비 모임
13 : 00	고등학교 ㉢ 동문회 점심 약속
15 : 00	일류 ㉣ 기업 CEO 강연 참석
19 : 00	할아버지 칠순 기념 ㉤ 가족 모임

- 심리학과는 특정 목적을 달성하기 위해 구성원 간 간접적이고 수단적인 만남이 이루어지는 2차 집단이다.
- 또래 집단은 구성원들이 장기간 직접 접촉하며 친밀한 관계를 형성하는 1차 집단이다.
- 동문회는 특정 목적을 달성하기 위하여 선택적 의지에 의해 형성된 이익 사회이다.
- 가족은 구성원들이 장기간 직접 접촉하며 친밀한 관계를 형성하는 1차 집단이자 자연적 의지에 따라 형성된 공동 사회이다.
- 기업은 구성원들의 필요에 의해 의도적으로 만들어진 이익 사회이다.

제시문에서 주어진 집단이 어느 유형에 속하는지 분류하고, 이에 관한 옳은 설명을 고르는 문제가 자주 나와.

대표 예제와 기출 선택지

다음 중 ㉠~㉤에 대한 설명으로 옳은 것에 모두 ○표 하시오.

① ㉠은 ㉡과 달리 인간관계 자체가 목적이다. ( )

② ㉠에서는 비공식적 제재가 일반적으로 적용된다. ( )

③ ㉡은 전인격적인 인간관계를 바탕으로 한다. ( )

④ ㉢에서는 형식적 인간관계가 주로 나타난다. ( )

⑤ ㉣은 공식적인 규칙과 절차가 적용된다. ( )

답 ③, ④, ⑤

2주

Week 3

3주에는 무엇을 공부할까? ❶

전체 내용 파악하기

[관련 단원] II. 개인과 사회 구조 ~ III. 문화와 일상생활

배울 내용

3주에는 무엇을 공부할까? ②

수능 사회·문화 빈출 키워드#

키워드#21 공식 조직과 비공식 조직

키워드#22 자발적 결사체

공부할 내용 추측해 보기 관련 페이지 96쪽

자발적 결사체의 종류를 알고 있는 대로 적어 보자.

____

2일

키워드#23 아노미 이론과 차별 교제 이론

키워드#24 낙인 이론

공부할 내용 추측해 보기 관련 페이지 100, 102쪽

사람들이 왜 일탈 행동을 하는지 자신의 생각을 적어 보자.

____

3일

키워드 #25 문화

키워드 #26 문화를 이해하는 태도

공부할 내용 추측해 보기 관련 페이지 106쪽

문화의 속성을 아는 대로 적어 보자.

4일

키워드 #27 하위문화

키워드 #28 대중문화와 대중 매체

공부할 내용 추측해 보기 관련 페이지 114쪽

대중 매체의 종류를 아는 대로 적어 보자.

5일

키워드 #29 문화의 변동: 내재적 요인

키워드 #30 문화의 변동: 외재적 요인

공부할 내용 추측해 보기 관련 페이지 118, 120쪽

문화는 언제 변화할까? 자신의 생각을 적어 보자.

일 사회 집단과 사회 조직 ③

키워드 #21 공식 조직과 비공식 조직

1 사회 조직

의미	특정 목적을 달성하기 위해 비교적 분명한 위계와 절차에 따라 소속감을 느끼고 집합적인 활동에 참여하는 사람들의 결합
특징	• 엄격한 규범으로 구성원의 행동을 제한하고, 공식화된 목적이 존재함. • 목적의 □□□ 달성 정도에 따라 구성원에 대한 보상과 제재가 주어짐.

2 공식 조직과 비공식 조직

구분	공식 조직❶	비공식 조직❷
의미	특정 □□을/를 달성하기 위해 의도적으로 만들어진 조직	공식 조직 내에서 친밀한 인간관계를 바탕으로 상호 작용하며 형성된 조직
특징	• 조직의 목표가 분명함. • 명확한 규칙 및 절차가 있음. • 구성원들의 지위와 역할 분담 및 업무 수행의 절차가 명시적으로 규정됨. • 수단적이며 공식적인 관계를 형성함.	• 친밀한 인간관계를 바탕으로 함. • 구성원의 만족감과 사기를 증진함. • 공식 조직에서의 긴장감 감소, 공식 업무와 관련된 문제를 쉽게 해결할 수 있음. • 비공식 조직과 공식 조직의 목표가 상충하거나 사적 관계가 개입되면 공식 조직의 과업 수행과 조직의 통합을 저해할 수 있음.
사례	학교, 병원, 회사 등	회사 내 동창회, 향우회, 동호회 등

답 효율적, 목적

❶ **공식 조직**
일반적으로 사회 조직은 공식 조직을 의미한다.

❷ **비공식 조직**
비공식 조직은 공식 조직과 다른 목표를 지닌다. 또한, 비공식 조직에 속하는 사람들은 공식 조직에서와는 다른 지위와 역할을 지닐 수 있다. 예를 들어, 공식 조직에서 사원인 사람이 비공식 조직의 회장일 수 있다.

개념 확인

1 **괄호 안의 내용 중 옳은 것에 ○표 하시오.**

(1) 특정 목적을 달성하기 위해 (의도적 , 자연적)으로 만들어진 조직은 공식 조직이다.

(2) 공식 조직은 구성원들의 지위와 역할 분담 및 업무 수행의 절차가 (명시적 , 암묵적)으로 규정되어 있다.

(3) 비공식 조직은 공식 조직의 업무에 사적인 관계를 개입시켜 공식 조직의 과업 수행이나 조직의 (통합 , 해체)을/를 저해할 수도 있다.

2 **다음 〈보기〉의 조직들을 공식 조직과 비공식 조직으로 구분하시오.**

공식 조직과 비공식 조직을 구분하는 문제가 많이 출제돼.

보기

ㄱ. □□ 고등학교
ㄴ. (주) △△전자
ㄷ. ◇◇ 중학교 우주 과학 동아리
ㄹ. ☆☆ 병원
ㅁ. □□시 향우회

(1) 공식 조직: ______________________

(2) 비공식 조직: ______________________

3 **□ 안에 들어갈 알맞은 말을 쓰시오.**

사회 조직은 사회 집단이 좀 더 발전된 형태로 '조직화된 집단'이라고도 합니다. 사회 조직은 공식적인 목표와 과업을 수행하기 위해 구성원들의 지위와 □□이 명백히 구분되고 전문화되어 있습니다. 또한, 사회 집단과는 달리 공식적인 규범이 확립되어 있어서 구성원의 행동이 엄격히 제한됩니다.

답 1. (1) 의도적 (2) 명시적 (3) 통합 2. (1) ㄱ, ㄴ, ㄹ (2) ㄷ, ㅁ 3. 역할

사회 집단과 사회 조직 ③

키워드 #22 자발적 결사체

동호회

환경 단체

노동조합
노사
협정

자발적 결사체는 같은 관심사나 이해관계를 가진 사람들이 목표를 달성하기 위해서 만든 조직이라서 종류가 다양해!

1 자발적 결사체❶

구분	내용
기본 입장	• 공동의 □□□나 이해관계를 가진 사람들이 공동의 목표를 달성하기 위하여 자발적으로 형성한 조직 • 현대 사회가 다원화되어 직업, 계층, 관심 등이 다양해지고 사회 참여 욕구가 증대되면서 자발적 결사체의 역할이 커짐.
특징	• 자발적 참여를 통한 운영 • 가입과 탈퇴가 자유로움. • 유연하고 융통성 있는 조직 운영 • 조직 목표에 대한 구성원들의 신념이 뚜렷함. • 구성원들이 조직 활동에 적극적으로 참여함. • 1차 집단과 2차 집단의 성격이 공존함.
장점	• 사회의 □□□에 기여 • 구성원에게 정서적 만족감 제공 • 자아실현의 기회 제공 • 정부와 시장을 통해 해결하기 어려운 사회 문제 해결에 긍정적인 역할을 함.
단점	지나치게 배타적이거나 자기 집단의 이익만을 추구할 경우 사회 통합을 저해할 수 있음.
종류	• 친목 집단: 구성원의 취미나 친목에 관심을 두는 집단 • 이익 집단: 특정 집단의 이익을 증진하고자 하는 집단 • 시민 단체: 사회 문제 해결이나 사회 정의 등에 관심을 두는 집단

답 관심사, 다원화

❶ 자발적 결사체
자발적 결사체는 공식 조직의 형태를 띨 수도 있고, 비공식 조직의 형태를 띨 수도 있다. 시민 단체나 이익 집단은 공식 조직이면서 자발적 결사체이고, 회사 내의 동호회는 비공식 조직이면서 자발적 결사체이다.

개념 확인

1 **다음 중 자발적 결사체의 특징에 해당하는 것을 모두 고르시오.**

> 자발적 결사체의 특징이 선지로 자주 출제되고 있어.

(가) 가입과 탈퇴가 자유롭다.
(나) 유연하고 융통성 있게 조직을 운영한다.
(다) 1차 집단과 2차 집단의 성격이 공존한다.
(라) 명확한 규칙이나 절차를 통해 조직을 운영한다.
(마) 구성원의 만족감과 사기를 증진하는 역할을 한다.

( )

2 **□ 안에 들어갈 알맞은 말을 쓰시오.**

○○ 시민 단체에서 활동하면서 얻을 수 있는 장점은 무엇인가요?

시민 단체에서 진행하는 활동들을 통해서 회원님들이 □□□□의 기회를 얻거나, 정서적인 만족감을 얻을 수 있다는 것이 장점이죠.

3 **빈칸에 들어갈 말을 〈보기〉에서 골라 쓰시오.**

> 자발적 결사체의 종류를 알고 있으면 문제에서 주어진 집단이나 조직이 자발적 결사체에 해당하는지 더 쉽게 고를 수 있어.

보기

시민 단체, 이익 집단, 친목 집단

(1) ( )은/는 특정 집단의 이익을 증진하기 위해 모인 집단이다.
(2) ( )에는 그린피스나 녹색 연합 같은 환경 단체가 포함되어 있다.
(3) ( )은/는 구성원의 취미나 친목에 관심을 두는 집단이다.

답 1. (가), (나), (다) 2. 자아실현 3. (1) 이익 집단 (2) 시민 단체 (3) 친목 집단

3주 1일

1일 사회 집단과 사회 조직 ③

| 모평 기출 |

1 밑줄 친 ㉠~㉦에 대한 설명으로 옳은 것은?

> ㉠ 아이돌 그룹의 멤버가 되기를 꿈꾸어 왔던 갑은 신인 아이돌 그룹 ㉡ ☆☆☆☆의 팬클럽을 결성하여 회장으로 활동하였다. 학교 친구들과 ㉢ 댄스 모임을 만들어 꾸준히 연습하던 갑은 방송사의 음악 경연 프로그램에 참가하였지만 ㉣ 예선 탈락의 아픔을 맛보았다. 이에 좌절하지 않고 더욱 분발한 갑은 마침내 ㉤ △△ 기획사에서 개최한 ㉥ 공개 오디션에 합격하였고, 솔로 가수로 데뷔하여 큰 인기를 얻었다. 최근 갑은 무의탁 노인을 대상으로 봉사하는 ㉦ ◇◇ 단체의 홍보 대사로 위촉되어 공연을 하는 등 재능 기부로 나눔을 실천하는 데 앞장서고 있다.

① ㉠은 갑의 준거 집단이자 내집단이다.
② ㉡은 자발적 결사체이자 이익 사회이다.
③ ㉦은 전인격적인 인간관계를 바탕으로 한다.
④ ㉢과 ㉤은 모두 2차 집단이자 공식 조직이다.
⑤ ㉣과 ㉥은 각각 갑의 역할에 대한 제재와 보상이다.

| 수능 기출 |

2 사회 집단과 사회 조직의 유형 A~E에 대한 설명으로 옳은 것은?

> • A와 B는 구성원 간의 접촉 방식에 따라 분류한 것으로 A는 구성원들이 대면 접촉을 통해 전인격적인 관계를 맺는 집단이다.
> • C와 D는 구성원의 결합 의지에 따라 분류한 것으로 C는 구성원의 선택 의지에 의해 결합된 집단이다.
> • E는 다원화된 현대 사회에서 공통 관심과 목표를 가진 사람들이 자발적으로 결성한 집단이다.

① A에서는 B와 달리 특정 목적을 달성하기 위한 인간관계가 주로 나타난다.
② D에서는 E와 달리 구성원의 가입과 탈퇴가 자유롭다.
③ A, D에서는 모두 형식적 인간관계가 주로 나타난다.
④ B, C에서는 모두 법적 제재보다 관습적 제재가 주로 적용된다.
⑤ 시민 단체와 이익 집단은 모두 C이면서 E에 속한다.

| 수능 기출 응용 |

3 다음은 어느 가족의 주간 일정표이다. 이에 대한 옳은 설명만을 <보기>에서 있는 대로 고른 것은?

우리 가족 주간 일정

갑(교사)	을(회사원)	병(중학생)
수: 대학원 수업 참석 금: 지역 ㉠ 시민 단체 대표자 회의 참석 토: 가족 외식	월: 사내 야구 동호회 경기 참가 수: 노동조합 조합원 총회 참석 토: 가족 외식	수: 청소년봉사 단체 정기 모임 참석 금: ㉡ 학급 소풍 참가 토: 가족 외식

> **보기**
> ㄱ. ㉠, ㉡은 선택적 의지에 의해 형성되는 이익 사회이다.
> ㄴ. 갑, 을은 병과 달리 자발적 결사체에 소속되어 있다.
> ㄷ. 을, 병은 갑과 달리 비공식 조직에 소속되어 있다.
> ㄹ. 갑~병 모두 공동 사회와 공식 조직에 소속되어 있다.

① ㄱ, ㄴ　② ㄱ, ㄹ　③ ㄴ, ㄷ
④ ㄱ, ㄷ, ㄹ　⑤ ㄴ, ㄷ, ㄹ

| 모평 기출 |

4 다음은 연예인 갑의 주간 일정표이다. 밑줄 친 ㉠~㉥에 대한 설명으로 옳은 것은?

> 월: ㉠ 소속된 기획사의 봉사 동아리 회원들과 봉사 활동 참가
> 화: ㉡ ○○ 방송국의 예능 프로그램 녹화
> 수: ㉢ 국세청의 모범 납세자 시상식 참여
> 목: 어머니 생신 축하를 위한 ㉣ 가족 모임 참석
> 금: ㉤ △△ 대학교 총학생회 주관 축제 행사 공연
> 토: ㉥ 연예인 야구단 시합 참가

① ㉠과 ㉡은 갑의 내집단이다.
② ㉢과 ㉥은 자발적 결사체이다.
③ ㉣과 ㉤은 1차 집단이다.
④ ㉢, ㉤은 ㉠과 달리 공식 조직이다.
⑤ ㉣, ㉥은 ㉡과 달리 공동 사회이다.

정답과 해설 12쪽

| 모평 기출 응용 |

5 밑줄 친 ㉠~㉥과 같은 사회 집단과 사회 조직의 일반적 특징에 대한 설명으로 옳은 것은?

> 갑은 ㉠ 법학 전문 대학원 학생이다. 평소 ㉡ ○○ 시민 연대에서 활동하고 있다. 또한 주말마다 ○○ 시민 연대의 ㉢ 야구 동호회를 통해 친목을 다지고 있다. 한편 갑의 남편 을은 자동차 회사에 재직하면서 ㉣ 노동조합 활동도 열심히 하고 있다. 주말에는 ㉤ 음악 학원에서 드럼을 배우며 스트레스를 해소하고 있다. 두 사람은 너무 바쁘지만 ㉥ 가족과 좀 더 많은 시간을 보낼 방법에 대해 고민 중이다.

① ㉠은 공동의 목표나 관심사를 가진 사람들의 자발적 참여로 결성된 집단이다.
② ㉥은 선택 의지에 의해 형성된 집단이다.
③ ㉠은 ㉣과 달리 특정 목적 달성을 위한 지위와 역할이 명확한 조직이다.
④ ㉡은 ㉣, ㉥과 달리 구성원 간 직접적 접촉을 통한 전인격적 관계에 기초한 집단이다.
⑤ ㉢은 ㉠, ㉤과 달리 공식 조직 내에서 구성원 간의 친밀한 인간관계에 바탕을 두고 형성된 조직이다.

| 학평 기출 |

6 밑줄 친 ㉠~㉣을 표와 같이 구분할 때, (가), (나)에 들어갈 질문으로 옳은 것은?

> ㉠ ○○ 회사에 다니는 갑은 건강과 친목 도모를 위해 가입한 ㉡ ○○ 회사 내 산악회 회원들과 주말에 자주 산행을 한다. 또한 ㉢ 대학교 재학 중 가입한 환경 보호 관련 ㉣ 시민 단체에서 계속 활동하며 보람된 날들을 보내고 있다.

질문 \ 답	예	아니요
(가)	㉠, ㉢, ㉣	㉡
(나)	㉡, ㉣	㉠, ㉢

	(가)	(나)
①	공동 사회인가?	2차 집단인가?
②	공식 조직인가?	2차 집단인가?
③	이익 사회인가?	비공식 조직인가?
④	공식 조직인가?	자발적 결사체인가?
⑤	이익 사회인가?	자발적 결사체인가?

| 학평 기출 |

7 사회 조직의 유형 A~C에 대한 설명으로 옳은 것은? (단, A~C는 각각 공식 조직, 비공식 조직, 자발적 결사체 중 하나이다.)

> • A는 공동의 목표를 가진 사람들의 자유의사에 따라 결성되며, B 혹은 C의 형태를 띨 수 있다.
> • B는 C를 기반으로 출현하여, C에 긍정적 혹은 부정적으로 작용하기도 한다.
> • C에 해당하는 사회 조직은 B에 속하지 않으나, B의 구성원은 C의 구성원이다.

① A는 1차 집단의 성격이 강하며, 2차 집단의 성격은 나타나지 않는다.
② B에서는 형식적·수단적인 인간관계가 지배적으로 나타난다.
③ B는 C에 비해 조직의 규모가 크고, 구성원이 이질적이다.
④ C는 A와 달리 구성원의 의지와 무관하게 자연 발생적으로 형성된 집단이다.
⑤ C는 B에 비해 구성원에 대한 공식적 통제의 정도가 강하다.

| 학평 기출 |

8 다음 A~C에 해당하는 사회 집단으로 옳은 것은? (단, A~C는 각각 공식 조직, 비공식 조직, 자발적 결사체 중 하나이다.)

> • 시민 단체는 A에 해당하지만 가족과 사내 동호회는 그렇지 않다.
> • 사내 동호회는 B에 해당하지만 동네 조기 축구회는 그렇지 않다.
> • 시민 단체와 동네 조기 축구회는 C에 해당하지만 가족은 그렇지 않다.

	A	B	C
①	공식 조직	비공식 조직	자발적 결사체
②	공식 조직	자발적 결사체	비공식 조직
③	비공식 조직	공식 조직	자발적 결사체
④	비공식 조직	자발적 결사체	공식 조직
⑤	자발적 결사체	공식 조직	비공식 조직

3주 1일

2일

일탈 행동

키워드 #23 아노미 이론과 차별 교제 이론

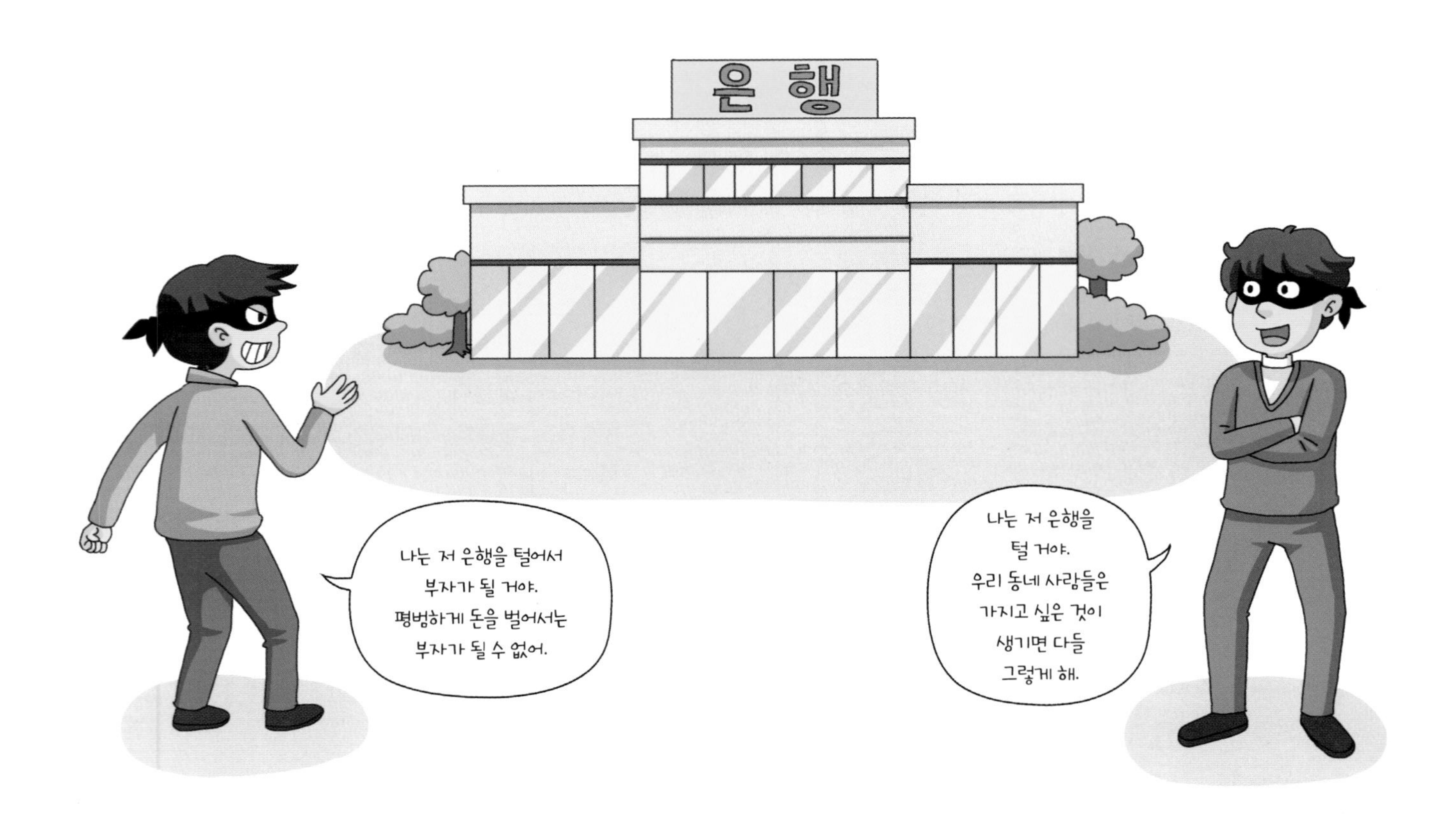

1 아노미❶ 이론

원인	• 뒤르켐: 급속한 사회 변동으로 지배적인 □□이 약화하거나 전통적인 규범과 새로운 규범이 혼재된 가치관의 혼란 상태에서 일탈 행동이 발생함. • 머튼: 문화적 목표를 달성할 수 있는 제도적 수단을 갖지 못한 사람들이 비합법적인 수단을 활용해서 문화적 목표를 달성하려고 할 때 발생함.
해결 방안	• 사회적 합의에 바탕을 둔 지배적 규범 확립 • 사회적 목표 달성을 위한 공정한 기회 제공
의의	• 기회 구조가 차단된 집단의 범죄 설명에 유용함. • 사회 구조적 관점에서 일탈 행동의 원인을 찾음.
한계	• 중상류층의 범죄, 문화적 목표와 상관없는 일시적 범죄 등을 설명하기 어려움. • 개인 간의 상호 작용이 일탈 행동 발생에 미치는 영향력을 소홀히 함.

2 차별 교제 이론❷

원인	일탈 행동을 하는 개인이나 집단과 지속적으로 □□함으로써 일탈 행동이 발생함.
해결 방안	일탈 집단 구성원과의 접촉 및 교류 차단
의의	• 일탈 행동이 발생하는 과정을 설명하는 데 유용함. • 일탈 행동을 일탈적인 사회적 환경 속에서 사회화된 결과로 여김.
한계	• 일탈 집단과 접촉하는 사람이 일탈자가 되지 않는 경우를 설명할 수 없음. • 우연적이고 충동적인 범죄를 설명하지 못함.

답 규범, 접촉

❶ **아노미**
프랑스의 사회학자 뒤르켐은 기존의 사회 규범이 약화되거나 부재하지만 이를 대체할 새로운 규범과 기준이 없는 상태를 아노미라고 하였다. 미국의 사회학자 머튼은 한 사회의 문화적 목표와 그 목표를 달성하기 위해 제도적으로 인정하는 수단 간의 괴리 상태를 아노미라고 보았다.

❷ **차별 교제 이론**
개인이 일탈자가 되느냐 안 되느냐 여부는 일탈 행동을 하는 집단과 얼마나 긴밀한 접촉을 하고 있느냐에 달려 있다. 우범 지역에서 성장한 사람들은 성장하면서 가족 구성원이나 이웃의 일탈 행동에 대해 우호적인 생각을 자주 접하게 된다. 그 과정에서 일탈 행동을 배우거나 일탈에 대한 긍정적 가치를 내면화하여 일탈 행동을 하게 되는 것이다.

개념 확인

1 괄호 안의 내용 중 옳은 것에 ○표 하시오.

(1) 뒤르켐은 일탈의 원인을 지배적인 규범이 약화하거나 전통적인 규범과 새로운 규범이 혼재된 가치관의 (부재, 혼란) 상태라고 보았다.

(2) 아노미 이론에 의하면, 일탈을 해결하기 위해서 (사회적인, 지배집단의) 합의를 바탕으로 한 규범을 확립해야 한다.

(3) 차별적 교제 이론에서는 일탈 집단 구성원과의 교류를 (차단, 허가)하면 일탈을 해결할 수 있다고 보았다.

아노미 이론을 주장하는 학자가 두 명 있어. 한 명은 프랑스의 사회학자인 뒤르켐이고, 나머지 한 명은 미국의 사회학자인 머튼이야. 이 두 학자는 아노미 상태에서 일탈 행동이 발생한다고 설명하지만, 아노미를 설명하는 방식이 달라.

2 (가), (나)에 들어갈 알맞은 말을 쓰시오.

재산 범죄 통계에서 하층 노동 계급 청년들이 차지하는 비율이 다른 집단보다 과도하게 높은 것은 그들 개인 때문이 아니라 사회 자체의 특성 때문입니다. 하층 노동 계급 청년들은 물질적 성공이라는 [(가)]와/과 자신의 사회적 위치에서 제공되는 [(나)] 사이에서 불일치를 경험하지요. 그 결과 하층 노동 계급 청년들이 재산 범죄율에서 높은 비중을 차지하게 됩니다.

▲R. K. 머튼

(가): ____________ (나): ____________

3 □ 안에 들어갈 알맞은 말을 쓰시오.

차별 교제 이론은 사회 구조보다 행위의 과정에 초점을 맞춰서 일탈의 원인을 찾는다. 차별 교제 이론에서는 일탈 행동을 일탈적인 사회적 환경 속에서 일탈자들과 접촉하면서 그들의 문화와 행동을 자연스럽게 학습한 결과, 즉 '□□□의 산물' 이라고 생각한다.

일탈 이론에서는 주어진 설명이나 질문들을 통해 일탈 이론을 구분하는 문제가 많이 출제되는 편이야.

답 1. (1) 혼란 (2) 사회적인 (3) 차단 2. (가) 문화적 목표 (나) 제도적 수단 3. 사회화

일탈 행동

키워드 #24 낙인 이론

○ 낙인 이론은 일탈 행동의 원인을 낙인찍기에 있다고 본다. 일탈자로 낙인이 찍힌 사람은 자신을 스스로 일탈자라고 인정하게 된다. 일탈자라는 정체성을 형성한 이후에는 일탈 행동을 반복할 가능성이 높아진다.

난 원래 나쁜 사람이 아니었는데, 다들 나보고 나쁜 사람이라고 해서 내가 나쁜 사람이 된 거야.

1 낙인 이론❶

원인	특정 행동을 일탈 행동으로 규정한 후, 그러한 행동을 한 사람을 일탈자로 규정한 결과 일탈자라는 □□□을/를 형성하여 일탈 행동이 습관화 됨.(1차적 일탈 → 낙인 → 2차적 일탈)
해결 방안	• 불필요한 낙인 줄이기 → 일탈 행동을 신중하게 규정하려는 사회적 합의 필요 • 구성원이 올바른 정체성을 회복할 수 있도록 도와주는 프로그램 시행
의의	• 같은 일탈 행동을 한 경우에도 어떤 사람은 일탈자가 되는 데 비해, 다른 사람은 그렇지 않은지에 대한 설명이 가능함. • 일탈 행동의 본질을 그 자체의 속성이 아닌 그와 상호 작용하는 주변 사람들에 의한 낙인에서 찾음. • 일탈을 규정하는 객관적 기준이 존재하지 않음.
한계	• 일탈 행동의 합리화 가능 • 최초의 일탈이나 범죄의 원인을 설명하지 못함. • 낙인찍히지 않았음에도 반복적으로 일탈 행동을 하는 경우나 낙인이 있었음에도 일탈이 일어나지 않는 경우를 설명하지 못함.

답 정체성

❶ 낙인 이론
낙인 이론은 일탈의 상대성을 강조한다. 일탈 행동은 보편적인 일탈 행동 개념으로 존재하는 것이 아니라, 그 행위가 발생하는 상황과 여건에 따라 규정되는 것이라고 본다.

개념 확인

1 다음 중 낙인 이론에 해당하는 설명을 모두 고르시오.

(가) 일탈 행동의 합리화가 불가능하다.
(나) 최초의 일탈이나 범죄의 원인을 설명할 수 있다.
(다) 일탈을 규정하는 객관적인 기준이 존재하지 않는다.
(라) 일탈 행동의 본질을 상호 작용하는 주변 사람들에 의한 낙인에서 찾는다.
(마) 낙인찍히지 않았음에도 반복적으로 일탈 행동을 하는 경우를 설명할 수 없다.

( )

2 □ 안에 들어갈 알맞은 말을 쓰시오.

같은 행동이라도 아무 일 없으면 그냥 '일상'이 되고, 문제가 생기면 '일탈'이 된다. 누구나 살면서 잘못을 저지르지만 적발되지 않으면 대부분 별 문제없이 지나간다. 하지만 그것이 다른 사람들에게 적발되고 세상에 알려지면 상황은 급격히 변화한다. 자신을 대하는 사회적 시선이 예전과 달라졌음을 인식하게 되면서 일탈 행동을 점점 □□□하고 정상적인 사회 규범과 멀어진다.

낙인 이론은 일탈자가 생기는 원인을 '낙인'이라고 봐.

3 일탈 행동을 바라보는 을의 이론은 무엇인지 쓰시오.

일탈 행동을 하는 이유는 무엇입니까?
'바늘 도둑이 소도둑 된다.'는 말이 있습니다. 작은 잘못을 저질렀던 사람이 주위의 반응 때문에 부정적 자아를 형성하고, 더 큰 잘못을 저지르게 되는 것입니다.
갑
을

답 1. (다), (라), (마) 2. 습관화 3. 낙인 이론

3주 2일

2일 일탈 행동

| 학평 기출 |

1 다음 두 사례에 대한 설명으로 옳은 것은?

> • 갑은 남들처럼 부자가 되고 싶지만 배움도 없고 부모로부터 물려받은 재산도 없다. 가난에서 벗어나기 어려웠던 갑은 공사 현장에서 건축 자재를 빼돌려 팔았다.
> • 을은 불량한 친구들과 어울리면서 친구들의 비행에 자주 가담하였다. 이후 을은 혼자서도 비행을 저지르고 친구들에게 자랑삼아 이야기하게 되었다.

① 갑의 일탈 행동은 문화적 목표와 제도적 수단 간의 괴리로 설명할 수 있다.
② 갑의 일탈 행동을 설명하는 데 유용한 말로 "까마귀 노는 곳에 백로야 가지 마라."를 들 수 있다.
③ 을은 낙인으로 인해 부정적 자아가 형성되었다.
④ 을의 일탈 행동은 급속한 사회 변동으로 인한 규범의 부재로 설명할 수 있다.
⑤ 을과 달리 갑은 다른 사람과의 상호 작용 과정에서 일탈 행동을 습득하였다.

| 모평 기출 응용 |

2 일탈 이론 A~C에 대한 옳은 설명을 〈보기〉에서 고른 것은? (단, A~C는 각각 낙인 이론, 아노미 이론, 차별 교제 이론 중 하나이다.)

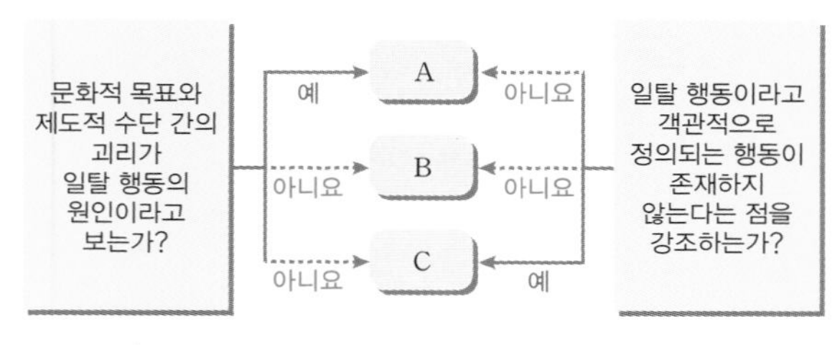

보기

ㄱ. A는 일탈 행동의 원인을 개인적 차원에서 파악하고 있다.
ㄴ. B에 해당하는 속담으로 "세 살 버릇 여든까지 간다."가 적절하다.
ㄷ. B는 법 위반에 대한 우호적 가치의 습득을 일탈 행동의 원인으로 본다.
ㄹ. C는 일탈 행동에 대한 규정을 신중하게 할 필요가 있음을 강조한다.

① ㄱ, ㄴ ② ㄱ, ㄷ ③ ㄴ, ㄷ ④ ㄴ, ㄹ ⑤ ㄷ, ㄹ

| 수능 기출 |

3 다음 대화에 나타난 갑, 을의 일탈 이론에 대한 설명으로 옳은 것은?

> 통계에 따르면, 범죄자의 다수는 하류 계층 출신인 것으로 나타났습니다. 이에 대한 의견을 말씀해 주십시오.

> 누구나 물질적 풍요를 원하지만 하류 계층 사람들은 상류 계층에 비해서 제도적 수단이 부족하여 불법적 수단을 더 많이 선택하기 때문입니다.

> 하류 계층 사람들의 행동에 대한 부정적 인식과 그에 따른 사회적 반응의 결과라고 생각합니다. 하류 계층의 행동을 더 위험하게 생각하여 범죄로 규정할 가능성이 크기 때문입니다.

① 갑의 이론은 일탈 행동이 타인과의 상호 작용에서 비롯된다고 본다.
② 을의 이론은 부정적 자아가 형성되어 일탈 행동이 반복된다고 본다.
③ 갑의 이론은 을의 이론과 달리 일탈 행동을 미시적 관점에서 바라보고 있다.
④ 을의 이론은 갑의 이론과 달리 일탈을 규정하는 객관적 기준이 존재한다고 본다.
⑤ 갑, 을의 이론 모두 일탈 행동에 대한 대책으로 강력한 사회 통제를 강조한다.

| 학평 기출 |

4 다음 글에 나타난 일탈 이론에 대한 설명으로 옳은 것은?

> 갑국에서는 물질적으로 풍요로운 삶이 좋은 삶이며, 구매 행위는 삶의 가치를 높이는 행위이다. 그래서 갑국 국민들 모두 부를 추구하지만, 부를 얻을 수 있는 제도적 기회가 모두에게 충분히 주어지는 것은 아니다. 이러한 기회의 결핍 상태가 일탈 행동의 발생 가능성을 높인다.

① 차별적인 제재가 일탈 행동의 원인이라고 본다.
② 일탈자가 되어 가는 내면적 과정에 초점을 둔다.
③ 일탈 행동을 규정하는 객관적 기준이 없다고 본다.
④ 목표와 수단의 괴리에서 일탈 행동의 원인을 찾는다.
⑤ 일탈 행동은 특정 집단과의 교류를 통해 학습된다고 본다.

정답과 해설 13쪽

| 학평 기출 |

5 일탈 행동 이론 A~C에 대한 설명으로 옳은 것은? (단, A~C는 각각 낙인 이론, 머튼의 아노미 이론, 차별적 교제 이론 중 하나이다.)

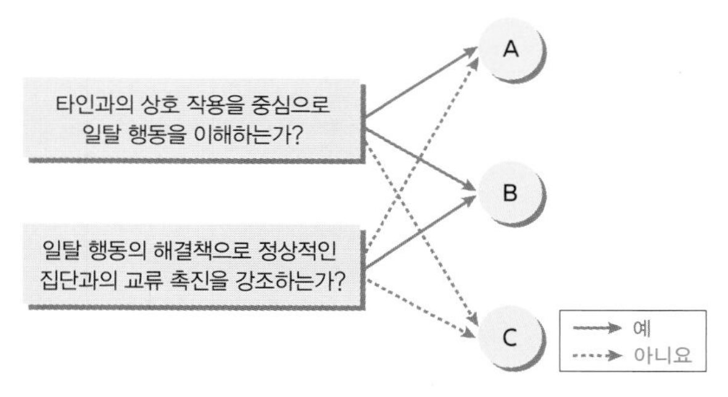

① A는 급격한 사회 변동을 일탈 행동의 원인으로 강조한다.

② B는 차별적인 제재를 일탈 행동의 원인이라고 본다.

③ C는 문화적 목표와 제도적 수단의 불일치를 일탈 행동의 원인이라고 본다.

④ A, B는 C와 달리 일탈 행동을 규정하는 객관적인 기준이 존재한다고 본다.

⑤ B, C는 A와 달리 일탈 행동 자체보다 그에 대한 사회적 반응을 중시한다.

| 수능 기출 응용 |

6 〈자료 1〉에 나타난 일탈 이론 A~C를 〈자료 2〉와 같이 분류할 때, (가)~(다)에 들어갈 대답으로 옳은 것은?

〈자료 1〉

A 사회가 누군가를 일탈자라고 규정하면 그 사람은 이를 동일시하여 내면화 과정을 거치면서 규정된 것과 같은 특성을 보이게 된다. 일탈은 행위 자체의 속성에 있는 것이 아니라 행위에 대한 사회적 반응의 결과이다.

B 산업화 단계로 접어들면서 대도시로의 인구 유입, 분업, 개인의 고립 등을 특징으로 하는 변화가 나타난다. 이 과정에서 사람들은 규범과 역할의 혼란을 겪게 되고 욕구를 통제하지 못하게 되면서 일탈을 저지른다.

C 개인이 법 위반에 우호적인 태도를 가진 사람들과 밀접한 관계를 맺으면서 일탈을 저지를 수 있다. 일탈은 개인이나 사회의 특성에서 비롯되는 것이 아니라 개인이 경험한 학습 과정의 결과로 나타난다.

〈자료 2〉

구분	A	B	C
상호 작용을 통한 일탈의 발생에 초점을 두는가?	(가)	(나)	(다)

	(가)	(나)	(다)
①	예	예	아니요
②	예	아니요	예
③	예	아니요	아니요
④	아니요	예	예
⑤	아니요	아니요	예

3주 2일

3일

문화의 이해

키워드 #25 문화

학습성

우리나라에서 살고 있는 외국인들 중에는 김치를 좋아해서 자주 먹기도 하지만 김치 담그는 법을 배워서 직접 김치를 담그는 사람들도 있어.

공유성

우리나라에서는 늦가을에서 초겨울 무렵을 김장철이라고 해. 이 시기에 배추와 무, 고춧가루 등을 사는 사람들을 보면 그 사람들이 김치를 담글 것이라는 걸 알 수 있지.

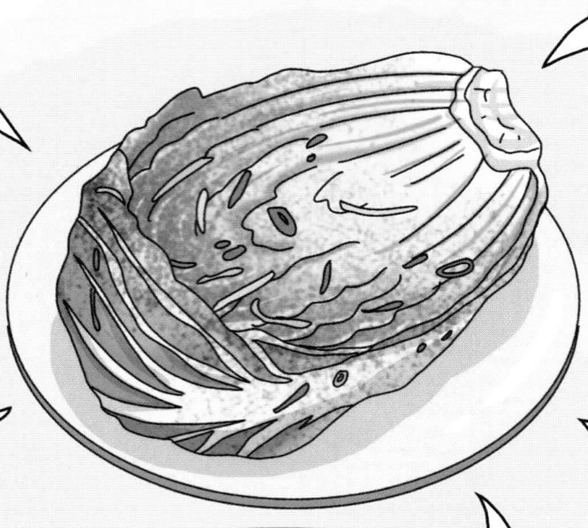

변동성

문헌에 따르면 김치는 고춧가루가 들어가지 않은 백김치였는데, 임진왜란 무렵에 고추가 우리나라에 전래되면서 지금의 빨간 김치를 만들게 되었어.

축적성

김치를 담글 때는 세대를 전승해서 내려온 특별한 방법과 재료를 사용해. 시간의 흐름에 따라 발전해 온 김치는 지역별로 다양하게 계승되었어.

김장 문화는 겨울에 채소를 구하기 어려운 환경적 특징, 장기간 저장을 통해 음식을 발효시키는 기술, 이웃과 일을 나누어 하는 품앗이 전통 등과 밀접하게 연관되어 있어.

총체성

1 문화의 의미

좁은 의미	인간의 □□□인 생활 양식 중에서 예술적이고 교양 있거나 세련된 것
넓은 의미	한 사회의 구성원들이 만들어 낸 공통의 생활 양식

2 문화의 속성

학습성	• 문화는 타고나는 것이 아니라 후천적으로 습득되는 것 • 인간이 문화를 학습하는 과정에서 그 사회의 언어, 규범, 가치 등을 익힘으로써 사회에 적응하고 그와 함께 사회가 유지되고 존속됨.
공유성	• 문화는 한 사회의 구성원들이 공통으로 지닌 생활 양식 • 사회 구성원 간 행동을 예측할 수 있게 하여 원활한 사회적 상호 작용이 가능해짐.
변동성	• 문화는 시간이 흐르면서 그 모습이나 내용, 의미 등이 변화함. • 새로운 문화 요소 ❶가 추가되거나 문화가 소멸하기도 함.
축적성 ❷	• 문화는 □□□□을/를 통해 다음 세대로 전승됨. • 기존 문화에 새로운 문화 요소가 추가되면서 문화가 풍부해지고 다양해짐.
총체성 (전체성)	• 문화는 여러 구성 요소가 상호 유기적인 관련을 맺으면서 부분이 아닌 하나의 전체로서 존재함. • 문화의 한 부분에 변화가 생기면 다른 부분에도 연쇄적으로 영향을 줌.

답 후천적, 상징체계

❶ 문화 요소
총체적으로 형성되어 있는 문화를 구성하는 개별 요소. 기술, 언어, 상징, 예술, 규범, 가치 등이 있다.

❷ 문화의 축적성
문화는 인간이 가지고 있는 학습 능력과 상징체계를 통해 축적이 이루어진다. 일부 동물들이 학습 능력이 뛰어남에도 문화가 형성되지 않는 것은 축적을 통해 문화를 발전시키지 못했기 때문이다.

개념 확인

1 **다음 내용에 해당하는 문화의 속성에 ✓표 하시오.**

(1) 우리나라에서 태어났어도 외국에서 성장했다면 한국어보다 외국어를 잘한다.

☐ 학습성　　☐ 총체성　　☐ 공유성

(2) 우리나라의 주거 양식이 한옥에서 아파트로 바뀌었다.

☐ 변동성　　☐ 축적성　　☐ 학습성

(3) 우리나라 사람들은 명절에 가족들이 모이면 윷놀이를 한다.

☐ 축적성　　☐ 공유성　　☐ 변동성

문화의 속성에 해당하는 예시를 고르는 문제가 주로 출제되고 있어.

2 **☐ 안에 들어갈 알맞은 말을 쓰시오.**

(1) ☐☐ 의미의 문화	(2) ☐☐ 의미의 문화

▲ 사람들이 문화생활을 즐기고 있다.	▲ 학생들이 세배를 통해 전통문화를 체험하고 있다.

좁은 의미의 문화와 넓은 의미의 문화를 구분할 수 있어야 해.

3 주
3일

3 **☐ 안에 들어갈 알맞은 문화의 속성을 쓰시오.**

문화의 ☐☐☐

오늘날 우리는 이동 통신 기술의 발달로 휴대 전화로 통화나 문자뿐만 아니라 촬영, 쇼핑, 독서 등 다양한 기능을 사용할 수 있게 되었다. 이와 같이 문화의 한 부분이 변화하여 경제·사회·문화 등 다른 부분에 연쇄적인 변화가 일어나는 것은 문화의 ☐☐☐에 해당한다.

답 1. (1) 학습성 (2) 변동성 (3) 공유성　2. (1) 좁은 (2) 넓은　3. 총체성

3일 문화의 이해

키워드 #26 문화를 이해하는 태도

1 자문화 중심주의, 문화 사대주의

자문화 중심주의	구분	문화 사대주의
자신의 문화를 가장 우수한 것으로 여기고 다른 문화는 수준이 낮거나 미개하다고 판단하는 태도	의미	다른 사회의 문화를 우수한 것으로 여기며 숭상하면서 자신의 문화는 열등하다고 생각하는 태도
• 자기 문화에 대한 □□□을/를 높임. • 집단 내 결속력을 강화할 수 있음.	장점	다른 문화의 좋은 점을 받아들여 자기 문화 발전의 계기가 됨.
• 다른 문화에 대한 이해와 수용을 어렵게 함. • 문화 간 갈등과 국제적인 고립을 초래할 수 있음. • 다문화 사회의 경우 사회 통합을 저해할 수 있음. • 문화 제국주의나 국수주의로 변질될 위험이 있음.	특징	• 다른 사회의 문화를 무분별하게 수용하면 자기 문화에 대한 정체성과 자부심을 상실할 수 있음. • 전통문화 및 고유문화 발전에 장애가 될 수 있음.

2 문화 상대주의

의미	어떤 사회의 특수한 자연환경, 역사적 배경, 사회적 맥락 등을 고려하여 그 사회의 문화를 이해하는 태도
특징	• 각 문화가 가진 고유성을 인정하며 그 의미와 배경을 이해하려는 태도 → 여러 문화가 □□할 수 있는 기초가 됨. • 문화에 우열이 존재하지 않는다고 보는 시각임. • 문화적 다양성을 보존하고 문화 간 갈등과 분쟁의 예방·해결에 이바지함.
유의점	인류의 보편적 가치를 훼손하는 문화까지 인정하는 극단적 문화 상대주의를 경계해야 함.

답 자부심, 공존

개념 확인

1 괄호 안의 내용 중 옳은 것에 ○표 하시오.

(1) 자문화 중심주의는 자신의 문화를 가장 (우수, 미개)한 것으로 여기고 다른 문화는 수준이 낮다고 판단하는 태도이다.

(2) 문화 사대주의는 자기 문화가 (발전, 퇴보)하는 계기가 될 수 있다.

(3) 문화 상대주의는 각 사회의 문화가 가진 (고유성, 보편성)을 인정한다.

문화를 이해하는 태도에 관해 옳은 설명을 고르는 문제가 출제 돼. 그리고 문화를 이해하는 태도는 다음과 같이 구분할 수 있어.

문화를 평가의 대상으로 보는 태도	자문화 중심주의
	문화 사대주의
문화를 평가하지 않으려는 태도	문화 상대주의

2 다음 상소문에 나타난 문화를 이해하는 태도를 쓰시오.

"우리 조선은 조종 때부터 내려오면서 지성스럽게 대국을 섬겨 한결같이 중화의 제도를 따랐는데, 이제 글을 같이하고 법도를 같이하는 때를 당하여 언문을 창작하신 것은 보고 듣기에 놀라움이 있습니다. 만일 중국에라도 흘러 들어가서 혹시라도 비난하여 말하는 자가 있사오면, 어찌 대국을 섬기고 중화를 사모하는 데 부끄러움이 없사오리까."

3 다음 신문에서 찾아볼 수 있는 문화를 이해하는 태도를 쓰시오.

△△ 신문

남부 아시아, 동남아시아, 남부 유럽 등지에서는 한창 일할 시간에 낮잠을 자는 사람들을 쉽게 볼 수 있다. 낮잠 자는 시간에 상점은 아예 문을 닫기도 하고, 상당수의 회사에서는 직원들에게 낮잠 자는 시간을 따로 주기도 한다. 이런 모습을 볼 수 있는 지역들은 대개 기온이 높은 지역으로, 사람들은 더운 날씨를 이겨내기 위해 많은 양의 음식을 먹는데, 이는 식후 졸음을 가져온다. 또한, 가장 기온이 높은 시간대에는 무더위로 일의 효율성이 떨어지기 때문에 전통적으로 한낮에 잠깐 낮잠을 자는 풍습이 있다.

답 1. (1) 우수 (2) 발전 (3) 고유성 2. 문화 사대주의 3. 문화 상대주의

3주 3일

문화의 이해

| 학평 기출 |

1 밑줄 친 ㉠~㉤에 대한 설명으로 옳은 것은?

㉠ 대부분의 사회에는 한 해를 보내고 새해를 맞이하는 풍습이 존재한다. 이러한 ㉡ 새해맞이 문화 중 인도의 홀리 축제는 3월경에 열린다. 힌두력을 따르는 인도인들이 ㉢ 이 때를 한 해의 시작으로 여기기 때문이다. 홀리 축제에서 인도인들은 서로에게 색색의 물감과 가루를 뿌리는데, 이러한 행동은 얼굴에 색을 칠하고 놀았다는 ㉣ 힌두교 신을 기리는 데서 유래한 것이다. 축제 참가자들은 ㉤ 이 행동이 서로의 복을 기원하는 의미라는 것을 알고 있기 때문에 누구도 이를 불쾌하게 여기지 않는다.

① ㉠에는 문화의 특수성이 부각되어 있다.
② ㉡에서의 '문화'는 좁은 의미의 문화이다.
③ ㉢은 문화가 고정된 것이 아니라 변화하는 것임을 보여준다.
④ ㉣은 물질문화에 해당한다.
⑤ ㉤은 문화가 구성원들 간 원활한 상호 작용의 토대임을 보여준다.

| 학평 기출 |

2 그림은 문화의 속성 중 하나에 대한 검색 결과이다. 이에 대한 설명으로 옳지 않은 것은?

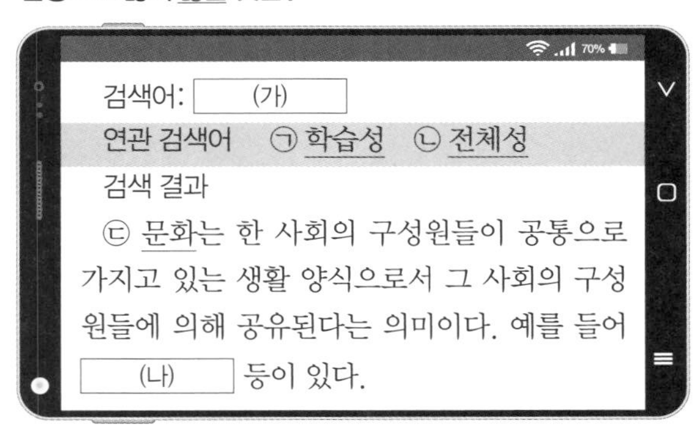

검색어: (가)
연관 검색어 ㉠ 학습성 ㉡ 전체성
검색 결과
㉢ 문화는 한 사회의 구성원들이 공통으로 가지고 있는 생활 양식으로서 그 사회의 구성원들에 의해 공유된다는 의미이다. 예를 들어 (나) 등이 있다.

① (가)로 인해 서로 다른 문화 체계를 구분할 수 있다.
② ㉠은 선천적·유전적 행동은 문화가 아님을 의미한다.
③ ㉡의 사례로는 인터넷 보급으로 교육 방식이 변화하는 것을 들 수 있다.
④ ㉢은 '문화 시민'에서의 문화와 같은 의미로 사용되었다.
⑤ (나)에는 '우리나라에서 설날에 떡국을 먹는 것'이 들어갈 수 있다.

| 수능 기출 응용 |

3 밑줄 친 ㉠~㉣에 나타난 문화의 속성에 대한 옳은 설명을 〈보기〉에서 고른 것은?

갑국의 ○○는 면발을 물에 끓여 먹던 △△에서 유래한 것이다. ○○는 ㉠ 기름에 튀겨 면발을 가공하는 기술이 △△에 접목되어 새롭게 만들어진 것이다. ㉡ 쌀 위주의 식생활을 하는 갑국에서 밀가루 음식인 ○○는 국민들의 관심을 끌지 못했다. 그러나 국민들은 ○○를 ㉢ 간편하게 먹을 수 있다는 것을 알게 되었고, 이제는 ㉣ 국민 대다수가 즐겨 먹는 음식이 되었다.

보기

ㄱ. ㉡은 전승된 문화를 바탕으로 새로운 문화가 창출된다는 것을 보여 준다.
ㄴ. ㉢은 문화가 후천적으로 습득된다는 것을 보여 준다.
ㄷ. ㉣은 ㉠과 달리 문화 현상이 고정된 것이 아니라 지속적으로 변화함을 보여 준다.
ㄹ. ㉡, ㉣은 모두 문화가 구성원의 사고와 행동을 구속한다는 것을 보여 준다.

① ㄱ, ㄴ ② ㄱ, ㄷ ③ ㄴ, ㄷ ④ ㄴ, ㄹ ⑤ ㄷ, ㄹ

| 모평 기출 응용 |

4 다음 두 사례에 공통으로 부각된 문화의 속성에 대한 옳은 설명만을 〈보기〉에서 고른 것은?

- 외국에서 활약하고 있는 운동 선수 갑은 처음에는 현지 언어를 사용하지 못해 어려움을 겪었으나, 틈틈이 현지 언어를 공부하였고 지금은 능숙해져 팀 동료들과 자유롭게 대화를 나눌 수 있게 되었다.
- 스마트폰이 보편화되면서 정치, 경제, 문화 등 다양한 분야의 변화가 나타났다. 스마트폰 사용을 꺼리던 을도 스마트폰을 먼저 사용하기 시작한 친구로부터 사용법을 배워 잘 활용할 수 있게 되었다.

보기

ㄱ. 기존 문화에 새로운 요소가 추가되어 풍부해진다.
ㄴ. 개인의 사회적 행동은 사회화를 통해 형성된다.
ㄷ. 새로운 특성이 추가되거나 기존의 특성이 소멸되기도 한다.
ㄹ. 후천적인 학습 과정을 통해 습득된다.

① ㄱ, ㄴ ② ㄱ, ㄷ ③ ㄴ, ㄷ ④ ㄴ, ㄹ ⑤ ㄷ, ㄹ

정답과 해설 14쪽

| 학평 기출 |

5 다음 자료에 대한 설명으로 옳은 것은? (단, A와 B는 각각 문화 사대주의, 자문화 중심주의 중 하나이다.)

> A는 B와 달리 자기 문화를 기준으로 다른 문화를 낮게 평가한다. (가)~(다)는 A와 B의 공통점과 차이점을 나타낸 것이다.
>
> A B
> (가) (나) (다)

① A는 B에 비해 자문화의 정체성을 상실할 우려가 높다.
② B는 A와 달리 문화 제국주의로 변질될 가능성이 높다.
③ (가)에 '문화를 해당 사회의 맥락에서 이해한다.'가 들어갈 수 있다.
④ (나)에 '문화 간 우열을 평가할 수 있다고 본다.'가 들어갈 수 있다.
⑤ (다)에 '자기 문화의 우수성을 강조한다.'가 들어갈 수 있다.

| 모평 기출 응용 |

6 다음 글에 대한 설명으로 옳은 것은? (단, A~C는 각각 문화 사대주의, 문화 상대주의, 자문화 중심주의 중 하나이다.)

> 타문화를 받아들임에 있어서 A는 B에 비해 수용적이지만, 자기 문화의 정체성을 보존하는 데는 B가 A보다 유리하다. 이런 A에 대해서는 [㉠](이)라는 비판이, B에 대해서는 [㉡](이)라는 비판이 제기된다. 한편, 문화의 다양성 신장을 위해서는 A, B보다 C가 필요하다.

① A는 타문화의 고유한 가치를 존중한다.
② B는 문화 다양성을 유지하는 데 기여한다.
③ C는 A와 달리 자문화의 정체성을 상실할 우려가 있다.
④ ㉠에는 '극단적 상대주의에 빠질 가능성이 높다.'가 들어갈 수 있다.
⑤ ㉡에는 '타문화와의 문화적 마찰을 초래할 가능성이 높다.'가 들어갈 수 있다.

| 학평 기출 |

7 갑, 을의 문화 이해 태도에 대한 설명으로 가장 적절한 것은?

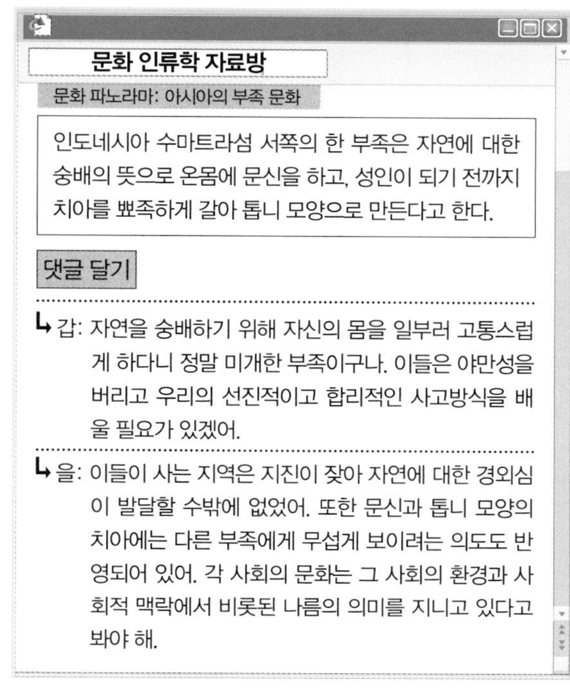
문화 인류학 자료방

문화 파노라마: 아시아의 부족 문화

인도네시아 수마트라섬 서쪽의 한 부족은 자연에 대한 숭배의 뜻으로 온몸에 문신을 하고, 성인이 되기 전까지 치아를 뾰족하게 갈아 톱니 모양으로 만든다고 한다.

댓글 달기

↳ 갑: 자연을 숭배하기 위해 자신의 몸을 일부러 고통스럽게 하다니 정말 미개한 부족이구나. 이들은 야만성을 버리고 우리의 선진적이고 합리적인 사고방식을 배울 필요가 있겠어.

↳ 을: 이들이 사는 지역은 지진이 잦아 자연에 대한 경외심이 발달할 수밖에 없었어. 또한 문신과 톱니 모양의 치아에는 다른 부족에게 무섭게 보이려는 의도도 반영되어 있어. 각 사회의 문화는 그 사회의 환경과 사회적 맥락에서 비롯된 나름의 의미를 지니고 있다고 봐야 해.

① 갑의 태도는 문화 사대주의, 을의 태도는 문화 상대주의이다.
② 갑의 태도는 문화의 주체성을 상실할 가능성이 높다.
③ 을의 태도는 문화 다양성 보존에 기여할 수 있다.
④ 을의 태도는 갑의 태도와 달리 국제적인 고립을 초래할 수 있다.
⑤ 갑과 을의 태도 모두 문화의 우열을 평가할 수 있다고 전제한다.

4일 하위문화와 대중문화

키워드 #27 하위문화

전체 중 일부만 공유하는 문화인
하위문화에는 다양한 종류의 문화가 있어.
그 중에서 반문화는 지배적인
문화에 저항하거나 대립하는 문화야.

1 주류 문화: 한 사회의 구성원 ☐☐☐가 공유하는 문화

2 하위문화

의미	한 사회 내의 일부 구성원들이 공유하는 문화
특징	• 주류 문화와 하위문화의 범주는 상대적으로 결정❶됨. • 사회가 다원화되고 복잡해지면서 하위문화는 다양해지고, 세분화되고 있음.
기능	• 하위문화를 공유하는 사람들 간 소속감 및 ☐☐☐ 형성 • 개인의 정체성 형성 • 주류 문화 속에서는 충족될 수 없었던 다양한 욕구 충족 • 주류 문화의 획일성을 방지하고 문화 다양성에 기여함. • 주류 문화와 지나치게 성격이 다른 경우 사회 통합이 저해됨. • 서로 다른 하위문화를 가진 집단 간 문화적 갈등이나 충돌이 발생할 수 있음.

3 반문화❷

의미	한 사회의 ☐☐ 문화를 거부하거나 저항하는 사람들이 공유하는 문화
기능	• 기존 문화의 보수성과 문제점을 노출시켜 사회 발전의 계기를 제공함. • 지배 문화에 적대적인 경우가 많아 사회 갈등의 원인이 되기도 함.

❶ 하위문화의 상대성
한국 문화라는 범위에서 보면 청소년 문화는 하위문화이지만, 청소년 문화 안에는 중학생 문화, 고등학생 문화 등과 같은 하위문화가 존재하여 이들 관계에서 보면 청소년 문화는 주류 문화가 된다.

❷ 반문화의 상대성
반문화에 대한 규정은 시대나 사회에 따라 달라질 수 있다. 조선 시대에는 천주교가 반문화적 성격을 가졌다고 규정했지만 오늘날에는 그렇지 않다.

답 대다수, 유대감, 주류

개념 확인

1 괄호 안의 내용 중 옳은 것에 ◯표 하시오.

(1) 주류 문화와 하위문화의 범주는 (상대적, 절대적)으로 결정된다.
(2) 하위문화를 통해 주류 문화 속에서 충족할 수 없었던 (다양한, 획일화된) 욕구를 충족할 수 있다.
(3) 반문화는 기존 문화의 보수성과 문제점을 노출시켜 사회 (발전, 후퇴)의 계기를 제공한다.
(4) 독자성이 강하고 지배 문화에 (우호적, 적대적)인 경우가 많아 사회 갈등의 원인이 되기도 한다.

주류 문화, 하위문화, 반문화의 성격과 특징을 잘 알고 있어야 해. 문제에 나타난 문화가 어느 문화인지 파악하고, 옳은 설명을 고르는 문제가 많이 출제돼.

2 ☐ 안에 들어갈 알맞은 개념을 쓰시오.

△△ 신문

1960년대에는 베트남 전쟁이 발발하였고, 미국 내에서는 케네디 대통령의 암살, LA 흑인 폭동 등의 사건이 일어났다. 이 모습을 보면서 미국의 청년들은 사회에 대한 절망과 분노를 느꼈고, 당시 사회에서 통용되던 규범과 가치 등 주류 문화를 비판하였다. 이런 시대적 배경 속에서 등장한 히피(hippie) 문화는 1960년대 미국의 대표적인 ☐☐☐ 사례이다. 히피들은 긴 머리에 샌들을 신거나 맨발로 다니고, 다양한 색깔의 천으로 옷을 직접 만들어 입으면서 자신들의 저항 의식과 개성을 표현하였다.

3 다음 중 하위문화의 순기능에 해당하는 것을 모두 고르시오.

(가) 개인의 정체성을 형성한다.
(나) 일반적인 생활 양식의 특징을 드러낸다.
(다) 문화의 다양성과 역동성을 증진시킨다.
(라) 같은 문화를 공유하는 사람들 사이에 유대감을 형성한다.
(마) 주류 문화와 지나치게 성격이 다를 때, 사회 통합이 저해된다.

(　　　　　　　　　　　　　　)

답 1. (1) 상대적 (2) 다양한 (3) 발전 (4) 적대적　2. 반문화　3. (가), (다), (라)

4일 하위문화와 대중문화

키워드 #28 대중문화와 대중 매체

○ 대중문화는 대중들이 즐기고 누리는 문화를 말한다. 이러한 대중문화는 대중 매체를 통해 널리 공유되고, 사람들이 손쉽게 접할 수 있게 된다.

1 대중문화와 대중 매체

대중 매체와 대중문화의 관계	• 대중 매체는 대중문화를 학습하고 공유할 수 있게 함. → 동시대 사람들에게서 비슷한 대중문화가 나타남. • 대중 매체는 대중문화의 전파, 소비, 변화 등에 영향을 줌. → 대중문화의 국가 간 경계 약화, 기존의 문화 대체 및 새로운 대중문화 창조 • 사회 구성원의 필요와 대중문화의 변화에 따라 새로운 대중 매체 등장 → 뉴 미디어의 등장으로 대중이 문화의 소비자와 생산자 역할을 겸하게 됨.
바람직한 대중문화 수용 자세	• 주어지는 정보와 지식을 □□□(으)로 인식하고 수용해야 함. • 지나친 상업성은 경계하고, 생활에 유익한 방향으로 활용해야 함. • 건전한 대중문화를 생산하는 역할을 해야 함.

2 대중 매체의 종류

인쇄 매체	• 활자를 통해 정보 전달 → 정보 전달 속도 느림. • 복잡하고 깊이 있는 정보를 전달하는 데 유용함. • 예시: 신문, 잡지	뉴 미디어	• 인터넷, 이동 통신 기술 등을 활용하여 소리, 사진, 영상, 문자 등 다양한 수단으로 정보를 공유하고 소통함. → 정보 전달 속도 빠름. • 정보 생산자와 소비자 간 쌍방향 의사소통 가능함. • 정보 생산자와 소비자 간 경계가 모호함. → 정보 수용자의 정보 수정 및 □□□용이 → 무책임하고 왜곡된 정보 양산, 전파 가능 • 예시: 누리 소통망(SNS), 맞춤형 누리 방송(IPTV)
음성 매체	• 소리를 통해 정보 전달 → 시각 정보 다루기 어려움. • 적은 비용으로 정보 전달 가능 • 예시: 라디오		
영상 매체	• 소리와 영상을 통해 다수의 사람에게 동시에 빠르게 정보 전달이 가능함. → 깊이 있는 정보 전달에 한계가 있음. • 예시: 텔레비전, 영화		

답 비판적, 재가공

개념 확인

1 **□ 안에 들어갈 알맞은 말을 쓰시오.**

(1) 대중 매체는 대중문화를 학습하고 공유할 수 있게 하여 □□□ 사람들에게서 비슷한 문화가 나타난다.

(2) 대중 매체는 대중문화의 □□, 소비, 변화 등에 영향을 준다.

(3) 뉴 미디어는 정보 생산자와 정보 소비자 간의 경계가 □□하다.

2 **□ 안에 들어갈 알맞은 대중 매체의 종류를 쓰시오.**

텔레비전, 신문, 라디오 등과 같은 전통적인 대중 매체는 일방적으로 정보 전달이 이루어져 대중은 정보 생산자가 제공하는 정보를 수동적으로 받아들였다. 그러나 최근에는 □ □□□의 등장으로 대중이 스스로 정보를 찾을 수 있게 되었고, 문화 생산자 역할도 하게 되었다.

3 **빈칸에 들어갈 말을 〈보기〉에서 골라 쓰시오.**

보기

단방향, 사진, 소리, 쌍방향, 영상, 활자

(1) 인쇄 매체는 (　　　　)을/를 통해 정보를 전달하는 매체로, 정보 전달 속도가 느린 편이다.

(2) 영상 매체는 (　　　　)와/과 영상을 통해 정보를 전달한다.

(3) 뉴 미디어는 정보 생산자와 소비자가 (　　　　) 의사소통을 할 수 있다.

여러 가지 대중 매체의 특징을 물어보는 문제가 많이 출제되고 있어.

답 1. (1) 동시대 (2) 전파 (3) 모호　2. 뉴 미디어　3. (1) 활자 (2) 소리 (3) 쌍방향

일 하위문화와 대중문화

| 학평 기출 |

1 그림의 A~C에 대한 설명으로 옳은 것은? (단, A~C는 각각 주류 문화, 반문화의 성격을 지닌 하위문화, 반문화의 성격이 없는 하위문화 중 하나에 해당한다.)

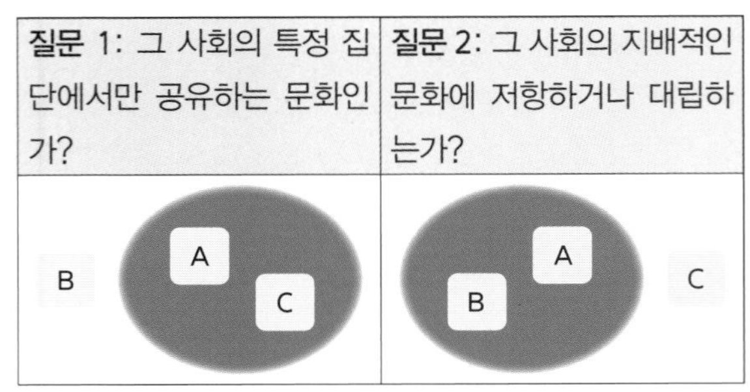

질문 1: 그 사회의 특정 집단에서만 공유하는 문화인가?
질문 2: 그 사회의 지배적인 문화에 저항하거나 대립하는가?
B
A
C
A
B
C

*질문에 대해 '예'와 '아니요' 중 같은 답을 할 수 있는 것을 하나로 묶는다.

① A는 문화의 다양성과 역동성을 약화시킨다.
② B는 전체 사회 구성원 간의 연대 의식을 약화시킨다.
③ C의 사례로는 범죄 집단의 일탈적 문화를 들 수 있다.
④ A는 C와 달리 시대에 따라 B가 되기도 한다.
⑤ B는 A와 C의 총합으로 설명할 수 있다.

| 모평 기출 응용 |

2 A, B 문화에 대한 옳은 설명을 〈보기〉에서 있는 대로 고른 것은?

> 문화는 사회마다 다를 뿐 아니라 같은 사회 내에서도 다양한 양상으로 나타난다. 한 사회 내의 특정 집단 구성원들만이 공유하는 문화가 있는데, 이를 [A](이)라고 한다. 또한, 주류 문화에 반대하고 적극적으로 도전하는 양상을 보이는 [B]도 있다.

보기

ㄱ. B 문화는 지배 집단에 의해 일탈로 규정되기도 한다.
ㄴ. A 문화와 B 문화 사이에는 공통 요소가 존재하지 않는다.
ㄷ. A 문화와 B 문화 모두 사회 변동을 촉진하는 요인이 되기도 한다.
ㄹ. A 문화는 사회에 따라 상대적으로, B 문화는 사회에 상관없이 절대적으로 규정된다.

① ㄱ, ㄴ　② ㄱ, ㄷ　③ ㄷ, ㄹ
④ ㄱ, ㄴ, ㄷ　⑤ ㄴ, ㄷ, ㄹ

| 수능 기출 |

3 A~C의 일반적인 특징에 대한 설명으로 옳은 것은? (단, A~C는 각각 주류 문화, 반문화, 반문화의 성격이 없는 하위문화 중 하나이다.)

구분	A	B	C
한 사회 내에서 일부 구성원들만 공유하는 문화인가?	예	예	아니요
한 사회의 지배적인 문화를 거부하거나 저항하는 문화인가?	예	아니요	아니요

① A는 B와 달리 기존의 지배적인 문화를 대체하기도 한다.
② B는 A와 달리 주류 집단에 의해 일탈로 규정되기도 한다.
③ A를 공유하는 구성원은 C의 문화 요소 중 일부를 공유한다.
④ A, B는 C와 달리 해당 문화를 향유하는 구성원들 공통의 정체성 형성에 기여한다.
⑤ B, C는 A와 달리 사회에 따라 상대적으로 규정된다.

| 수능 기출 응용 |

4 다음 자료에 대한 설명으로 옳은 것은?

> (가) 인터넷 및 스마트폰의 보급으로 누구나 온라인 게임을 손쉽게 접할 수 있게 되었다. 이제 ㉠ 온라인 게임은 청소년뿐만 아니라 중장년층 및 노년층까지 전 세대가 즐기는 ㉡ 대중적 문화가 되었다.
> (나) 최근 청소년들은 인터넷 용어를 축약하여 표현하거나, 자음만으로 의사를 표현하는 등의 방법으로 신조어와 은어를 만들어 사용한다. 기성세대가 ㉢ 청소년들의 언어문화를 이해하지 못하여, 세대 간 의사소통의 장애가 발생하고 있다.

① ㉠, ㉢은 반문화이다.
② ㉡에서의 문화는 넓은 의미, ㉢에서의 문화는 좁은 의미로 사용되었다.
③ (가)에서는 기술의 발전으로 인해 하위문화가 전체 문화로 변화하였다.
④ 하위문화로 인해 세대 문화 간의 이질성이 약화된 경우를 설명할 때는 (가)보다 (나)의 사례가 적합하다.
⑤ 특정 하위문화가 기존의 주류 문화에 동화된 경우를 설명할 때는 (나)보다 (가)의 사례가 적합하다.

정답과 해설 14쪽

| 학평 기출 |

5 대중문화를 바라보는 갑~병의 견해에 대한 분석으로 옳은 것은?

> 갑: 오늘날 누구나 약간의 비용만 부담하면 클래식 음악, 뮤지컬 등 수준 높은 문화를 즐길 수 있게 되었어.

> 을: 사람들이 TV 오락 프로그램이나 드라마에 빠져 뉴스를 외면하고, 신문의 연예면 기사만 즐겨 보는 것은 심각한 문제야.

> 병: 거리에 나가 보면 너나 할 것 없이 유명 연예인을 따라 똑같은 머리 모양과 복장을 하고 있는 것도 문제야.

갑

을

병

① 갑은 지나친 상업성 추구로 인한 대중문화의 질적 저하를 우려한다.
② 을은 사람들이 대중문화를 통해 정치적 무관심을 극복하고 있다고 본다.
③ 병은 대중문화가 개성을 상실한 획일적 인간을 양산하고 있다고 본다.
④ 을, 병 모두 대중문화의 오락 및 여가 제공 기능이 약화되고 있다는 점을 강조한다.
⑤ 갑~병 모두 대중문화가 사람들의 일상생활에 미치는 영향력을 간과한다.

| 수능 기출 |

6 대중 매체 A~D의 일반적인 특징에 대한 설명으로 옳은 것은? (단, A~D는 각각 종이 신문, 라디오, TV, 인터넷 중 하나이다.)

- 청각 정보에 의존하는 정도는 A가 가장 높다.
- 정보 전달의 시·공간적 제약은 B가 가장 크다.
- 정보의 복제 및 재가공 용이성은 C가 가장 높다.
- A, B는 C, D와 달리 [(가)]이/가 가능하다.

① A는 B에 비해 깊이 있는 정보 전달이 용이하다.
② B는 C와 달리 정보의 확산 경로가 다양하다.
③ C는 D에 비해 정보 생산자의 전문성이 높다.
④ D는 B와 달리 정보의 실시간 전달이 가능하다.
⑤ (가)에는 '복합 감각 정보의 전달'이 적절하다.

| 수능 기출 |

7 (가), (나)에 해당하는 내용으로 옳은 것은? (단, A~C는 각각 인쇄 매체, 영상 매체, 뉴 미디어 중 하나이다.)

'정보의 생산자와 소비자 간 경계가 모호한가?'라는 질문을 통해 A와 B를 구분할 수 있다. 하지만 '시청각 정보 제공이 가능한가?'라는 질문으로는 B와 C를 구분할 수 없다. 표는 대중 매체 A~C를 대중 매체의 특징 (가), (나)를 기준으로 비교한 것이다.

대중 매체의 특징	비교 결과
(가)	A > B
(나)	B > C

① (가): 정보 전달의 신속성
② (가): 정보 획득 시 사용 가능한 감각의 다양성
③ (가): 정보 전달 시 문맹자의 정보 접근 가능성
④ (나): 정보의 복제와 재가공의 용이성
⑤ (나): 정보 전달자와 수용자 간 구분의 명확성

| 모평 기출 |

8 표는 대중 매체 A~C의 일반적인 특징을 구분한 것이다. 이에 대한 설명으로 옳은 것은? (단, A~C는 각각 음성 매체, 영상 매체, 뉴 미디어 중 하나이다.)

구분	정보 생산자와 정보 소비자 간의 경계가 뚜렷한가?	시청각 정보를 제공하는가?	(가)
A	아니요	예	예
B	예	예	아니요
C	예	아니요	아니요

① A는 C보다 정보 확산의 시·공간적 제약이 크다.
② B는 C보다 청각 정보에 대한 의존도가 높다.
③ C는 A와 달리 양방향 정보 전달이 가능하다.
④ 대중 매체는 C, A, B 순으로 등장하였다.
⑤ (가)에는 '정보 수용자에 의한 정보 수정 및 재가공이 용이한가?'가 들어갈 수 있다.

3주 4일

5일 문화 변동 ①

키워드 #29 문화의 변동: 내재적 요인

1 문화 변동

(1) **의미** 한 사회의 문화가 대다수 구성원의 삶에 커다란 □□을/를 미칠 정도로 변화하는 현상

(2) **예시** 한글 사용은 우리 삶에 커다란 변화를 가져옴.

2 문화 변동의 내재적 요인 ❶

(1) **발명** ❷

① 1차적 발명

- 그동안 존재하지 않았던 새로운 문화 요소를 만들어 내는 것
- 활, 바퀴, 전화기 등

② 2차적 발명

- 이미 존재하는 문화 요소나 원리를 조합하거나 응용하여 새로운 문화 요소를 만들어 내는 것
- 활을 이용한 현악기, 바퀴를 이용한 수레 등

(2) **발견**

- 이미 □□하고 있었지만 알려지지 않았던 것을 찾아내는 것
- 불, 만유인력의 법칙, 바이러스 등

❶ 문화 변동의 내재적 요인
발명이나 발견이 이루어져도 사회에 널리 받아들여져 활용되지 않으면 문화 변동이 일어나지 않는다.

❷ 발명
기술과 같은 물질적인 것뿐만 아니라 새로운 종교, 사상, 제도 등 비물질적인 것도 발명의 대상이 된다.

답 영향, 존재

개념 확인

1 **다음 예시에 해당하는 문화 변동의 내재적 요인에 ✓표 하시오.**

(1) 비행기

□ 1차적 발명　　□ 2차적 발명　　□ 발견

(2) 세균

□ 1차적 발명　　□ 2차적 발명　　□ 발견

(3) 스팀 청소기

□ 1차적 발명　　□ 2차적 발명　　□ 발견

3 주

5일

2 **□ 안에 들어갈 알맞은 문화 변동의 내재적 요인을 쓰시오.**

(1) □□	(2) □□
1928년 스코틀랜드 생물학자 플레밍이 찾은 페니실린 덕분에 전염병의 치료와 수술 방식이 크게 변화하였다.	조선 시대에 이르러 세종대왕이 우리말에 맞는 한글을 창제하여 비로소 우리 고유의 글자를 사용할 수 있게 되었다.

3 **다음 중 발명에 해당하는 예시를 모두 고르시오.**

(가) 밤을 환히 밝히는 전구
(나) 태양의 흑점
(다) 말을 탈 때 발을 거는 등자
(라) 작은 것들을 확대해서 볼 수 있는 현미경
(마) 현미경을 통해 본 미생물

(　　　　　　　　　　　　)

답 1. (1) 1차적 발명 (2) 발견 (3) 2차적 발명　2. (1) 발견 (2) 발명　3. (가), (다), (라)

5일 문화 변동 ①

키워드 #30 문화의 변동: 외재적 요인

직접 전파
간접 전파
전달받은 문화 요소에서 아이디어를 얻었어! 이제 이 아이디어로 새로운 문화 요소를 만들 수 있어!
자극 전파

1 문화 변동의 외재적 요인

(1) **전파**❶ 한 사회의 문화가 다른 사회의 문화와 교류하고 접촉하는 과정에서 새로운 문화 요소가 □□되는 것

(2) **직접 전파**

① 의미: 이주, 무역, 전쟁 등을 통해 사람이 다른 문화와 직접 접촉하여 문화 요소가 전해지는 것

② 사례: 문익점이 중국에서 목화씨를 가져와 재배하기 시작한 것

(3) **간접 전파**❷

① 의미: 책, 텔레비전, 인터넷 등과 같은 □□□를 통해 문화 요소가 전해지는 것

② 사례: 대중 매체를 통해 한국 문화가 외국에 전파되는 것

(3) **자극 전파**

① 의미: 다른 사회의 문화 요소에서 아이디어를 얻어 새로운 문화 요소를 만들어 내는 것

② 사례: 중국 한자의 음과 뜻을 빌려 우리말을 표기했던 이두

답 전달, 매개체

❶ 전파
요즘은 세계화에 따라 내재적 요인에 의한 문화 변동보다 문화 전파에 의한 문화 변동이 더 많다.

❷ 간접 전파
정보 통신 기술이 발달하며 직접 전파보다 매체를 통한 간접 전파가 활발하게 일어나고 있다. 예를 들어 해외로 수출된 드라마나 누리 소통망(SNS)을 통해서 한국 문화에 관심을 갖는 외국인이 늘어나는 경우가 있다.

개념 확인

1 **괄호 안의 내용 중 옳은 것에 ◯표 하시오.**

(1) 전파는 한 사회의 문화가 다른 사회의 문화와 (교류, 교환)하고 접촉하는 과정에서 새로운 문화 요소가 전달되는 것을 말한다.

(2) 중국 한자의 음과 뜻을 빌려 우리말을 표기했던 이두는 (직접 전파, 자극 전파)의 사례이다.

(3) (직접 전파, 자극 전파)는 이주, 무역, 전쟁 등을 통해 다른 문화와 직접 접촉하여 문화 요소가 전해지는 것을 말한다.

(4) 요즘에는 정보 통신 기술이 발달해서 매체를 통한 (직접 전파, 간접 전파)가 활발하게 일어나고 있다.

문화 변동의 요인을 구분하는 문제가 자주 출제돼.

2 **다음 글에 부각된 문화 변동의 요인을 쓰시오.**

△△ 신문

이란에서 한국인이라고 하면 많은 사람이 '주몽'과 '대장금'을 말한다고 한다. '주몽'과 '대장금'은 이란에서 텔레비전으로 방영되었던 한국의 인기 드라마이다. 믿기 어렵게도 '주몽'과 '대장금'은 이란에서 각각 85%와 90%의 시청률이라는 경이적인 기록을 세웠다고 한다. 한국 드라마의 이러한 높은 인기는 이란이 한국에 관한 호감도를 높이는 데 큰 역할을 하였고, 나아가 한글을 배우려는 학생들이 증가하는 데 긍정적인 영향을 주었다.

3 **다음 내용이 직접 전파의 예시에 해당하면 '직', 간접 전파의 예시에 해당하면 '간', 자극 전파의 예시에 해당하면 '자'라고 쓰시오.**

(1) 중국에서 목화씨를 가져와 재배하기 시작한 문익점 ( )

(2) 누리 소통망(SNS)을 통해 케이 팝(K-Pop)이 해외에 알려진 것 ( )

(3) 서적을 통해 우리나라에 전래된 천주교 ( )

(4) 해외에서 태권도를 가르치는 한국인 사범 ( )

(5) 영어에서 아이디어를 얻어 만든 체로키 문자 ( )

답 1. (1) 교류 (2) 자극 전파 (3) 직접 전파 (4) 간접 전파 2. 간접 전파 3. (1) 직 (2) 간 (3) 간 (4) 직 (5) 자

3주 5일

5일 문화 변동 ❶

| 모평 기출 응용 |

1 다음 자료에 대한 옳은 설명을 〈보기〉에서 고른 것은?

- A~D는 각각 발명, 직접 전파, 간접 전파, 자극 전파 중 하나이다.
- 구텐베르크가 인쇄 기술을 만든 것은 A의 사례이다.
- 기성 종교의 교리와 체계를 응용하여 신흥 종교를 창시한 경우는 B의 사례이다.
- 한류 드라마의 인기로 한국어를 배우는 외국인이 늘어난 것은 C의 사례이다.
- D의 사례로는 (가) 를 들 수 있다.
- '다른 문화에서 아이디어를 얻어 새로운 문화 요소를 만들었는가?'의 질문에 A는 ㉠, B는 ㉡으로 답한다.

보기

ㄱ. A는 B와 달리 문화 변동의 외재적 요인이다.
ㄴ. C는 간접 전파, D는 직접 전파이다.
ㄷ. (가)에는 '미국인 선교사가 한국 청년들에게 처음 배구를 지도한 경우'를 들 수 있다.
ㄹ. ㉠은 '예', ㉡은 '아니요'이다.

① ㄱ, ㄴ ② ㄱ, ㄷ ③ ㄴ, ㄷ ④ ㄴ, ㄹ ⑤ ㄷ, ㄹ

| 모평 기출 응용 |

2 다음 〈자료 1〉의 A~D에 해당하는 문화 변동의 요인을 〈자료 2〉의 (가)~(라)에 옳게 연결한 것은? (단, A~D는 각각 발견, 발명, 직접 전파, 자극 전파 중 하나이다.)

〈자료 1〉
- B, D를 통해 기존에 없었던 문화 요소가 창조된다.
- B, C는 A, D와 달리 타문화와의 접촉으로 발생한다.

〈자료 2〉
갑국의 선조들은 자연에서 광물을 (가)하였고, 이를 활용하여 금속 그릇을 (나)하였다. 이 금속 그릇은 갑국 상인들에 의해 을국에 (다)되었다. 이 과정에서 을국 사람들은 갑국의 그릇에서 아이디어를 얻어 새로운 금관 악기를 만들었는데 이는 (라)의 사례로 볼 수 있다.

	(가)	(나)	(다)	(라)
①	A	B	C	D
②	A	D	C	B
③	B	C	A	D
④	B	D	C	A
⑤	D	A	C	B

| 수능 기출 |

3 다음 자료에 대한 옳은 분석만을 〈보기〉에서 있는 대로 고른 것은?

〈자료 1〉은 문화 변동의 요인을 (가)~(다)로 분류한 것이며, 〈자료 2〉는 갑~병국의 문화 변동 과정을 도식화한 것이다. 단, (가)~(다)는 각각 발견, 발명, 직접 전파 중 하나이며, 제시된 것 이외의 다른 문화 변동은 없다.

〈자료 1〉

질문 \ 문화 변동의 요인	(가)	(나)	(다)
문화 변동의 내재적 요인인가?	예	아니요	예
존재하지 않았던 새로운 문화 요소를 만들어 내었는가?	아니요	아니요	예

〈자료 2〉

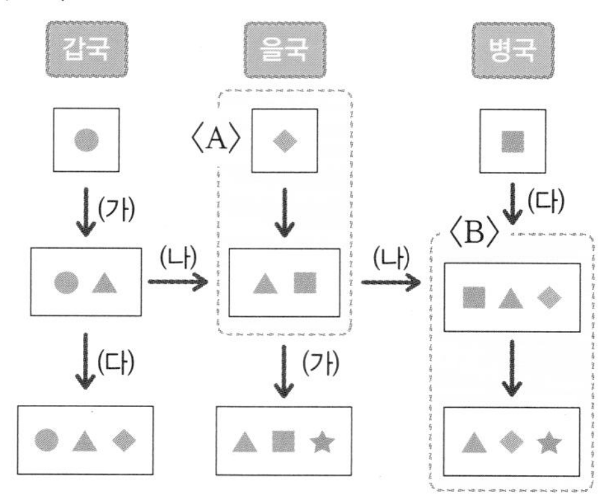

※ ○, □, △, ◇, ☆은 서로 다른 문화 요소를 의미함.

보기

ㄱ. A, B에는 모두 문화의 추가 및 소멸 과정이 포함되어 있다.
ㄴ. 갑국에서 발명으로 나타난 문화 요소는 병국에서도 나타났다.
ㄷ. 갑국에서 (가)로 인해 나타난 문화 요소는 (나)로 인해 병국으로 전달되었다.
ㄹ. 을국에는 병국에서와 달리 자국의 문화 요소와 갑국의 문화 요소가 공존하고 있다.

① ㄱ, ㄴ ② ㄱ, ㄹ ③ ㄷ, ㄹ
④ ㄱ, ㄴ, ㄷ ⑤ ㄴ, ㄷ, ㄹ

정답과 해설 15쪽

| 모평 기출 |

4 **그림은 문화 변동 요인 ㉠~㉤을 구분한 것이다. 이에 대한 설명으로 옳은 것은? (단, ㉠~㉤은 각각 발견, 발명, 직접 전파, 자극 전파, 간접 전파 중 하나이다.)**

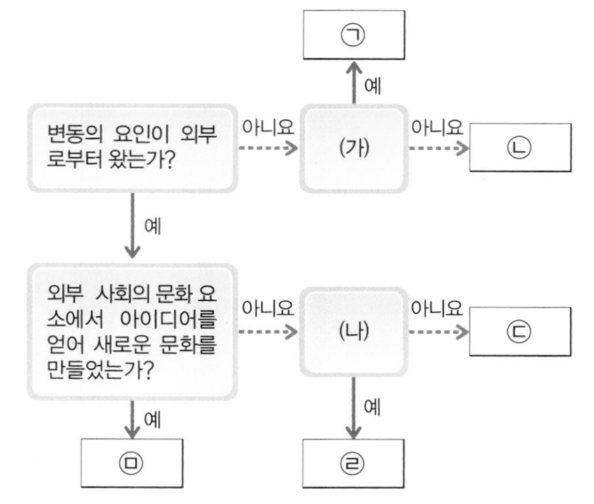

① (가)가 '존재하지 않던 문화 요소를 새롭게 만들어 냈는가?' 라면, 인쇄술은 ㉡의 사례에 해당한다.
② (나)가 '문화 요소가 매체에 의해 전달되었는가?'라면, 통신 기술이 발달할수록 ㉣을 통한 문화 변동이 더 용이하게 나타날 수 있다.
③ ㉠의 사례로 활을 들 수 있다면, (가)는 '존재하고 있었으나 알려지지 않았던 문화를 찾아냈는가?'가 적절하다.
④ ㉢의 사례로 전쟁을 통해 유럽에 전파된 설탕을 들 수 있다면, (나)는 '문화 요소의 전달이 직접 이루어졌는가?'가 적절하다.
⑤ ㉤의 사례로 외국인 선교사에 의해 외래 종교가 전래된 것을 들 수 있다.

| 학평 기출 |

5 **표는 문화 변동의 요인을 구분한 것이다. A~C에 대한 설명으로 옳은 것은? (단, A~C는 각각 발명, 직접 전파, 자극 전파 중 하나이다.)**

질문	답변		
	A	B	C
문화 변동의 내재적 요인인가?	예	아니요	아니요
타문화로부터 아이디어를 얻어 새로운 문화 요소가 만들어졌는가?	아니요	예	아니요

① A는 자극 전파이다.
② B는 발명이다.
③ C에 의해서는 문화 동화가 나타날 수 없다.
④ 누리 소통망(SNS)을 통해 케이 팝(K-Pop)이 다른 나라에 전해진 것은 A의 사례이다.
⑤ 식민 지배를 통해 정복 국가의 언어가 식민지에 전해진 것은 C의 사례이다.

| 수능 기출 |

6 **그림은 문화 변동 요인 A~E를 구분한 것이다. 이에 대한 설명으로 옳은 것은? (단, A~E는 각각 발견, 발명, 간접 전파, 자극 전파, 직접 전파 중 하나이다.)**

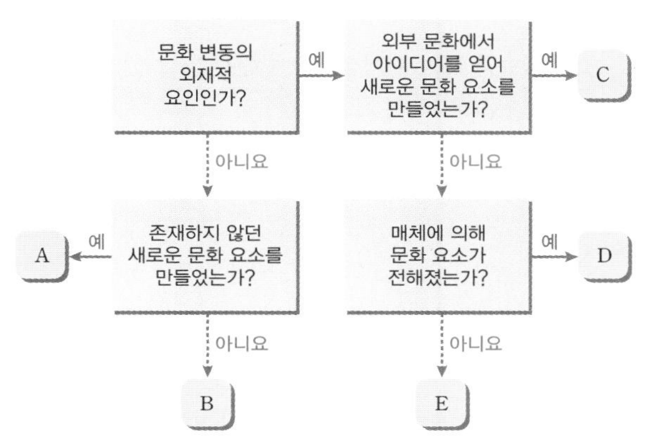

① 물질문화, 비물질문화 모두 A를 통해 만들어질 수 있다.
② 특정 종교의 창시는 B의 사례이다.
③ 상호 인적 교류가 없는 집단들 간에는 D를 통한 문화 변동이 이루어질 수 없다.
④ D와 달리 E는 C의 원인이 될 수 있다.
⑤ A, B와 달리 C, D, E는 문화 지체 현상을 초래할 수 있다.

누구나 100점 테스트

1 그림은 사회 집단 A, B를 질문 (가)에 따라 구분한 것이다. (가)에 따른 A, B의 사례로 옳은 것은?

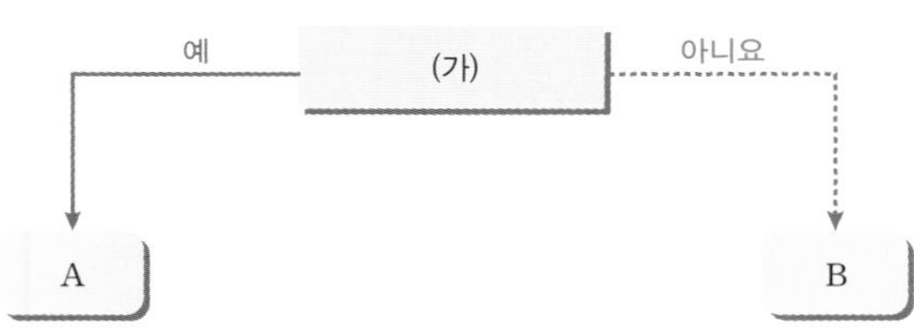

	(가)	A	B
①	구성원의 의도와 무관하게 형성된 집단인가?	종친회	군대
②	구성원들의 의지와 선택에 따라 형성된 집단인가?	시민 단체	가족
③	구성원 간의 전인격적 인간관계가 형성되는 집단인가?	군대	정당
④	공통의 이해관계와 관심을 가진 사람들이 자발적으로 만든 집단인가?	가족	회사
⑤	공식 조직 내에서 친밀감과 공통의 관심사를 중심으로 생겨난 집단인가?	고등학교 동문회	테니스 동호회

2 다음 속담 또는 사자성어와 관련된 일탈 이론에 대한 옳은 설명을 〈보기〉에서 고른 것은?

> • 친구 따라 강남 간다.
> • 까마귀 노는 곳에 백로야 가지 마라.
> • 근묵자흑(近墨者黑): 검은 먹을 가까이 하면 검어진다.

보기

ㄱ. 사회적 낙인의 신중한 접근을 강조한다.
ㄴ. 일탈 행동은 타인과의 상호 작용으로 학습된다고 본다.
ㄷ. 일탈 행동에 대한 보편적인 기준이 존재하지 않는다고 본다.
ㄹ. 일탈 행동을 하는 집단과 접촉했음에도 일탈 행동을 하지 않는 경우를 설명하기 어렵다는 한계가 있다.

① ㄱ, ㄴ　② ㄱ, ㄷ　③ ㄴ, ㄷ
④ ㄴ, ㄹ　⑤ ㄷ, ㄹ

3 일탈 행동을 바라보는 을의 이론에 대한 설명으로 옳은 것은?

> 갑 일탈 행동을 하는 이유는 무엇입니까?
> 을 '바늘 도둑이 소도둑 된다.'는 말이 있습니다. 작은 잘못을 저질렀던 사람이 주위의 반응 때문에 부정적 자아를 형성하고, 더 큰 잘못을 저지르게 되는 것입니다.

① 일탈 행동은 후천적 사회화의 결과라고 본다.
② 일탈 행동보다 그에 대한 사회적 반응을 중시한다.
③ 일탈에 대한 보편적인 판단 기준이 존재한다고 본다.
④ 사회적 기회가 차단된 집단의 일탈을 설명하기 용이하다.
⑤ 자신이 일탈자라는 정체성을 형성해도 일탈 행동을 하지 않는다고 본다.

4 밑줄 친 '이것'에 관한 설명으로 가장 적절한 것은?

> 인간과 달리 원숭이는 문자나 기호와 같은 상징을 사용하는 능력이 없기 때문에 시간이 지나도 생활 방식이 거의 변하지 않는다. 이와 달리 상징체계를 사용하는 인간은 생활 양식이 점차 풍부해지고 다양해진다. 따라서 인간과 달리 원숭이의 생활 양식에는 문화의 속성 중 이것이 없다고 볼 수 있다.

① 타인의 행동을 예측할 수 있다.
② 문화는 시간이 흐르면서 변화한다.
③ 세대 간 전승을 통해 새로운 요소가 추가된다.
④ 원활한 사회생활을 위한 상호 작용의 밑바탕이 된다.
⑤ 문화의 각 구성 요소들은 서로 밀접하게 연관되어 있다.

정답과 해설 16쪽

5 문화를 이해하는 갑~병의 태도에 대한 설명으로 옳은 것은?

한 사회의 문화는 그 자체의 의미와 가치에 따라 이해해야 해.
갑

내가 속한 사회의 문화를 기준으로 다른 문화에 대해 판단하는 것은 자연스럽고 바람직한 태도야.
을

우리 문화보다 우월한 선진국의 문화를 적극적으로 수용해서 낙후된 우리 문화의 수준을 향상시켜야 해.
병

① 갑의 태도는 문화 제국주의로 변질될 가능성이 높다.
② 을의 태도는 모든 문화가 동등한 가치를 지닌다고 본다.
③ 병의 태도는 자기 문화에 대한 객관적 이해를 가능하게 한다.
④ 갑의 태도와 달리 병의 태도는 특정 문화를 기준으로 문화의 우열을 판단한다.
⑤ 을의 태도와 달리 병의 태도는 다문화 사회에서 문화 갈등을 초래할 수 있다.

6 다음 글을 통해 내릴 수 있는 결론으로 가장 적절한 것은?

이탈리아나 스페인 등에서 천주교는 주류 세력들이 누리는 문화였지만, 유교적 신분 질서가 주류였던 조선 시대에는 천주교는 반문화로 여겨 탄압을 받았다. 그러나 종교적 자유가 보장되는 오늘날 우리나라에서 천주교는 많은 대중의 사랑을 받는 종교 중 하나이다.

① 반문화는 사회 혼란을 초래한다.
② 반문화에 대한 규정은 상대적이다.
③ 반문화는 하위문화에 해당하지 않는다.
④ 반문화는 사회 변동의 요인으로 작용한다.
⑤ 저항적 성격은 반문화의 핵심적 속성이다.

7 다음 판서의 내용 중 (가)~(라)에 들어갈 내용으로 옳지 않은 것은?

• 학습 주제: 대중문화

의미	(가)
등장 배경	(나)
순기능	(다)
역기능	(라)

① (가) – 한 사회 내에 존재하는 특정인들이 공유하면서 누리는 문화
② (나) – 대중 매체의 발달
③ (나) – 산업화로 인한 대량 생산 체제의 확산
④ (다) – 적은 비용으로 다양한 오락과 휴식 제공
⑤ (라) – 지나친 상업성 추구로 대중문화의 질적 저하 초래

8 (가)~(라)에 해당하는 대중 매체로 옳은 것은? (단, (가)~(라)는 각각 뉴 미디어, 영상 매체, 음성 매체, 인쇄 매체 중 하나이다.)

(가) 은/는 복잡하고 깊이 있는 정보를 전달하는 데 유용하나 정보 전달의 속도가 상대적으로 느리다. (나) 은/는 적은 비용으로 정보 전달이 가능하지만 시각 정보를 전달하기 어렵다. (다) 은/는 다수의 사람에게 동시에 빠른 속도로 공감각적인 정보 전달이 가능하지만 상대적으로 정보의 깊이가 얕은 편이다. (라) 은/는 정보의 생산자와 소비자 간 쌍방향 의사소통이 가능하며, 다른 매체보다 신속하게 정보 전달이 이루어지지만 왜곡된 정보를 양산할 수 있다.

	(가)	(나)	(다)	(라)
①	음성 매체	인쇄 매체	영상 매체	뉴 미디어
②	영상 매체	뉴 미디어	음성 매체	인쇄 매체
③	영상 매체	음성 매체	뉴 미디어	인쇄 매체
④	인쇄 매체	영상 매체	음성 매체	뉴 미디어
⑤	인쇄 매체	음성 매체	영상 매체	뉴 미디어

3 주

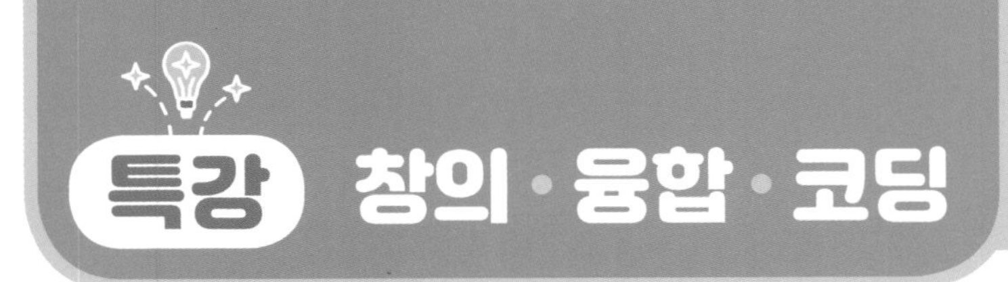

1. 사회 조직의 유형

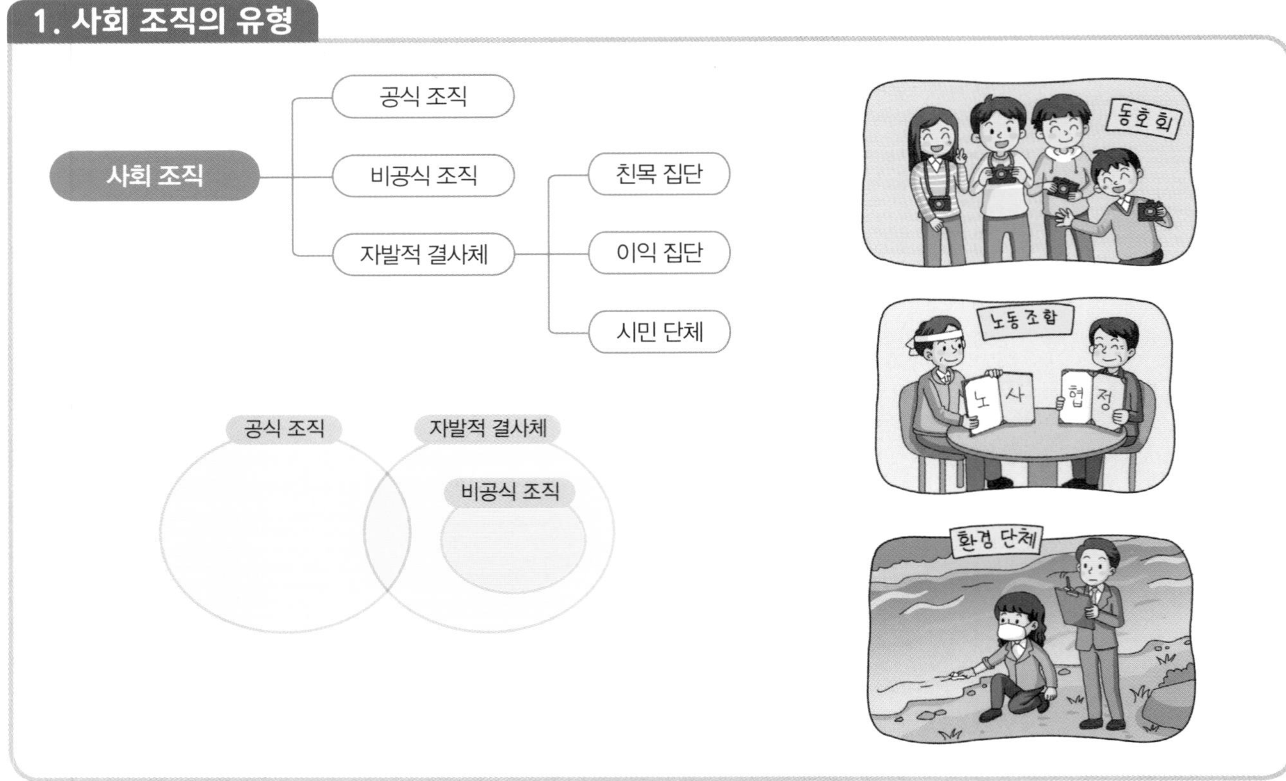

2. 일탈 이론

구분	아노미 이론		차별 교제 이론	낙인 이론
일탈 원인	뒤르켐: 급속한 사회 변동으로 지배적인 규범이 약화하거나 전통적인 규범과 새로운 규범이 혼재된 가치관의 혼란 상태에서 일탈 행동이 발생	머튼: 문화적 목표를 달성할 수 있는 제도적 수단을 갖지 못한 사람들이 비합법적인 수단을 활용해서 문화적 목표를 달성하려고 할 때 발생	일탈 행동을 하는 개인이나 집단과 지속적으로 접촉함으로써 일탈 행동 발생	특정 행동을 일탈 행동으로 규정한 후, 그러한 행동을 한 사람을 일탈자로 규정한 결과 일탈자라는 정체성을 형성하여 일탈 행동이 습관화 됨.
해결 방안	• 사회적 합의에 바탕을 둔 지배적 규범 확립 • 사회적 목표 달성을 위한 공정한 기회 제공		일탈 집단 구성원과의 접촉 및 교류 차단	• 불필요한 낙인 줄이기 • 정체성 회복 프로그램 시행
한계 및 의의	• 거시적 관점에서 일탈 행동의 원인을 찾음. • 중상류층의 범죄, 문화적 목표와 상관없는 일시적 범죄 등을 설명하기 어려움.		• 일탈 행동이 발생하는 과정을 설명하는 데 유용함. • 일탈 행동을 일탈적인 사회적 환경 속에서 사회화된 결과로 여김.	• 일탈 행동의 본질을 그와 상호 작용하는 주변 사람들에 의한 낙인에서 찾음. • 최초의 일탈이나 범죄의 원인을 설명하지 못함.

3. 문화의 이해

4. 하위문화와 대중문화

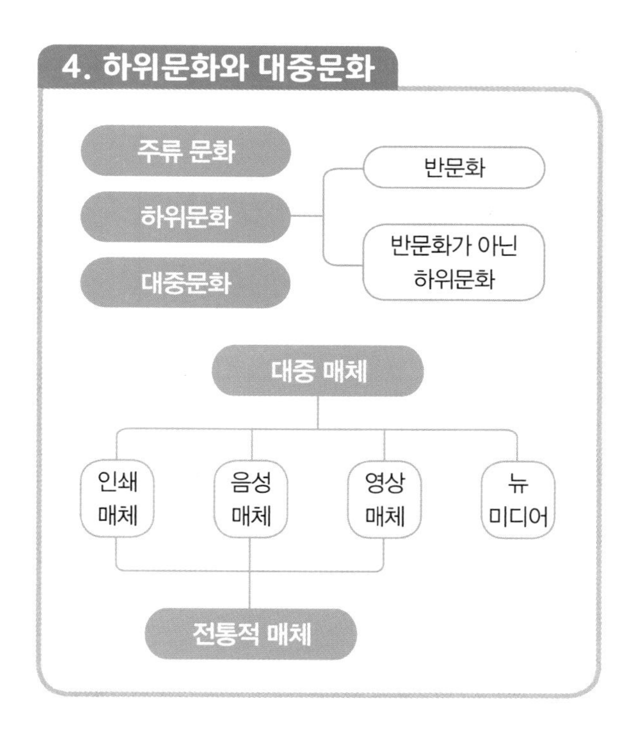

5. 문화의 변동 원인

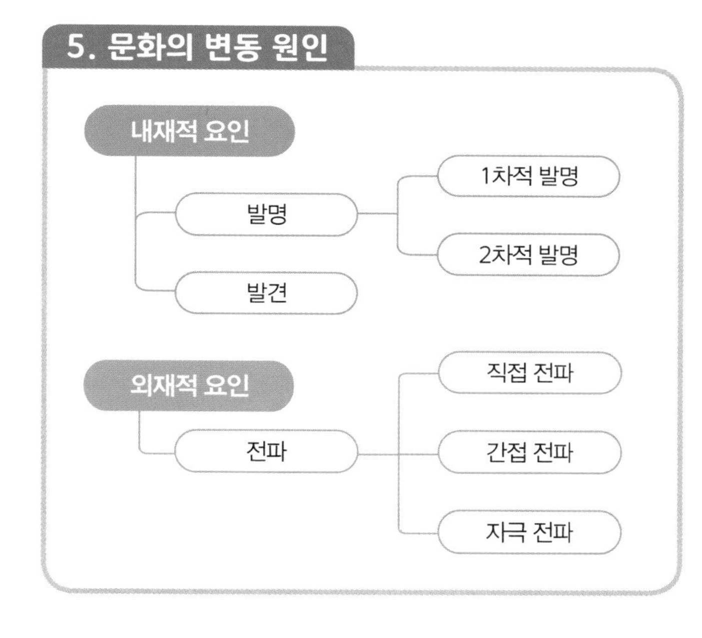

특강 창의 · 융합 · 코딩

빈출 자료 1 사회 조직

기업체는 특정 목적을 달성하기 위해 의도적으로 만들어진 공식 조직이다.

향우회는 공식 조직 내에서 친밀한 인간관계를 바탕으로 상호 작용하며 형성된 비공식 조직이다.

많은 ㉠ 기업체에는 출신 지역에 따라 다양한 ㉡ 향우회가 조직되어 있다. 이러한 (　　㉢　　)은/는 업무에서 느끼는 소외감에서 벗어나게 하고 욕구 불만의 배출구 역할을 하여 ㉣ 업무 효율성 향상에 이바지하기도 한다. 하지만 최근 A 기업에서는 향우회 모임을 금지하기도 했다. 향우회가 활성화될수록 ㉤ 파벌을 조성하여 조직의 단합을 저해하는 문제를 일으킬 수 있기 때문이다.

㉢에 들어갈 말은 비공식 조직이다. 비공식 조직에는 회사 내 동창회, 동호회 등이 있다.

㉤은 비공식 조직의 단점이다. 사적 관계가 개입하여 공식 조직의 통합을 저해할 수 있기 때문이다.

㉣은 비공식 조직의 장점이다. 친밀한 인간관계를 통해 업무와 관련된 문제를 쉽게 해결할 수 있기 때문이다.

대표 예제와 기출 선택지

㉠~㉤에 대한 옳은 설명에 모두 ○표 하시오.

① ㉠은 자발적 결사체이다. (　)
② ㉡과 달리 ㉠은 주로 비공식적 통제가 이루어진다. (　)
③ ㉠과 ㉡은 모두 구성원의 특정 목적을 위해 인위적으로 만들어진다. (　)
④ ㉡은 공식 조직을 배경으로 설립된 자발적 결사체이다. (　)
⑤ ㉢은 공식적 규범에 대한 의존도가 높다. (　)

공식 조직과 비공식 조직의 특징을 기억해야 해! 단독으로 출제되기 보다는 사회화, 사회 집단과 함께 복합적으로 출제되는 경향이 있어.

답 ③, ④

빈출 자료 2 일탈 이론

일탈 행동을 판단하는 객관적인 기준이 존재하지 않는다고 보는 이론은 낙인 이론이다.

A는 아노미 이론, B는 차별 교제 이론, C는 낙인 이론이다.

질문 \ 이론	A	B	C
일탈 행동을 판단하는 객관적인 기준이 존재한다고 보는가?	예	㉠	아니요
일탈자와의 접촉 차단을 일탈 행동에 대한 대책으로 보는가?	아니요	예	㉡
(가)	예	아니요	아니요

(가)에 들어갈 질문은 아노미 이론에만 해당하는 질문이어야 한다.

일탈 행동에 대한 대책으로 일탈자와의 접촉 차단을 주장하는 이론은 차별 교제 이론이다.

대표 예제와 기출 선택지

A~C에 대한 설명으로 옳은 것에 모두 ○표 하시오.

① A는 일탈자의 부정적 자아 형성 과정에 초점을 맞춘다. (　)
② A는 C와 달리 일탈 행동을 정의하는 객관적 기준이 있다고 본다. (　)
③ B는 일탈 행동이 발생하는 상호 작용 과정을 중시한다. (　)
④ B는 A와 달리 거시적 관점에서 일탈 행동을 설명한다. (　)
⑤ C는 일탈 행동에 대한 부정적 반응이 2차적 일탈을 초래한다고 본다. (　)

질문을 통해 일탈 이론을 구분하는 문제는 각 이론의 차이점을 통해 주어진 이론이 무엇인지 구별해야 해.

답 ②, ③, ⑤

빈출 자료 3 일탈 이론

일탈자라는 자아 개념을 가지게 되어, 미래의 일탈 가능성이 증가한다고 보는 이론은 낙인 이론이다.

(가) 공식적으로 일탈자라고 규정되면 성공을 위한 합법적 수단으로부터 배제되고 일탈자라는 자아 개념을 가지게 되어, 미래의 일탈 가능성이 증가하게 된다. 결국 일탈자라고 규정짓는 것은 사회적 지위를 부여하는 것과 같다.

(나) 경제적 성공을 강조하는 문화를 구성원 모두가 공유하는 사회에서, 제도화된 수단이 부족한 특정 계층은 성공에 어려움을 겪게 된다. 따라서 이들은 불법적인 방법을 통해서라도 성공하려고 시도함으로써 일탈 행동을 하게 된다.

제도화된 수단의 부족으로 문화적 목표를 달성하기 어려울 때 일탈 행동이 일어난다고 보는 이론은 머튼의 아노미 이론이다.

(다) 하층에 속한 사람들이 일탈 행동을 많이 한다는 주장이 있지만, 하층에서도 일부만 일탈 행동을 한다. 이들이 일탈 행동을 하는 것은 일탈자와의 상호 작용을 통해 일탈적 가치와 태도를 수용하기 때문이다.

일탈자와 상호 작용을 통해 일탈적 가치와 태도를 수용하기 때문에 일탈이 일어난다고 보는 이론은 차별 교제 이론이다.

제시문에서 일탈 이론을 설명하는 문제는 제시문에 드러난 일탈 이론의 특징을 바탕으로 구분할 수 있어!

대표 예제와 기출 선택지

(가)~(다)의 설명으로 옳은 것에 모두 ○표 하시오.

① (가)는 타인과의 상호 작용이 일탈 행동의 발생 과정에 미치는 영향을 중시한다. ( )

② (가)와 (나)는 새로운 가치관을 확립함으로서 일탈 행동을 줄일 수 있다고 본다. ( )

③ (나)는 문화적 목표에 도달할 기회의 제공을 해결 방안으로 중시한다. ( )

④ (다)는 (나)와 달리 일탈 행동의 해결 방안으로 정상 집단과의 교류 촉진을 중시한다. ( )

⑤ (나)와 (다)는 일탈 행동을 초래하는 사회 구조의 영향력을 강조한다. ( )

답 ①, ③, ④

3주

빈출 자료 4 문화의 속성

우리나라에서는 겨울이 오기 전에, 주변의 사람들이 함께 모여 김치를 담그는 김장 문화가 있다. 우리의 김장 문화는 사계절 중 겨울에 채소를 구하기 어려운 환경적 특징, 장기간 저장을 통해 음식을 발효시키는 기술, 이웃과 일을 나누어서 하는 품앗이 전통 등과 밀접하게 연관되어 있다.

제시문에서는 김장 문화가 '환경적 특징', '발효 기술', '품앗이 전통' 등과 밀접한 연관이 있다고 말한다. 이처럼 여러 구성 요소가 상호 유기적인 관련을 맺으며, 하나의 전체로서 존재하는 문화의 속성은 총체성이다.

자료 분석

문화의 속성에는 공유성, 학습성, 변동성, 축적성, 총체성이 있다. 자료에서 드러난 문화의 속성은 총체성으로, 문화를 이루는 여러 구성 요소들이 어떻게 연결되어 있는지에 주목하여 문화를 이해한다.

문화의 속성에 대한 문제는 다섯 가지 문화의 속성의 의미를 기억하고 있으면 쉽게 해결할 수 있어!

대표 예제와 기출 선택지

제시문에서 나타난 문화의 속성에 대한 진술로 옳은 것에 ○표 하시오.

① 선천적이기보다는 후천적으로 습득된다. ( )

② 새로운 요소가 추가되어 풍부해진다. ( )

③ 하나의 전체 속에서 다른 것들과 관련을 맺으며 존재한다. ( )

④ 특정 상황에서 상대방의 행동 방식을 예측하게 한다. ( )

⑤ 새로운 특성이 추가되거나 기존의 특성이 소멸하기도 한다. ( )

답 ③

빈출 자료 5 문화를 이해하는 태도

(가)에서는 자국 문화보다 다른 문화를 더 우수한 것으로 여기고, 숭상하는 태도가 나타난다. 이러한 태도는 문화 사대주의에 해당한다.

(가) 조선 시대에는 중국은 큰 나라, 조선은 작은 나라로 여기는 사상이 존재하였다. 요즘도 우리나라 사람들은 서구 문화가 우수하다고 여기고 이를 앞다투어 소비하는 경향이 있다.
(나) 16세기 중남미를 침략한 에스파냐 사람들은 그 지역의 인디오 원주민들에게 강제적으로 가톨릭을 신봉하도록 하였다.

(나)에서는 타국의 문화보다 자국의 문화를 더 우수한 것으로 여기고, 강제로 자국의 문화를 수용하도록 하는 태도가 나타난다. 이러한 태도는 자문화 중심주의에 해당한다.

자료 분석

(가)에서 드러난 태도는 문화 사대주의, (나)에서 드러난 태도는 자문화 중심주의이다. 이 두 태도는 특정 문화를 기준으로 문화의 우열을 평가하는 태도이다. 반면, 문화 상대주의는 문화의 우열을 평가할 수 없다고 보고 그 사회의 역사적 배경이나 사회적 맥락 등을 고려하여 문화를 이해하려는 태도이다.

주어진 글에 나타난 문화를 이해하는 태도를 파악하고, 이에 관한 옳은 설명을 고르는 문제가 자주 출제되는 편이야.

대표 예제와 기출 선택지

문화를 이해하는 태도 (나)에 대한 설명으로 옳은 것에 모두 ○표 하시오.

① 자기 문화의 정체성을 약화시킨다. ( )
② 문화 간에 우열이 있다고 생각한다. ( )
③ 타문화의 수용에 긍정적인 태도를 지닌다. ( )
④ 타문화를 그 사회 내부자의 시각으로 이해하고자 한다. ( )
⑤ 타문화와의 접촉 과정에서 문화적 마찰을 일으킬 가능성이 크다. ( )

답 ②, ⑤

빈출 자료 6 주류 문화, 하위문화, 반문화

인터넷 개인 방송을 누구나 쉽게 운영하기 어려웠다는 점으로 보아, 사회 구성원 중 일부만이 공유하는 하위문화였다는 것을 알 수 있다.

- 처음에 인터넷 개인 방송은 A였다. 영상 제작 및 편집 기술을 가진 일부 사람들을 중심으로 인터넷 개인 방송이 운영되었다. 그때는 편리한 제작 도구가 보급되기 전이어서 인터넷 개인 방송을 누구나 쉽게 운영하기가 어려웠다.
- 인터넷 개인 방송이 지상파 방송 프로그램을 능가하는 큰 관심과 화제성을 보이며 대중문화를 주도하고 있다. 대다수 사회 구성원이 즐기고 있는 지금의 인터넷 개인 방송은 B이다.
- 인터넷 개인 방송 제작 기술은 빠르게 발전하고 있지만 혐오 표현 남발, 가짜 뉴스 유포 등을 규제할 법 제도는 미비한 상태이다. 이렇게 기존 질서를 거부하며 사회적 물의를 빚는 인터넷 개인 방송은 C에 해당한다.

인터넷 개인 방송이 기존 질서를 거부하며 사회 물의를 빚고 있다는 점으로 보아, 사회의 주류 문화를 거부하거나 저항하는 사람들이 공유하는 문화인 반문화에 해당한다는 것을 알 수 있다.

인터넷 개인 방송이 대중문화를 주도하며, 대다수의 사회 구성원들이 즐기게 되었다는 것을 보아 주류 문화라는 것을 알 수 있다.

다양한 문화 양상에 대한 문제는 주류 문화, 하위문화, 반문화의 특징을 잘 기억하고 있으면 해결할 수 있어.

대표 예제와 기출 선택지

A~C에 대한 설명으로 옳은 것에 모두 ○표 하시오.

① A에는 B의 문화 요소가 존재하지 않는다. ( )
② A는 전체 사회에 문화 다양성을 제공한다. ( )
③ B는 국민 전체의 일체감을 높이는 데 기여한다. ( )
④ B는 C와 달리 전체 사회의 규범을 부정하고 지배적인 가치와 대립하는 문화이다. ( )
⑤ C는 A와 달리 기존의 지배적인 문화를 대체하기도 한다. ( )

답 ②, ③

빈출 자료 7 문화의 변동 요인

담징이 직접 제조 방법을 전파하였으므로 (가)는 직접 전파이다.

문화 변동 요인	사례
(가)	7세기 초 고구려의 담징은 일본에 종이와 먹의 제조 방법을 전하였다.
(나)	한국의 드라마와 노래가 인터넷 등을 통해 전 세계로 퍼지면서 한류 열풍이 불고 있다.
(다)	말을 탈 때 발을 거는 등자가 개발되어 전쟁 문화가 변화하였고, 유목민의 전투력 향상에도 영향을 미쳤다.
(라)	1928년 스코틀랜드 생물학자 플레밍이 찾은 페니실린 덕분에 전염병의 치료와 수술 방식이 크게 변화하였다.

인터넷이라는 매개체를 통해 노래와 드라마가 전파되었으므로 (나)는 간접 전파이다.

'등자'라는 완전히 새로운 문화 요소를 만들었으므로 (다)는 발명이다.

기존에 존재하던 페니실린을 기술의 발전으로 찾아낸 것이기 때문에 (라)는 발견이다.

예시에 나타난 문화 변동 요인에 관한 올바른 설명을 고르거나, 퀴즈를 통해 문화의 변동 요인을 구분하는 문제가 출제되고 있어.

대표 예제와 기출 선택지

(가)~(라)에 대한 설명으로 옳은 것에 모두 ○표 하시오.

① (가)는 외재적 요인에 의한 문화 접변에 해당한다. ( )

② 상호 인적 교류가 없는 집단들 간에서는 (나)를 통한 문화 변동이 이루어질 수 없다. ( )

③ 특정 종교의 창시는 (다)의 사례이다. ( )

④ (나)는 (다)와 달리 내재적 요인에 의한 문화 변동이다. ( )

⑤ (라)는 다른 사회의 문화와 교류하고 접촉하는 과정에서 나타난 문화 변동이다. ( )

답 ①, ③

빈출 자료 8 문화의 변동 요인

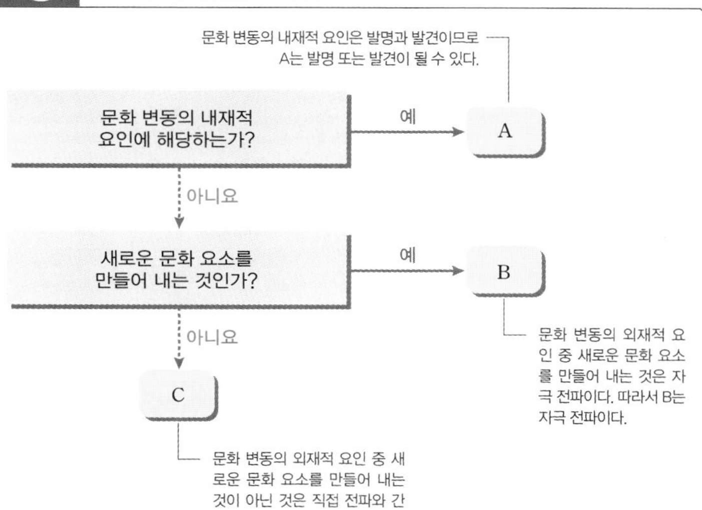

퀴즈를 통해 문화의 변동 요인을 구분하는 문제는 문제에 주어진 요인이 있는지 먼저 살펴봐야 해.

대표 예제와 기출 선택지

A~C에 대한 설명으로 옳은 것에 모두 ○표 하시오.

① A가 발명이라면, 물질문화, 비물질문화 모두 A를 통해 만들어질 수 있다. ( )

② C는 B의 원인이 될 수 있다. ( )

③ A와 달리 B는 문화 지체 현상을 초래할 수 있다. ( )

④ B와 달리 C의 대상은 비물질적인 것만 해당한다. ( )

⑤ 전통적으로 계승된 온돌의 원리를 활용하여 현대식 바닥 난방 장치를 만든 것은 C의 사례이다. ( )

답 ①, ②

4주에는 무엇을 공부할까? ①

전체 내용 파악하기

[관련 단원] Ⅲ. 문화와 일상 생활 ~ Ⅴ. 현대의 사회 변동

배울 내용

Week 4

4주에는 무엇을 공부할까? ②

수능 사회·문화 빈출 키워드#

1일

키워드#31 문화 변동의 양상
키워드#32 문화 변동의 결과와 문제점

공부할 내용 추측해 보기 관련 페이지 138쪽

문화가 빠르게 변화하면 어떤 문제점이 생길지 자신의 생각을 적어 보자.

2일

키워드#33 계급론
키워드#34 계층론

공부할 내용 추측해 보기 관련 페이지 142, 144쪽

계급을 나누는 기준을 아는 대로 적어 보자.

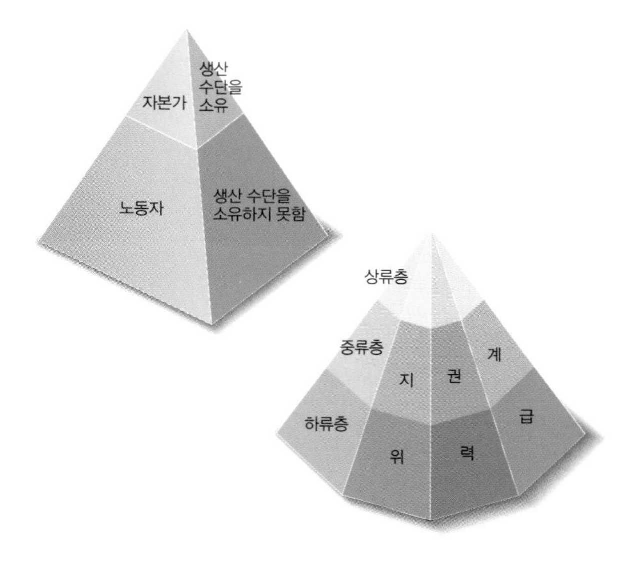

3일

키워드 #35 빈곤
키워드 #36 사회 보장 제도

공부할 내용 추측해 보기 관련 페이지 148쪽

빈곤을 해결할 수 있는 방안을 아는 대로 적어 보자.

4일

키워드 #37 진화론
키워드 #38 순환론

공부할 내용 추측해 보기 관련 페이지 154쪽

사회 변동이 일정한 방향을 가지고 있다고 보는 이론은 무엇일까?

5일

키워드 #39 저출산·고령화
키워드 #40 정보화

공부할 내용 추측해 보기 관련 페이지 162쪽

정보화를 통해 사회가 어떻게 변했는지 아는 대로 적어 보자.

1일 문화 변동 ❷

키워드 #31 문화 변동의 양상

1 내재적 변동

의미	한 사회의 문화 체계 내에서 일어나는 문화 변동으로, □□이나 발명에 의해 발생함.
예시	증기 기관의 발명에서 비롯된 산업 혁명으로 영국 문화가 총체적으로 변화함.

2 외재적 변동❶

구분	강제적 문화 접변	자발적 문화 접변
의미	• 정복이나 식민 지배 등의 상황에서 지배 사회의 문화가 피지배 사회에 강제적으로 이식되어 나타나는 것 • 외래문화의 강제적 유입으로 기존 문화의 정체성이 흔들리면 저항 및 복고 운동❷이 나타나기도 함.	• 서로 다른 문화가 교류하는 과정에서 스스로의 □□에 따라 다른 문화 요소를 받아들이는 것 • 한 사회의 문화 발전에 긍정적인 영향을 끼치는 경우가 많음.
예시	일제 강점기의 일본식 성명 강요, 단발령	아메리카 대륙의 나바호족이 주변 지역으로 이주해 온 에스파냐 사람들과 자발적으로 교류하면서 에스파냐 문화를 받아들이고 자신의 문화와 통합하여 발전시킨 것

답 발견, 필요

❶ **외재적 변동 = 문화 접변**
두 문화 체계가 장기간에 걸쳐 전면적인 접촉을 함으로써 나타나는 문화 변동을 말한다.

❷ **복고 운동**
과거에 존재했던 사회 제도나 문화적 특징을 복구하거나 과거로 되돌아가려는 집단적인 노력이다.

개념 확인

1 괄호 안의 내용 중 옳은 것에 ○표 하시오.

(1) 문화 접변은 (한 사회, 두 사회) 내에서 이루어지는 문화 변동이다.
(2) 강제적 문화 접변은 지배 사회의 문화가 피지배 사회에 (강제적, 자발적)으로 이식되어 나타나는 문화 변동이다.
(3) 자발적 문화 접변은 한 사회의 문화 발전에 (긍정적인, 부정적인) 영향을 끼치는 경우가 많다.

2 다음 글에 나타난 문화 변동의 양상을 쓰시오.

△△ 신문

1895년 일본은 성년 남자의 상투를 자르도록 하는 단발령을 선포하였다. 이에 대해 백성들의 반발이 거셌다. 부모에게서 물려받은 신체를 훼손하지 않는 것이 효의 시작이라는 유교적 사고방식이 깊이 뿌리내린 사람들에게 단발령은 심각한 박해로 받아들여졌다. 단발령으로 촉발된 반일 분위기는 전국 각지의 의병 운동으로 전개되었다.

주어진 예시에서 어떤 문화 변동의 양상이 나타나고 있는지 알아챌 수 있어야 해.

3 다음 예시에 해당하는 특성에 ✓표 하시오.

(1) 고대 일본인들은 백제 문화에 영향을 받아 흙벽에 기둥과 지붕이 있는 집에서 살게 되었다.
☐ 내재적 변동 ☐ 강제적 문화 접변 ☐ 자발적 문화 접변
(2) 세종대왕이 우리말에 맞는 한글을 창제하였다.
☐ 내재적 변동 ☐ 강제적 문화 접변 ☐ 자발적 문화 접변
(3) 미국 선교사들은 하와이 주민들 대부분이 하체만 풀로 가리고 있는 것을 보고 옷을 입히기로 하였다.
☐ 내재적 변동 ☐ 강제적 문화 접변 ☐ 자발적 문화 접변

답 1. (1) 두 사회 (2) 강제적 (3) 긍정적인 2. 강제적 문화 접변 3. (1) 자발적 문화 접변 (2) 내재적 변동 (3) 강제적 문화 접변

1일 문화 변동 ❷

키워드 #32 문화 변동의 결과와 문제점

서로 다른 종교가 한 지역에
나란히 존재하고 있어.
문화 병존

우리는 원래 평상복으로
한복을 입었지만 이제는
양복을 평상복으로 입어.
문화 동화

밥과 햄버거가 합쳐져서
두 음식의 특징을 모두 지닌
새로운 음식이 만들어졌어.
문화 융합

1 문화 변동의 결과

문화 병존	• 의미: 서로 다른 사회의 문화가 한 사회의 문화 속에서 나란히 존재하는 현상 • 예시: 우리의 여러 토착 종교와 외래 종교가 함께 존재하는 것
문화 동화	• 의미: 한 사회의 문화가 다른 사회의 문화로 흡수되거나 대체되어 정체성을 상실하는 현상 • 예시: 라틴 아메리카의 원주민들이 원래 사용하던 언어 대신 포르투갈어나 에스파냐어를 사용하는 것
문화 융합	• 의미: 서로 다른 사회의 문화 요소가 결합하여 기존의 두 문화 요소와는 다른 성격을 지닌 새로운 문화가 나타나는 현상 • 예시: 미국에서 아프리카 흑인 음악과 유럽 백인 음악의 요소가 어우러져 재즈가 탄생한 것

2 문화 변동의 문제점

구분	아노미 현상	문화 지체 현상❶
문제점	급격한 문화 변동으로 전통적 규범과 가치관을 대체할 새로운 규범과 가치관이 정립되지 못하여 사회가 혼란과 무규범 상태에 빠질 수 있음.	물질문화❷의 빠른 □□ 속도를 비물질문화❸가 따라가지 못하여 부조화 현상이 나타날 수 있음.
대처 방안	새로운 문화에 적합한 사회 □□을/를 확립하려는 사회 구성원들의 공동된 노력이 필요함.	물질문화의 변동에 적응할 수 있도록 새로운 가치나 규범 등을 정립함.

답 규범, 변동

❶ 문화 지체 현상
새로운 물질문화는 사회 구성원들이 비교적 쉽게 수용하면서 변동 속도가 빠른 것에 비해, 비물질문화는 수용하는 데 시간이 걸려 변동 속도가 느리다.

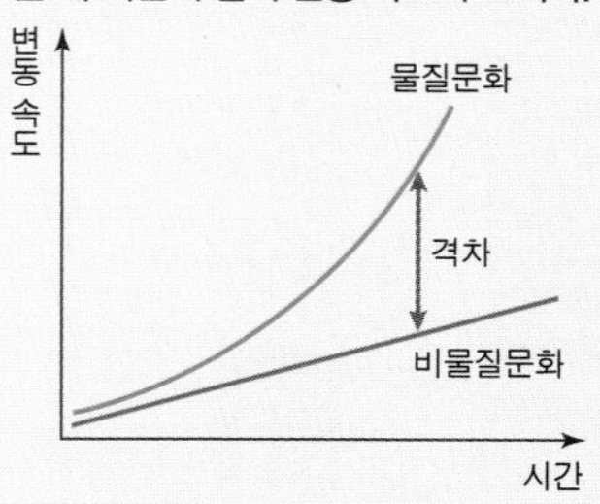

❷ 물질문화
인간의 기본적인 욕구를 충족하고 생존하는 데 필요한 도구나 기술을 말한다.

❸ 비물질문화
인간의 정신세계를 표현하거나 사고와 행동의 기준을 제시하는 종교, 제도, 예술 등을 말한다.

개념 확인

1 **□ 안에 들어갈 알맞은 말을 쓰시오.**

(1) 문화 병존은 서로 다른 사회의 문화가 한 사회의 문화 속에서 □□□ 존재하는 현상이다.

(2) □□□□은/는 서로 다른 사회의 문화 요소가 결합하여 다른 성격을 지닌 새로운 문화가 나타나는 현상이다.

(3) 한 사회의 문화가 다른 사회의 문화로 흡수되거나 대체되어 □□□을/를 상실하는 현상을 문화 동화라고 한다.

(4) 문화의 빠른 변동 속도를 비물질문화의 변동 속도가 따라가지 못하면 □□□□ 현상이 나타난다.

2 **다음 내용이 문화 병존에 해당하면 '병', 문화 동화에 해당하면 '동', 문화 융합에 해당하면 '융'이라고 쓰시오.**

(1) 라이스 버거는 멥쌀과 찹쌀을 적정 비율로 섞어 만든 밥을 빵 대신 사용한 햄버거이다. (　　　)

(2) 라틴 아메리카 원주민들이 원래 사용하던 언어 대신 포르투갈어나 에스파냐어를 사용하게 되었다. (　　　)

(3) 말레이시아의 항구 도시 믈라카의 거리에는 힌두교와 이슬람교, 크리스트교, 불교 등 다양한 종교 건축물이 있다. (　　　)

문화 접변의 결과는 꾸준히 출제되는 개념이야. 정확하게 의미를 기억하고, 사례가 문화 병존, 문화 동화, 문화 융합 중 무엇인지 구분할 수 있어야 해.

3 **□ 안에 들어갈 알맞은 말을 쓰시오.**

2003년 이라크는 미국과 영국 연합군에 의해 독재자가 갑자기 축출되면서 해방 상태를 맞이하게 되었다. 그런데 그 후 이라크에 극도의 혼란과 무질서가 찾아왔다. 절대 권력자가 사라지고 외국 군대가 치안을 담당하는 동안 사람들은 마음대로 행동하였고, 법에 따른 통제는 제대로 이루어지지 못했다. 가정집 약탈은 물론, 박물관의 유물까지 도둑질하는 사례가 빈번하게 발생하였다.

이 사례에서는 독재 정치를 대체할 새로운 민주 정치에 대한 규범과 가치관이 정립되지 못하여 사회가 혼란과 무규범 상태인 □□□ 현상이 나타납니다.

아노미 현상이나 문화 지체 현상 외에도 문화가 변동하는 과정에서 여러 가지 문제점이 발생할 수 있어. 새로운 문화가 나타나면서 가치관의 차이로 집단 간의 갈등이 생길 수도 있고, 새로운 문화가 급격히 유입되어 정체성에 혼란을 겪을 수도 있지.

답 1. (1) 나란히 (2) 문화 융합 (3) 정체성 (4) 문화 지체　2. (1) 융 (2) 동 (3) 병　3. 아노미

4주 1일

1일 문화 변동 ②

| 모평 기출 |

1 그림은 갑국과 교류한 A~C국의 문화 변동 양상과 결과를 나타낸 것이다. 이에 대한 분석으로 가장 적절한 것은?

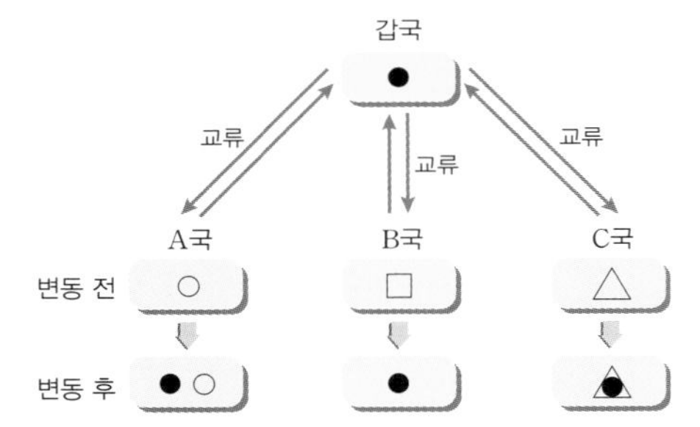

* 안의 기호는 각국의 문화 요소이며, ▲는 ●와 △가 혼합되어 나타난 것임.

① A국의 문화 변동 결과에 해당하는 사례로는 서양의 결혼 예식과 전통 폐백 의례가 결합된 현재 한국의 결혼식을 들 수 있다.

② B국의 문화 변동 결과는 자발적이 아닌 강제적 문화 접변에 의해 나타났다.

③ C국의 문화 변동 결과에 해당하는 사례로는 한국에서 전통 시장과 별도로 온라인 쇼핑몰이 자리 잡은 것을 들 수 있다.

④ A, C국에서는 문화 접변 후에도 자문화 요소가 유지되고 있다.

⑤ A, B국에서는 C국과 달리 외래문화 요소를 수용하였다.

| 모평 기출 응용 |

2 다음 자료에 대한 설명으로 옳은 것은?

- A국이 B국을 정복하여 문화 이식 정책을 시행한 결과, B국에서는 A국 언어가 널리 쓰이게 되면서 B국 언어를 더 이상 사용하지 않게 되었다.
- A국에 유학하여 A국 언어를 학습한 C국의 상류층 자녀들은 귀국 후에도 A국 언어를 사용하였다. 이후 A국 언어가 확산되면서 C국에서는 A국 언어도 널리 쓰이게 되었다.

① B국에서는 외재적 요인에 의한 문화 변동이 발생하였다.

② C국에서는 강제적 문화 접변이 발생하였다.

③ A국 언어는 B국에는 직접 전파, C국에는 간접 전파를 통해 전달되었다.

④ B국과 달리 C국에서는 문화 동화가 발생하였다.

⑤ C국과 달리 B국에서는 문화 융합이 발생하였다.

| 수능 기출 |

3 표는 특정 시기 갑국의 문화 변동 양상을 나타낸 것이다. 이에 대한 설명으로 옳은 것은? (단, 제시된 문화 변동 이외의 다른 것은 고려하지 않는다.)

구분	문화 변동 양상
의복	• 전통 의복을 서구식으로 개량한 새로운 의복 등장 • 개량 의복과 서구 의복의 혼재
음식	• 전통 음식과 외래 음식이 결합된 새로운 음식 등장 • 주변국의 음식 및 조리법 도입으로 전통식과 외래식 혼재
주거	• 전통 가옥 형태 유지 • 신분에 따른 가옥 규모 제한 폐지

① 의복 분야에서는 자기 문화의 정체성이 상실되었다.

② 음식 분야에서는 발견으로 인한 문화 변동이 발생하였다.

③ 주거 분야에서는 음식 분야와 달리 문화 지체 현상이 나타났다.

④ 의복, 음식 분야에서는 주거 분야와 달리 문화 융합이 발생하였다.

⑤ 의복, 음식, 주거 분야 모두에서 물질문화의 변동이 발생하였다.

| 모평 기출 응용 |

4 다음 표는 문화 접변의 결과 A, B를 비교한 것이다. 이에 대한 설명으로 옳은 것은?

구분	A	B
의미	(가)	서로 다른 두 문화가 결합하여 새로운 문화를 형성함.
사례	○○국에서 고유 언어와 외래 언어를 모두 공용어로 사용함.	(나)
공통점	(다)	

① A는 문화 동화, B는 문화 융합이다.

② A는 강제적, B는 자발적으로 이루어진다.

③ (가)에는 '외래문화의 요소에서 아이디어를 얻어 새로운 문화 요소를 만들어 냄.'이 들어갈 수 있다.

④ (나)에는 '미국에서 아프리카 음악과 유럽 음악의 요소가 결합하여 재즈가 등장함.'이 들어갈 수 있다.

⑤ (다)에는 '새로운 문화 요소가 나타남.'이 들어갈 수 있다.

정답과 해설 17쪽

| 수능 기출 |

5 (가), (나)에 나타난 문화 변동에 대한 분석으로 가장 적절한 것은?

> (가) '크루아상(croissant)'은 원래 오스트리아에서 먹기 시작한 빵이다. 이슬람 국가인 오스만 제국의 공격을 막아 낸 오스트리아인들이 적국에게 모욕감을 주려고 이슬람 상징인 초승달 모양의 빵을 만들어 먹은 데서 유래했다고 한다. 이후 프랑스 왕세자와 혼인한 오스트리아의 공주 마리 앙투아네트가 자국의 제빵사를 데려오면서 이 빵이 프랑스에 널리 전해졌다.
> (나) 베트남 음식인 '바인 미(bánh mì)'는 프랑스의 식민지 시절에 전래된 프랑스빵 바게트에서 유래하였다. 처음 베트남인들은 바게트를 고급 음식으로 여겨 연유에 찍어 먹었다. 이것이 이후에 '바인 미'로 불리게 되었고, 바게트에 베트남 고유의 음식으로 속을 채워 먹기 시작하면서 지금과 같은 새로운 형태의 대중적인 먹거리로 변화하였다.

① (가)에는 문화 동화의 사례가 나타나 있다.
② (나)에는 문화 융합의 사례가 나타나 있다.
③ (가)에는 (나)와 달리 간접 전파의 사례가 나타나 있다.
④ (나)에는 (가)와 달리 자극 전파의 사례가 나타나 있다.
⑤ (가), (나)에는 모두 강제적 문화 접변의 사례가 나타나 있다.

| 모평 기출 |

6 다음 두 사례에 대한 공통적인 설명으로 가장 적절한 것은?

> • 요즘 스마트 기기에 저장된 생체 정보, 신용 카드 정보 등을 통해 온·오프라인 상거래에서 간편 결제 서비스를 이용하는 사람들이 증가하고 있다. 그런데 간소화된 지불 절차를 악용하여 불필요한 결제를 유도하는 등 다른 사람에게 금전적 피해를 입히는 신종 범죄도 발생하고 있다.
> • 최근 '먹방', '신제품 리뷰' 등 다양하고 유용한 정보를 제공하여 수익을 창출하는 1인 방송이 늘어나고 있다. 그런데 누구나 쉽게 제작하여 경제적 이익을 얻을 수 있다는 점을 악용하여 선정적이고 폭력적인 콘텐츠가 그대로 방송되는 부작용도 발생하고 있다.

① 물질문화의 발명으로 인해 세대 간 갈등이 증가하였음을 보여 준다.
② 지배적인 문화의 질적 저하로 인해 반문화가 확산되었음을 보여 준다.
③ 문화 요소 간 변동 속도의 차이로 인해 병리적인 현상이 나타났음을 보여 준다.
④ 대중문화의 확산으로 인해 문화의 상업화와 획일화가 심화되었음을 보여 준다.
⑤ 정보 통신 기술의 발달로 인해 하위문화가 전체 문화로 변화되었음을 보여 준다.

2일 사회 불평등 현상과 계층

키워드 #33 계급론

계급론은 사회가 자본가와 노동자로 완전히 분리되어 있다고 봅니다. 그래서 계급은 이분법적인 개념이고, 이 두 집단이 연속선 위에 있지 않으므로 불연속적인 구분 개념이지요.
그렇지만 실제 사회는 이 이론만큼 단순하게 계층을 구분하지 않는다는 데서 비판받고 있습니다.
자본가
생산 수단을 소유
노동자
생산 수단을 소유하지 못함

1 계급론

(1) **계급** 경제적 요인을 기준으로 이분법적·불연속적으로 사람들의 □□을/를 구분한 개념

(2) **특징**

- 자본주의 사회의 구성원을 생산 수단을 소유하고 있는 자본가와 생산 수단을 소유하지 못한 노동자로 구분함.
- 두 계급 간의 관계는 본질적으로 적대적인 관계임.
- 같은 계급에 속하는 사람들끼리는 강한 연대 의식을 가지며, 노동자 계급 의식의 형성이 있어야 계급이 완성됨.
- 경제적 측면의 지위에 사회적, 정치적 지위가 □□됨.
- 계층 간 수직 이동❶이 제한적임.

(3) **비판**

- 지위 불일치 현상을 설명할 수 없음.
- 사회를 너무 단순화시켜 이해함.

답 위치, 종속

❶ **계층 간 수직 이동**
계층적 위치가 변하는 현상으로, 계층적 위치가 높아지는 상승 이동과 계층적 위치가 낮아지는 하강 이동으로 구분된다.

개념 확인

1 **괄호 안의 내용 중 옳은 것에 ◯표 하시오.**

(1) 계급론은 사람들의 위치를 경제적 요인을 기준으로 하여 이분법적이고 (연속적, 불연속적)으로 구분한다.

(2) 계급론에서는 같은 계급에 속하는 사람들끼리는 강한 (연대 의식, 적대 의식)을 갖는다고 생각한다.

(3) 계급론은 사회를 너무 (단순하게, 복잡하게) 이해한다는 점에서 비판받고 있다.

2 **다음 중 계급론의 특징에 해당하는 것을 모두 고르시오.**

> 사회 계층화 현상, 또는 사회 불평등 현상을 설명하는 이론과 관련한 설명을 묻는 문제가 자주 출제되고 있어.

(가) 사회 구성원을 생산 수단 소유 여부로 구분한다.
(나) 다른 계급과 친밀한 관계를 지닌다.
(다) 경제적 측면의 지위와 사회적, 정치적 위치는 각각 다른 수준에 머물 수 있다.
(라) 계층 간 수직 이동은 제한된다.
(마) 지위 불일치 현상을 설명할 수 있다.

(　　　　　　　　　　)

3 **(가), (나) 안에 들어갈 알맞은 말을 쓰시오.**

> 계급론에서는 사회 계층을 생산 수단의 소유 여부에 따라서 구분해. 계층론과 구분되는 중요한 부분이니까 기억해 둬야 해.

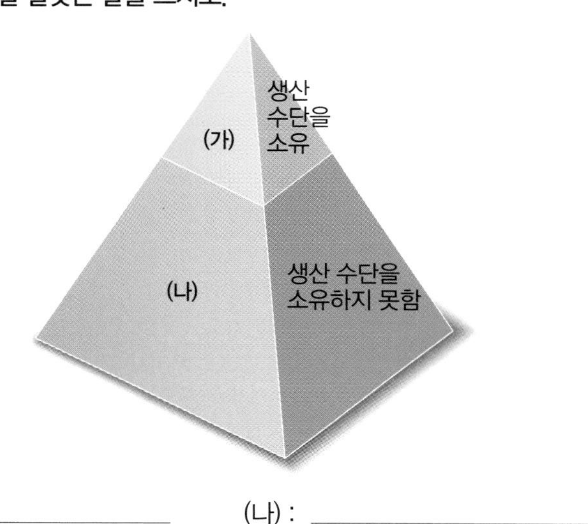

(가) : ______________　　(나) : ______________

답 1. (1) 불연속적 (2) 연대 의식 (3) 단순하게　2. (가), (라)　3. (가) 자본가 (나) 노동자

4주 2일

2 일

사회 불평등 현상과 계층

키워드 #34 계층론

계층론은 사회 불평등 현상을 다원적인 측면에서 설명한다. 이 때, 각각의 측면은 상호 관련성은 있지만 별개의 개념이기 때문에, 자본가와 노동자는 경제적 계급을 달리한다 하더라도 동일한 지위 집단에 소속될 수 있다.

상류층
중류층
하류층
지
위
권
력
계
급
계층론은 개인이 사회에서 가지고 있는 지위는 여러 요인에 따라 구분되고, 각각 그 위치가 다르다고 봅니다. 마르크스가 말한 경제적 요인에 따라
계급이 만들어지고, 권력 집단의 소속 여부에 따라 당파, 사회적 위신이나 명예의 차이에 따라 지위 집단이 만들어집니다.
그렇기 때문에 계층론은 돈은 많지만 사회적 지위가 낮은 사람이 존재하는 현대 사회의 현상을 설명하는 데 유리합니다.

1 계층론

(1) **계층** 경제적(계급), 정치적(권력), 사회적(지위) 요인이 □□□으로 작용하여 연속적·서열적으로 계층이 범주화된 개념

(2) **특징**

- 사회 불평등 현상을 다원적인 측면에서 파악함. → □□□ 자원의 차이에 따라 계급이 만들어지고, 권력 집단 소속 여부에 따라 당파가 형성되며, 사회적 위신이나 명예의 차이에 따라 지위 집단이 만들어짐.
- 다원화된 현대 사회를 설명하는 데 유리함.
- 지위 불일치 현상❶을 설명할 수 있음.
- 계층 간 수직 이동이 가능함.

답 복합적, 경제적

❶ **지위 불일치 현상**
개인의 경제적, 정치적, 사회적 지위들의 수준이 서로 일치하지 않는 현상을 말한다.

개념 확인

1 **▢ 안에 들어갈 알맞은 말을 쓰시오.**

(1) 계층론은 계층에 여러 요인들이 복합적으로 작용하여 연속적이고 ▢▢▢으로 계층이 범주화된다.

(2) 계층론은 돈은 많지만 사회적 지위가 낮은 사람이 존재하는 ▢▢▢▢▢ 현상을 설명할 수 있다.

(3) 계층론에서는 계층 간 ▢▢▢▢이/가 가능하다고 본다.

2 **빈칸에 들어갈 말을 〈보기〉에서 골라 쓰시오.**

> 보기
>
> 계급, 계층, 다원화, 불일치, 일원화, 일치, 파당

(1) 계층론은 경제적 자원의 차이에 따라서 (　　　　　)이/가 만들어진다고 파악한다.

(2) 계층론은 한 개인이 가진 여러 지위들의 수준이 (　　　　　)하는 현상을 설명할 수 있다.

(3) 계층론은 (　　　　　)된 현대 사회를 설명하는 데에 유리하다.

3 **▢ 안에 들어갈 알맞은 말을 쓰시오.**

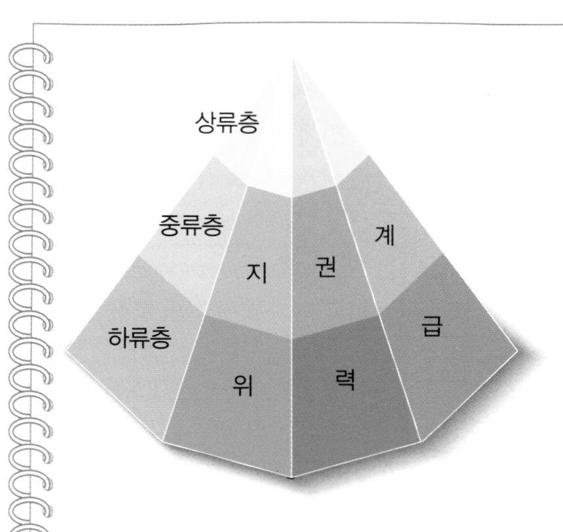

계층론은 사회 불평등을 경제적 측면뿐만 아니라, 당파와 지위 집단 등의 다양한 측면에서 설명할 수 있다. 경제적 자원의 차이에 따라 계급이 만들어지고, 권력 집단의 소속 여부에 따라 당파, ▢▢▢▢▢이나 명예의 차이에 따라 지위 집단이 만들어지는 것이다. 각각의 차원은 상호 관련성은 있지만 별개의 개념이므로, 자본가와 노동자는 경제적 계급이 다르더라도 동일한 지위 집단에 소속될 수 있다.

계층론은 다양한 차원에서 사회 계층을 설명하는 이론이야. 계급론은 경제적 측면으로만 사회 불평등 현상을 설명한다는 데서 차이가 있어.

계급론	경제적 측면의 계층이 사회적·정치적 측면의 계층을 결정함. → 경제적 계층과 사회적·정치적 측면의 계층이 동일함.
계층론	경제적, 사회적, 정치적 계층은 각각의 기준에 따라 결정됨. → 각각의 계층은 모두 다른 수준에 위치할 수 있음.

답 1. (1) 서열적 (2) 지위 불일치 (3) 수직 이동　2. (1) 계급 (2) 불일치 (3) 다원화　3. 사회적 위신

사회 불평등 현상과 계층

| 모평 기출 |

1 표는 베버의 계층론을 근거로 갑~병의 주관적 계층 의식과 실제 계층을 조사한 결과이다. 이에 대한 분석으로 옳은 것은?

〈주관적 계층 의식〉

구분	재산	권력	위신
상층	을	갑, 병	갑
중층	갑, 병	−	을, 병
하층	−	을	−

〈실제 계층〉

구분	재산	권력	위신
상층	을, 병	갑, 병	갑, 병
중층	−	을	−
하층	갑	−	을

① 을은 주관적 계층 의식과 실제 계층이 모두 일치한다.
② 병은 경제적, 사회적 측면 모두에서 자신의 계층적 위치를 실제보다 낮게 평가한다.
③ 갑과 을은 계급적 연대 의식을 공유하고 있다.
④ 실제 계층에서 갑과 을의 권력 차이는 재산 차이에서 비롯된다.
⑤ 실제 계층에서 갑~병 모두에게 지위 불일치 현상이 나타난다.

| 모평 기출 응용 |

2 사회 불평등 현상을 설명하는 이론 A, B의 입장을 고려하여 자신에게 주어진 질문에 대한 응답을 모두 옳게 한 학생은?

> A는 자본주의 체제에서 생산 수단의 소유 여부를 기준으로 사회 불평등 현상을 설명한다. 한편 B는 사회 불평등의 층위가 사회적 · 정치적 차원에서도 발생한다고 주장하며, 현대 사회에서 나타나는 다양한 차원의 불평등을 근거로 제시한다.

학생	질문	A의 입장	B의 입장
갑	사회 계층이 연속적으로 서열화되어 있다고 보는가?	X	○
을	계층 간 수직 이동이 극히 제한적이라고 보는가?	X	○
병	경제적 요인에 의해 계층화가 발생한다고 보는가?	○	X
정	동일한 계층에 속하는 구성원 간의 연대 의식이 강하다고 보는가?	X	○
무	한 사람의 지위가 계층화의 여러 차원에 따라 달라질 수 있다고 보는가?	○	X

(○: 예, X: 아니요)

① 갑 ② 을 ③ 병 ④ 정 ⑤ 무

| 모평 기출 |

3 다음은 사회 불평등 현상을 설명하는 이론 A, B에 따라 갑~정을 분류한 것이다. 이에 대한 옳은 분석만을 〈보기〉에서 있는 대로 고른 것은?

〈A에 따른 구분〉

구분 기준	자본가	노동자
생산 수단	갑, 을	병, 정

〈B에 따른 구분〉

구분 기준	상층	중층	하층
재산	을	갑	병, 정
위신	을	갑, 병, 정	−
권력	을	갑, 병	정

보기

ㄱ. A는 B와 달리 사회 불평등 현상을 불연속적으로 구분되어 있는 상태로 본다.
ㄴ. A, B는 모두 경제적 요소를 사회 불평등의 요인으로 본다.
ㄷ. 갑은 정과 달리 지위 불일치 현상을 설명하기에 적절한 사례이다.
ㄹ. 갑과 병은 계급 의식을 공유하고, 을과 정 간에는 적대감이 존재한다.

① ㄱ, ㄴ ② ㄱ, ㄷ ③ ㄷ, ㄹ
④ ㄱ, ㄴ, ㄹ ⑤ ㄴ, ㄷ, ㄹ

| 학평 기출 |

4 사회 불평등 현상을 설명하는 이론 A, B에 대한 옳은 설명을 〈보기〉에서 고른 것은?

> 사회 불평등에 접근하는 사회학적 이론은 크게 A, B로 나눌 수 있다. A는 사회 계층을 재산, 권력, 위신 등 다양한 요인에 따라 구분한다. 이에 비해 B는 생산 수단의 소유 여부만을 기준으로 사회 계층을 구분한다.

보기

ㄱ. A는 동일 집단 구성원 간의 강한 귀속 의식을 강조한다.
ㄴ. B는 지위 불일치 현상을 설명하는 데 적합하다.
ㄷ. B는 A와 달리 사회 계층을 불연속적으로 구분되어 있는 상태로 파악한다.
ㄹ. A, B 모두 사회 불평등 현상에 경제적 요인을 적용하여 설명한다.

① ㄱ, ㄴ ② ㄱ, ㄷ ③ ㄴ, ㄷ ④ ㄴ, ㄹ ⑤ ㄷ, ㄹ

정답과 해설 18쪽

| 수능 기출 응용 |

5 다음 자료는 사회 계층화 현상에 대한 두 이론 A, B의 공통점과 차이점을 나타낸 것이다. (가)~(다)에 들어갈 수 있는 내용으로 옳은 것은?

A 불연속적·이분법적 관계로 계층화 현상을 설명한다.
B 연속적·서열적 관계로 계층화 현상을 설명한다.

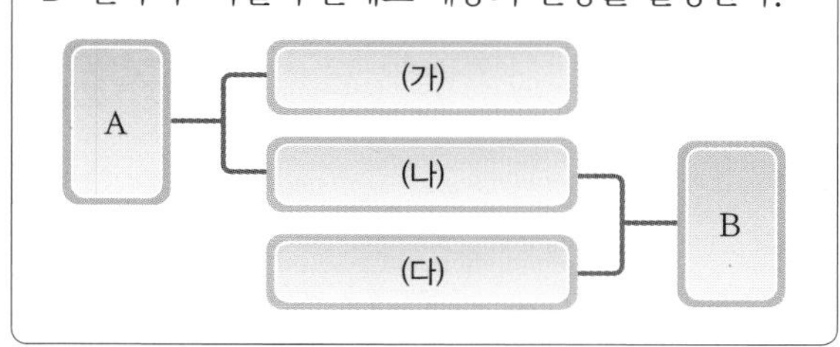

① (가) – 동일 계층 구성원 간의 연대 의식을 강조한다.
② (가) – 현대 사회의 다양한 계층 분화를 설명하기에 용이하다.
③ (나) – 경제적 불평등이 정치적 불평등을 결정한다고 본다.
④ (다) – 사회 계층화 현상의 원인을 단일 요인으로 설명한다.
⑤ (다) – 사회 계층화 현상에서 귀속적 요인의 영향력을 중시한다.

| 모평 기출 응용 |

6 다음은 사회 불평등 현상을 설명하는 이론이다. 이에 대한 옳은 설명을 〈보기〉에서 고른 것은?

생산 수단의 '소유'와 '소유의 결여'가 계급의 위치를 결정하는 기본적 요인임을 인정한다. 하지만 노동 시장에서 능력의 차이를 초래하는 소유의 종류나 기술, 신용, 자격 등도 계급 분화에 영향을 준다. 또한, 개인이 다른 사람으로부터 받는 존경이나 개인이 누리는 명예, 위신에 의한 지위 집단 등도 사회 불평등 현상의 또 다른 차원으로 작동한다.

보기
ㄱ. 노동자 계급의 투쟁을 강조한다.
ㄴ. 사회 불평등 현상을 이분법적으로 파악한다.
ㄷ. 다차원적 측면에서 사회 불평등의 위계를 설명한다.
ㄹ. 사회 불평등 현상을 연속선 상에 서열화된 것으로 본다.

① ㄱ, ㄴ ② ㄱ, ㄷ ③ ㄴ, ㄷ ④ ㄴ, ㄹ ⑤ ㄷ, ㄹ

| 학평 기출 |

7 A, B는 사회 계층화 현상을 설명하는 이론이다. 이에 대한 옳은 설명을 〈보기〉에서 고른 것은? (단, A와 B는 각각 계급론과 계층론 중 하나이다.)

A, B는 모두 사회 계층화 현상에 경제적 요인이 작용한다고 보았다. 그런데 A는 생산 수단의 소유 여부만을, B는 생산 수단뿐만 아니라 기술이나 자격의 유무 등을 경제적 요인으로 제시한다. 또한 B는 경제적 요인 외에 사회적·정치적 요인도 사회 계층화 현상에 작용한다고 본다.

보기
ㄱ. A는 지위 불일치 현상을 설명하는 데 적합하다.
ㄴ. A는 동일한 경제적 위계에 속한 구성원 간의 연대 의식을 강조한다.
ㄷ. B는 정치적 불평등이 경제적 불평등에 종속된다고 본다.
ㄹ. B는 사회 계층화 현상을 연속적으로 서열화된 상태로 본다.

① ㄱ, ㄴ ② ㄱ, ㄷ ③ ㄴ, ㄷ ④ ㄴ, ㄹ ⑤ ㄷ, ㄹ

| 학평 기출 |

8 사회 계층화 현상을 설명하는 이론 A, B에 대한 진술로 옳은 것은?

A는 경제적 요인만을 고려하여 사회 계층화 현상을 파악하는 B와 달리 다양한 요인들을 통해 사회 계층화 현상을 설명한다. 따라서 A는 어느 하나의 요인만을 놓고 봤을 때는 같은 위계에 속한 사람들이 다른 요인들로 인해 서로 다른 계층적 지위를 가질 수 있다는 점을 강조한다.

① A는 계층이 연속적으로 서열화되어 있는 상태라고 본다.
② A는 동일 계급에 속한 사람들의 강한 귀속 의식을 강조한다.
③ B는 위계를 구분하는 기준이 다차원적이라고 본다.
④ A는 B와 달리 생산 수단의 소유 여부가 사회 불평등 구조를 결정한다고 본다.
⑤ B는 A에 비해 지위 불일치 현상을 설명하는데 유리하다.

3일

빈곤과 사회 보장 제도

키워드 #35 빈곤

1 빈곤의 의미와 양상①

의미		인간의 기본적 욕구와 관련된 물질적 결핍이 만성적으로 지속되는 □□□ 상태
양상	절대적 빈곤	• 소득이 인간다운 최저 생활을 유지하는 데 필요한 기준에 미치지 못하는 상태 • 최저 생계비② 미만의 소득을 지닌 가구를 절대적 빈곤층으로 파악함.
	상대적 빈곤	• 사회의 전반적인 소득 수준과 대비하여 소득 수준이 낮은 상태 • 중위 소득③의 일정 비율에 못 미치는 소득을 지닌 가구(상대적 빈곤층)

2 빈곤 문제의 원인과 해결 방안

한계: 열심히 일해도 빈곤에서 벗어나지 못하는 사례를 설명할 수 없다.

구분	개인적 측면	사회적 측면
문제점	생계 유지 곤란, 건강 손상, 정신적 황폐 및 소외	• 빈곤층에 대한 사회적 부담 증가 • 사회 불안과 갈등 심화
원인	게으름, 무절제, 성취동기 부족 등 개인적 노력이나 능력 등의 부족	불평등한 사회 구조가 특정 집단의 빈곤 탈출에 불리하게 작용한 결과
해결 방안	• 빈곤 탈출 의지를 가져야 함. • 교육과 직업 훈련 등을 통해 능력을 함양하려는 노력을 해야 함.	• 제도적 노력을 통한 빈곤층 자립을 지원해야 함. • 빈곤층에 대한 비난이나 사회적 낙인을 찍지 않도록 해야 함. • 교육 기회의 □□을/를 통해 빈곤의 대물림을 방지해야 함.

답 경제적, 균등

① 빈곤의 양상
경제가 성장하여 사회의 전반적 생활 수준이 향상되면 절대적 빈곤보다 상대적 빈곤 문제가 더 심각해지고, 그로 인한 사회적 박탈감이 사회 문제가 될 수 있다.

② 최저 생계비
국민이 생활을 유지하기 위한 비용으로, 우리나라에서 절대적 빈곤 여부를 가르는 선이다.

③ 중위 소득
한 나라의 가구를 소득 순으로 일렬로 나열하였을 때, 한가운데 위치한 가구의 소득을 말한다.

개념 확인

1 괄호 안의 내용 중 옳은 것에 ○표 하시오.

(1) 빈곤은 인간의 기본적인 욕구와 관련된 물질적인 결핍이 (급진적, 만성적)으로 지속되는 상태를 말한다.

(2) (상대적, 절대적) 빈곤은 소득이 인간다운 최저 생활을 유지하는 데 필요한 기준에 미치지 못하는 상태를 말한다.

(3) 개인적 측면에서 빈곤의 (문제, 원인)을/를 찾는 사람들은 빈곤이 개인의 노력이나 능력 등의 부족 때문이라고 생각한다.

(4) 사회적 측면에서는 빈곤의 발생 원인을 불평등한 사회 구조가 특정 집단의 빈곤 탈출에 (불리하게, 유리하게) 작용했기 때문이라고 본다.

2 A, B 안에 들어갈 알맞은 말을 쓰시오.

학습 주제: 빈곤의 양상

1. [A]
- 최소한의 생활 수준을 유지하기 곤란한 상태
- 우리나라에서는 가구 소득이 최저 생계비 수준에 미치지 못하는 가구를 A 가구로 분류함.

2. [B]
- 사회 구성원 다수가 누리는 생활 수준에 이르지 못한 상태
- 우리나라에서는 가구 소득이 중위 소득 50%에 미달하는 가구를 B 가구로 분류함.

A : ____________ B : ____________

빈곤 문제는 절대적 빈곤과 상대적 빈곤을 비교하는 문제나 자료를 분석하는 문제가 자주 출제돼.

3 다음 중 빈곤의 사회적 측면의 해결 방안에 해당하는 것을 모두 고르시오.

(가) 개인이 빈곤 탈출에 대한 의지를 가져야 한다.
(나) 기초 생활비 및 자녀 양육비 보조 등을 통해 빈곤층의 자립을 지원한다.
(다) 빈곤층에 대한 비난이나 사회적 낙인을 찍지 않도록 해야 한다.
(라) 교육 기회의 균등을 실현해 빈곤의 대물림을 방지해야 한다.
(마) 교육과 직업 훈련 등을 통해 능력을 함양한다.

( )

답 1. (1) 만성적 (2) 절대적 (3) 원인 (4) 불리하게 2. A 절대적 빈곤 B 상대적 빈곤 3. (나), (다), (라)

3일 빈곤과 사회 보장 제도

키워드 #36 사회 보장 제도

사회 복지는 사회 구성원의 기본적 욕구를 충족하여 삶의 조건을 보장하고, 이를 통해 궁극적으로 사회 통합을 달성하려고 하는 사회적 활동의 총체를 뜻한다. 이러한 사회 복지는 사회 보장 제도를 통해 구체화된다.

국가
개인
회사
사회 보장 제도는 사회적 위험으로부터 모든 국민을 보호하고, 국민의 삶의 질을 향상하는 데 필요한 소득, 서비스를 보장해.

1 사회 보장 제도의 유형

구분	공공 부조	사회 보험	사회 서비스
의미	생활을 유지할 능력이 없거나 생활이 어려운 국민의 최저 생활을 보장하고 자립을 지원하는 제도 → 일정 수준 이하의 저소득 계층 대상	미래에 발생할 수 있는 상해, 질병, 노령, 실업, 사망 등의 사회적 위험을 보험의 방식으로 대처하여 국민의 건강과 ☐☐을/를 보장하는 제도	도움이 필요한 모든 국민에게 상담, 재활, 돌봄 등을 제공하여 삶의 질이 향상되도록 지원하는 제도 → 주로 사회적 취약 계층이 대상
특징	• 사후 처방적 성격 • 금전적·물질적 급여 제공 • 국가와 지방 자치 단체가 전액 부담 • 소득 재분배 효과 큼. • 수혜자와 부담자 불일치	• 사전 예방적 성격 • 상호 부조적 성격 • 금전적 지원 • 강제 가입이 원칙임. • 개인, 정부, 기업이 공동으로 분담함. • 경제적 능력에 따라 보험료 차등 부담, 위험 발생 시 비슷한 수준의 보험 급여 지급 → 소득 재분배 효과 • 수혜자와 부담자 일치	• 비금전적 지원 원칙 → 자활 능력 함양 • 상담, 재활, 돌봄, 정보 제공, 시설 이용, 역량 개발, 사회 참여 지원 등을 통하여 삶의 질 향상 • 공공 부문뿐만 아니라 민간 부문에서도 함께 제공함.
한계	• 국가의 재정 부담이 큼. • 부정적 낙인, 근로 의욕 저하	복지 사각지대 발생 가능	보조적 사회 보장에 그침.
종류	국민 기초 생활 보장 제도 의료 급여, 기초 연금 등	국민연금, 국민 건강 보험, 고용 보험, 산업 재해 보상 보험, 노인 장기 요양 보험 등	노인 돌봄 서비스, 장애인 활동 지원, 산모·신생아 건강관리 지원, 가사·간병 방문 지원 등

답 소득

개념 확인

1 ☐ 안에 알맞은 말을 쓰시오.

(1) ☐☐ ☐☐은/는 생활을 유지할 능력이 없거나 생활이 어려운 국민의 최저 생활을 보장하고 자립을 지원하는 제도이다.

(2) 공공 부조는 사회 보험과 달리 ☐☐☐☐☐ 성격을 가지고 있다.

(3) 사회 서비스는 도움이 필요한 ☐☐☐☐에게 국민의 삶의 질이 향상되도록 지원하는 제도이다.

(4) 사회 서비스는 주로 사회적 취약 계층을 대상으로 하며, ☐☐ ☐☐을/를 함양하고자 한다.

2 다음 내용이 공공 부조의 특징에 해당하면 '공', 사회 보험의 특징에 해당하면 '보', 사회 서비스의 특징에 해당하면 '서'라고 쓰시오.

(1) 사전 예방적인 성격을 가진다. (　　　)

(2) 비금전적 지원을 원칙으로 한다. (　　　)

(3) 수혜자와 부담자가 일치한다. (　　　)

(4) 공공 부문뿐만 아니라 민간 부문에서도 함께 제공한다. (　　　)

(5) 비용을 국가와 지방 자치 단체에서 전액 부담한다. (　　　)

세 가지 사회 보장 제도의 특징을 구분할 줄 알아야 해.

3 (가) 안에 들어갈 알맞은 사회 보장 제도를 쓰시오.

△△ 신문

사회 보장 제도 사업 모음: (가)

1. 드림 스타트 사업
드림 스타트 사업은 취약 계층 아동에게 맞춤형 통합 서비스를 제공하는 제도이다. 이를 통해 아동의 건강한 성장과 발달을 도모하고 공평한 출발 기회를 보장함으로써, 건강하고 행복한 사회 구성원으로 성장할 수 있도록 지원한다.

2. 어린이 독감 예방 무료 접종 사업
어린이 독감 예방 무료 접종 사업은 생후 6개월에서 만 12세까지 영아 및 아동을 대상으로 독감 접종을 무료로 실시하는 사업이다. 이 사업을 통해 겨울철 독감 유행 시기에 아동의 건강을 증진하고자 한다.

3. 독거노인 돌봄 서비스
독거노인 돌봄 서비스는 소득, 건강, 주거, 사회적, 접촉 등의 수준을 평가하여 선정된 65세 이상의 독거노인에게 정기적인 안전 확인 및 정서적 지원, 보건 서비스 연계·조정, 생활 교육 지원 등을 하는 제도이다.

예시에 드러난 사회 보장 제도가 어떤 것인지 구분하고, 주어진 사회 보장 제도와 관련한 옳은 설명을 고르는 문제도 지주 출제되고 있어.

답 1. (1) 공공 부조 (2) 사후 처방적 (3) 모든 국민 (4) 자활 능력　2. (1) 보 (2) 서 (3) 보 (4) 서 (5) 공　3. 사회 서비스

3일 빈곤과 사회 보장 제도

| 수능 기출 |

1 그림은 질문을 통해 빈곤 유형 A, B를 구분한 것이다. 이에 대한 옳은 설명만을 〈보기〉에서 고른 것은? (단, A, B는 각각 상대적 빈곤, 절대적 빈곤 중 하나이다.)

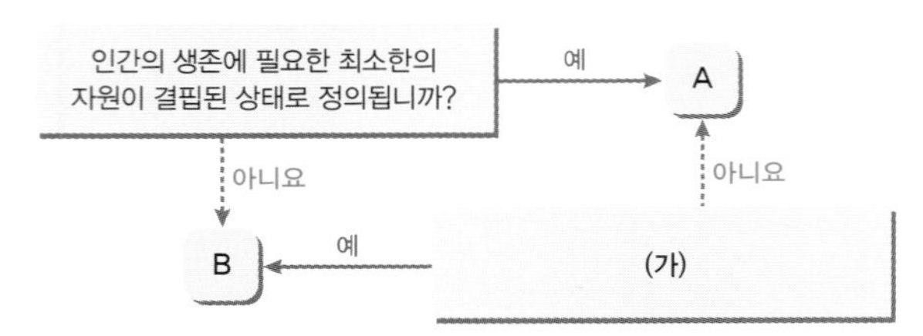

보기
ㄱ. A는 B와 달리 선진국에서는 나타나지 않는다.
ㄴ. B에 해당하는 사람은 A에 해당하지 않는다.
ㄷ. 우리나라에서는 A, B 모두 객관화된 기준에 의해 규정된다.
ㄹ. (가)에는 '우리나라에서는 가구 소득이 중위 소득의 50% 미만인 상태를 의미합니까?'가 들어갈 수 있다.

① ㄱ, ㄴ ② ㄱ, ㄷ ③ ㄴ, ㄷ
④ ㄴ, ㄹ ⑤ ㄷ, ㄹ

| 학평 기출 |

2 빈곤 유형 A, B에 대한 설명으로 옳은 것은? (단, A, B는 각각 상대적 빈곤, 절대적 빈곤 중 하나이다.)

일반적으로 어떤 사람 혹은 가구의 빈곤 여부를 규정할 때 A와 B의 개념을 사용한다. A는 인간다운 삶을 유지하기 위한 최소한의 조건을 충족하지 못한 상태로 정의된다. 반면 B는 다른 사람들보다 소득이 적어 사회 구성원 대다수가 누리는 일반적인 생활 수준을 영위하지 못하는 상태로 정의된다.

① A는 B와 달리 해당 국가의 소득 분포를 고려하여 파악한다.
② A는 B와 달리 소득 수준이 높은 국가에서는 나타나지 않는다.
③ B는 A와 달리 빈곤 상태에 대한 개인의 주관적 인식 개념이다.
④ A에 따른 빈곤율과 B에 따른 빈곤율의 합이 해당 국가 전체의 빈곤율이다.
⑤ B의 기준을 적용하면 A에 해당되지 않는 가구도 빈곤 가구에 포함될 수 있다.

| 학평 기출 응용 |

3 밑줄 친 ㉠, ㉡에 대한 설명으로 옳은 것을 〈보기〉에서 고른 것은?

㉠ 절대적 빈곤은 최소한의 생활 수준을 유지하는 데 필요한 자원이나 소득이 절대적으로 부족한 상태이다. 이에 비해 ㉡ 상대적 빈곤은 다른 사람들보다 자원이나 소득을 상대적으로 적게 가져 대다수의 사회 구성원들이 누리는 생활 수준에 미치지 못하는 상태이다. 오늘날 절대적 빈곤의 문제는 완화되고 있지만, 상대적 빈곤의 문제는 여전히 심각하다.

보기
ㄱ. ㉠은 대부분의 사회에서 나타난다.
ㄴ. ㉠과 ㉡을 판단하는 기준선은 사회에 따라 다를 수 있다.
ㄷ. ㉡에 해당하는 사람은 항상 ㉠에 해당한다.
ㄹ. ㉡에 속한 인구가 감소해야 ㉠에 속한 인구가 감소한다.

① ㄱ, ㄴ ② ㄱ, ㄷ ③ ㄴ, ㄷ ④ ㄴ, ㄹ ⑤ ㄷ, ㄹ

| 모평 기출 |

4 그림은 우리나라 사회 보장 제도 A, B를 분류한 것이다. 이에 대한 옳은 설명을 〈보기〉에서 고른 것은? (단, A, B는 각각 공공 부조, 사회 보험 중 하나이다.)

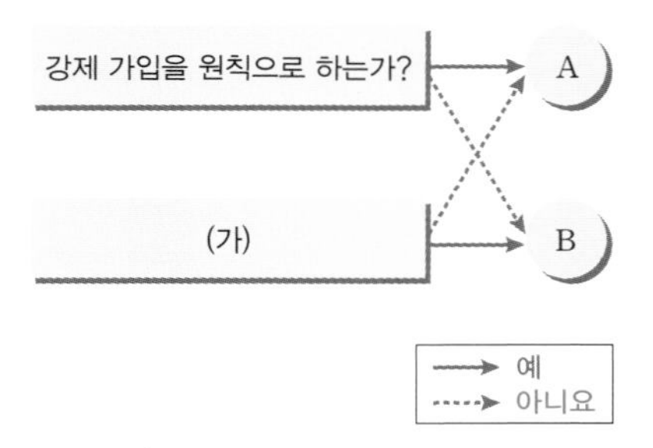

보기
ㄱ. A는 B와 달리 상호 부조의 원리를 바탕으로 한다.
ㄴ. B는 A에 비해 소득을 재분배하는 효과가 더 크다.
ㄷ. A, B 모두 비금전적 지원을 원칙으로 한다.
ㄹ. (가)에는 '국민연금이 해당되는가?'가 들어갈 수 있다.

① ㄱ, ㄴ ② ㄱ, ㄷ ③ ㄴ, ㄷ ④ ㄴ, ㄹ ⑤ ㄷ, ㄹ

정답과 해설 19쪽

| 학평 기출 |

5 다음 자료에 제시된 우리나라 사회 보장 제도에 대한 설명으로 옳은 것은?

> **발달 장애인 부모 상담 지원 사업**
>
> 발달 장애를 가진 자녀를 돌보느라 정작 자신은 돌보지 못한 부모에게 전문적인 심리 상담을 제공해 드립니다.
>
> ▷ 누가 받을 수 있나요?
> 발달 장애인 자녀를 둔 부모 및 보호자
>
> ▷ 어떤 혜택을 받을 수 있나요?
> 회당 50~100분, 개별 및 집단 상담 지원
>
> ▷ 어떻게 신청하나요?
> 주소지의 주민 센터를 방문하여 관련 서류 제출

① 강제 가입을 원칙으로 한다.
② 가입자 간 상호 부조의 성격이 강하다.
③ 미래의 위험을 보험의 방식으로 대처한다.
④ 빈곤층의 최저 생활 보장을 목적으로 한다.
⑤ 도움이 필요한 국민에게 비금전적 지원을 제공한다.

| 수능 응용 |

6 표는 우리나라 사회 보장 제도를 구분한 것이다. A~C에 대한 설명으로 옳은 것은? (단, A~C는 각각 사회 보험, 공공 부조, 사회 서비스 중 하나이다.)

구분	A	B	C
금전적 지원을 원칙으로 하는가?	예	아니요	예
강제 가입을 원칙으로 하는가?	아니요	아니요	예

① A는 C보다 상호 부조의 성격이 강하다.
② A, B 모두 수혜자 부담의 원칙이 적용된다.
③ B는 빈곤층의 최저 생활 보장을 목적으로 한다.
④ B는 사전 예방, C는 사후 처방의 성격이 강하다.
⑤ A는 B, C보다 수혜 대상자의 범위는 작고, 소득 재분배 효과는 크다.

| 모평 기출 |

7 다음 자료에 대한 분석으로 옳은 것은?

〈자료 1〉

우리나라 사회 보장 제도

(가) 가구 소득 인정액이 기준액 이하인 가구의 최저 생활을 보장하고 자활을 지원하기 위해 국가나 지방 자치 단체가 생계, 의료 등 급여를 지급하는 제도

(나) 노령, 사망, 장애 등으로 인한 소득 상실을 보전하고 기본 생활을 지원하기 위해 가입자와 고용주 등이 분담해서 마련한 기금을 통해 연금 급여를 지급하는 제도

〈자료 2〉

A~C 지역별 전체 인구 중 (가), (나) 수급자 비율

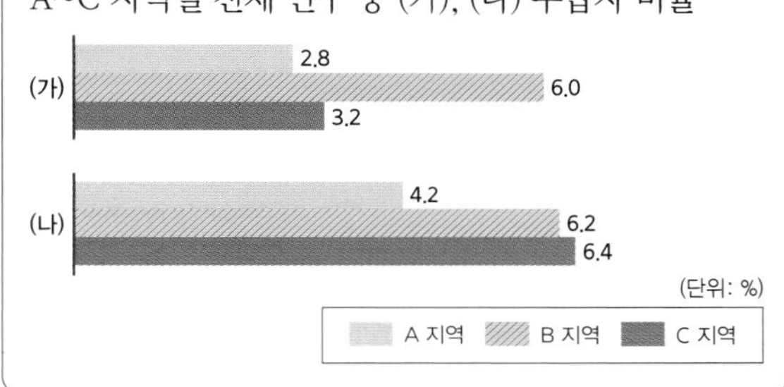

① 상호 부조의 원리가 적용되는 제도의 경우, A 지역 수급자 비율은 2.8%이다.
② 선별적 복지의 성격이 강한 제도의 경우, A~C 지역 중에서 B 지역 수급자 수가 가장 많다.
③ 소득 재분배 효과가 더 큰 제도의 경우, A~C 지역 중에서 수급자 비율이 가장 높은 지역의 수급자 비율은 6.0%를 초과한다.
④ 수혜자 부담 원칙이 적용되지 않는 제도의 경우, B 지역 수급자 수가 A 지역 수급자 수의 2배보다 많다.
⑤ 강제 가입 원칙이 적용되는 제도의 수급자 수 대비 사후 처방적 성격이 강한 제도의 수급자 수의 비는 A 지역이 C 지역보다 높다.

4일 사회 변동 이론

키워드 #37 진화론

○ 인간의 생활 방식, 의식 구조, 사회적 관계, 사회 구조 등이 총체적으로 변화하는 현상을 사회 변동이라고 한다. 그리고 이러한 사회 변동이 이루어지는 방향을 설명하는 이론이 진화론과 순환론이다.

1 진화론❶

(1) **관점** 사회는 단순하고 미분화된 상태에서 복잡하고 분화된 상태로 변화함.

(2) **특징** 사회 변동을 □□의 진화 과정에 비유하여 설명함.

(3) **변동 방향** 사회는 일정한 방향으로 변동❷하며, 변동은 곧 진보와 발전을 의미함.

(4) **장점** 사회 발전의 양상을 설명하고 예측하는 데 유리함.

(5) **한계**
- 모든 사회가 같은 방향으로 변동하는 것은 아니라는 비판을 받음.
- 전쟁, 재난, 경기 침체 등으로 사회가 퇴보하거나 멸망하는 사례를 설명하기 어려움.
- 현대 사회가 과거 사회보다 모든 면에서 □□했다고 볼 수 없음.
- 서구 사회가 비서구 사회를 지배·착취하는 것을 정당화하는 이론적 배경을 제공함.

답 생물, 발전

❶ **진화론**
진화론은 시간이 지날수록 사회가 반드시 발전하는 방향으로 움직일 것이라고 생각한다.

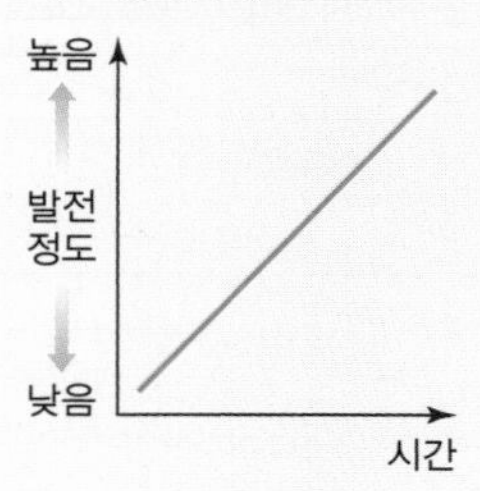

❷ **사회 변동 방향**
진화론에서는 농업 사회 → 산업 사회 → 정보 사회 순으로 사회가 발전해왔다고 본다.

개념 확인

1 ☐ 안에 알맞은 말을 쓰시오.

(1) 사회가 단순한 상태에서 복잡하고 ☐☐된 상태로 변화한다고 보는 관점은 진화론이다.

(2) 사회는 일정한 방향으로 변동하며, 변동은 곧 진보와 ☐☐을/를 의미한다.

(3) 기능론은 사회 발전의 양상을 설명하고 ☐☐하는 데 유리하다는 장점이 있다.

2 ☐ 안에 들어갈 알맞은 말을 쓰시오.

진화론이 보는 사회 변동은 테트리스 게임과 유사하다. 한 단계가 끝나면 더욱 난이도가 높은 새로운 단계가 시작되듯이 모든 사회도 일정한 방향으로 단계적으로 진보 또는 발전해 간다. 즉, 현재 사회는 과거 사회보다 더욱 복잡하고 분화한, 더 발전되고 더 나은 사회이다.

그러나 진화론은 서구 사회를 가장 발전된 사회 형태로 여기고, 비서구 사회를 지배하고 착취하는 것을 ☐☐☐하는 이론적 배경을 제공한다는 데서 한계를 갖는다.

4주 4일

3 다음 중 진화론의 한계에 해당하는 것을 모두 고르시오.

(가) 단기적인 사회 변동 과정을 설명하기 어렵다.
(나) 모든 사회가 같은 방향으로 변동하는 것은 아니다.
(다) 현대 사회가 과거 사회보다 모든 면에서 발전했다고 볼 수는 없다.
(라) 사회 변동을 예측하고 대응하기에 적합하지 않다.

( )

진화론은 사회가 일정한 방향으로 발전한다고 생각하는 이론이야. 진화론의 관점에서는 사회는 절대 퇴보하지 않아. 그렇기 때문에 미래 예측이 쉽지.

답 1. (1) 분화 (2) 발전 (3) 예측 2. 정당화 3. (나), (다)

4일 사회 변동 이론

키워드 #38 순환론

순환론은 사회를 생명을 가진 유기체로 봐.
그래서 사회도 성장하고, 쇠퇴하고,
해체되는 과정을 거친다고 생각해.

1 순환론❶

(1) **관점** 사회는 생명을 가진 유기체처럼 생성, 성장, 쇠퇴, 해체를 □□함.

(2) **특징** 사회는 특정한 방향성이 없이 발전과 퇴보를 반복함.

(3) **변동 방향**

- 사회는 진보의 과정을 거친 후에 필연적으로 퇴보하는 순환적인 변동을 반복함.
- 문명의 변동 과정은 특정 기간을 주기로 유사한 문명의 특성이 순환한다고 봄 ➡ 현대 사회가 과거 사회보다 모든 면에서 우월하다고 보지 않음.

(4) **장점** 역사 속에서 반복되는 사회 변동을 설명하고 해석하는 데 유용함.

(5) **한계**

- 앞으로의 사회 변동을 예측하고 대응하기에 적합하지 않음. ➡ 사회 구조가 어떠한 이유로 변하는지, 현대 사회가 순환 과정에서 어디에 위치하는지 설명하지 못하므로 변동 방향에 대한 예측에 한계가 있음.
- 순환은 장기적인 역사의 과정에서 일어나므로 중·단기적인 사회 변동 과정을 설명하는 데 부족함.
- 사회 변동을 □□으로 여겨 이에 대응하는 인간의 노력을 과소평가함.

답 반복, 숙명

❶ 순환론

순환론은 사회가 일정 수준 성장한 이후에는 쇠퇴하는 움직임을 보일 것이라고 생각한다.

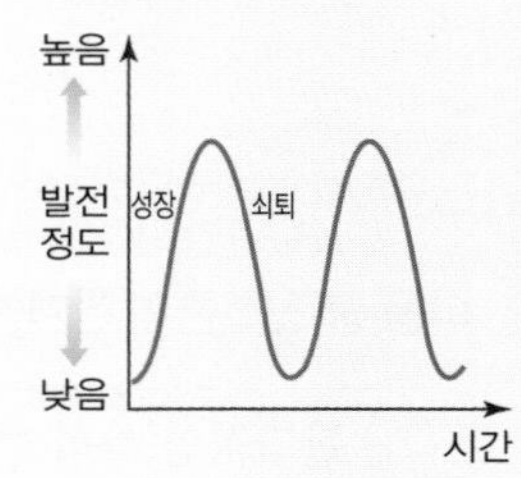

개념 확인

1 **괄호 안의 내용 중 옳은 것에 ◯표 하시오.**

(1) 순환론은 현대 사회가 과거 사회보다 모든 면에서 (우월하다, 열악하다)고 보지 않는다.

(2) 순환은 (장기적인, 단기적인) 역사의 과정에서 일어난다.

(3) 순환론은 사회 변동을 숙명으로 여겨 이에 대응하는 인간의 노력을 (과소평가, 과대평가) 하였다.

2 **다음 글에서 나타난 사회 변동의 방향을 설명하는 이론을 쓰시오.**

파레토는 엘리트를 사자형과 여우형으로 나누었다. 사자형 엘리트는 충성심과 힘을 강조하고, 여우형 엘리트는 말과 조작, 혁신을 강조한다. 사자형이 권력을 장악하면 권력을 유지하기 위해 여우형 엘리트를 기용할 수밖에 없고 점차 여우형이 사자형을 대체한다. 피지배층으로 전락한 사자형의 불만이 커지고, 결국 반란을 일으켜 여우형을 축출하고 권력을 장악한다.

사회 변동의 방향을 설명하는 이론의 특징을 알아야 해.

3 **순환론의 장점과 단점을 구분하시오.**

① 미래 사회의 변동을 예측하고 대응하는 데 적합하지 않음.
② 사회 변동을 숙명으로 여겨 이에 대응하는 인간의 노력을 과소평가함.
③ 지난 역사 속에서 반복되는 사회 변동을 설명하고 해석하는 데 유용함.
④ 순환은 장기적인 역사의 과정에서 일어나므로 중·단기적인 사회 변동을 설명하기 어려움.

(1) 장점 : ________________ (2) 단점 : ________________

답 1. (1) 우월하다 (2) 장기적인 (3) 과소평가 2. 순환론 3. (1) ③ (2) ①, ②, ④

4일 사회 변동 이론

| 수능 기출 |

1 (가), (나)에 대한 설명으로 가장 적절한 것은? (단, (가)와 (나)는 각각 진화론과 순환론 중 하나이다.)

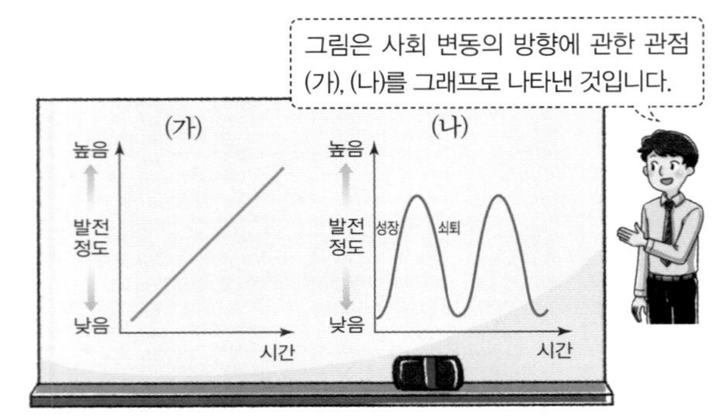

① (가)는 사회 변동이 항상 진보를 의미하지는 않는다는 점을 간과한다.
② (나)는 사회가 이전보다 복잡하고 분화된 모습으로 변동한다고 본다.
③ (가)는 (나)와 달리 미래의 사회 변동에 대한 역동적 대응이 곤란하다는 비판을 받는다.
④ (나)는 (가)와 달리 사회 변동을 긍정적으로 본다.
⑤ (가), (나) 모두 특정 국가의 지속적인 저발전 상태를 설명하는 데 적합하다.

| 모평 기출 |

2 사회 변동 이론 A, B에 대한 옳은 설명만을 〈보기〉에서 고른 것은? (단, A, B는 각각 순환론과 진화론 중 하나이다.)

질문 \ 이론	A	B
사회는 생성과 몰락의 과정을 반복하는가?	예	아니요
사회 변동은 일정한 방향을 가지고 있는가?	㉠	㉡
(가)	아니요	예

보기
ㄱ. A는 B와 달리 사회 변동을 긍정적으로 바라본다.
ㄴ. B는 A와 달리 미래의 사회 변동에 대한 역동적 대응이 곤란하다는 비판을 받는다.
ㄷ. ㉠은 '아니요', ㉡은 '예'이다.
ㄹ. (가)에는 '서구 중심적 사고라는 비판을 받는가?'가 들어갈 수 있다.

① ㄱ, ㄴ ② ㄱ, ㄷ ③ ㄴ, ㄷ ④ ㄴ, ㄹ ⑤ ㄷ, ㄹ

| 학평 기출 |

3 사회 변동을 바라보는 관점 (가), (나)에 대한 옳은 설명을 〈보기〉에서 고른 것은? (단, (가), (나)는 각각 순환론, 진화론 중 하나이다.)

(가) 인류 문명의 발전 속도는 지역에 따라 다르게 나타난다. 그렇지만 문명이 단순한 것에서 분화된 것으로, 미신적인 것에서 합리적인 것으로, 낡은 것에서 새로운 것으로 발전하는 경향은 일반적으로 나타난다.
(나) 인류 문명은 일정한 시간 동안에는 정해진 방향을 향해 나아가는 것 같지만 곧 한계에 부딪히게 되고, 문명에 내재한 힘을 따라 다시 반대 방향을 향해 움직이게 된다. 그러나 반대 방향의 움직임 역시 오래가지 못하고 문명은 다시 본래의 방향을 향하게 된다.

보기
ㄱ. (가)는 (나)와 달리 사회 변동을 동일한 과정의 주기적 반복으로 설명한다.
ㄴ. (나)는 (가)와 달리 사회가 항상 진보하는 것은 아니라고 본다.
ㄷ. (가)는 (나)에 비해 개발 도상국의 서구식 근대화 과정을 설명하기에 적합하다.
ㄹ. (나)는 (가)에 비해 변동 방향을 예측하여 대응하기에 적합하다.

① ㄱ, ㄴ ② ㄱ, ㄷ ③ ㄴ, ㄷ
④ ㄴ, ㄹ ⑤ ㄷ, ㄹ

정답과 해설 20쪽

| 수능 기출 |

4 **다음 자료에 대한 옳은 설명만을 〈보기〉에서 고른 것은?**

> 교사 사회 변동의 방향을 바라보는 관점에는 A, B가 있습니다. 이에 대하여 발표해 보세요.
> 갑 A는 사회 변동이 항상 발전을 의미하지는 않는다는 점을 간과합니다.
> 을 B는 서구 사회가 진보된 사회임을 전제합니다.
> 병 (가)
> 정 B는 미래 사회의 변동 방향에 대한 예측에 한계가 있습니다.
> 교사 한 사람을 제외하고 모두 옳게 발표했네요.

보기
ㄱ. A는 사회 변동 과정에서 나타나는 사회의 쇠락을 설명하기가 용이하다.
ㄴ. B는 운명론적 관점에서 사회 변동을 설명한다.
ㄷ. A는 B와 달리 사회 변동의 유형이 사회마다 다르다고 본다.
ㄹ. (가)에는 'A는 사회가 미분화된 상태에서 분화된 상태로 변동한다고 봅니다.'가 들어갈 수 있다.

① ㄱ, ㄴ ② ㄱ, ㄷ ③ ㄴ, ㄷ ④ ㄴ, ㄹ ⑤ ㄷ, ㄹ

| 학평 기출 |

5 **다음 대화에서 사회 변동의 방향을 보는 관점 A에 대한 설명으로 옳은 것은?**

A에 따르면 사회가 항상 발전하는 것만은 아니야.
맞아. 달도 차면 기울듯이 사회도 시간에 따라 흥망성쇠를 거듭한다고 보는 것이 A의 입장이야.

① 사회 변동을 사회 발전과 동일시한다.
② 사회 변동을 미시적 관점에서 이해한다.
③ 사회 변동을 생물 유기체의 진화 과정에 비유한다.
④ 서구 제국주의 역사를 정당화하는 수단으로 활용된다.
⑤ 지난 역사 속에서 반복된 사회 변동을 설명하기에 유용하다.

| 학평 기출 |

6 **사회 변동의 방향을 바라보는 관점 A, B에 대한 설명으로 옳은 것은?**

> A는 사회가 생성, 성장, 쇠퇴, 소멸의 과정을 끊임없이 반복하면서 변동한다고 본다. 이와 달리 B는 사회가 점진적으로 단순·미분화된 상태에서 복잡·분화된 상태로 변동한다고 본다.

① A는 서구 중심적 사고라는 비판을 받는다.
② B는 사회마다 사회 변동의 방향이 다르다고 본다.
③ A와 달리 B는 사회 변동을 진보와 발전으로 이해한다.
④ B보다 A가 미래의 사회 변동 방향을 예측하는 데 유리하다.
⑤ B보다 A가 개발도상국의 근대화 과정을 설명하는 데 적합하다.

| 학평 기출 |

7 **다음 글에 나타난 사회 변동의 방향을 보는 관점에 대한 설명으로 가장 적절한 것은?**

> 인류 역사에서 문명의 성쇠는 '도전'에 성공적으로 '응전'하는지에 따라 결정된다. 예를 들어, 열악한 자연환경, 외부의 위협 등과 같은 지속적인 도전들에 엘리트가 성공적으로 대응하면 문명이 탄생하고 성장한다. 하지만 도전에 더는 적절하게 대응하지 못하면 문명은 붕괴되거나 해체된다. 이러한 상황에서 내·외적 문제를 창조적으로 해결하며 지도력을 얻은 세력이 주도하는 새로운 문명이 출현하는데, 이 역시 이전 문명들과 같이 흥망성쇠의 과정을 거친다.

① 사회 변동을 유기체의 진화 과정에 비유한다.
② 사회가 단선적이고 표준화된 경로를 따라 발전한다고 본다.
③ 제3 세계 국가들의 지속적인 저발전 상태를 설명하고자 한다.
④ 서구 제국주의를 정당화하는 논리가 될 수 있다는 비판을 받는다.
⑤ 사회 변동이 항상 발전을 의미하지는 않으며 사회가 퇴보할 수도 있다고 본다.

저출산 · 고령화 및 정보화

키워드 #39 저출산 · 고령화

할아버지,
이게 뭐예요?
전체 인구 중 노인 인구의
비율과 합계 출산율을
나타낸 그래프란다.
이 그래프를 통해서
우리나라에 저출산과 고령화
현상이 나타나고 있다는 걸
알 수 있지.
(명)
4.53
(%)
13.2
1.24
3.1
1970 1975 1980 1985 1990 1995 2000 2005 2010 2015(년)
합계 출산율(명)
65세 이상 인구 비율(%)
• 합계 출산율: 가임기(15~49세) 여성 1명당 평균 출생아 수
(통계청, 2016)

1 저출산 · 고령화

구분	저출산	고령화
의미	출산율이 적정 수준보다 낮은 현상	전체 인구에서 노인 인구가 차지하는 비율이 증가하는 현상
원인	• 가치관의 변화 • 자녀 양육에 따른 경제적 부담 증가 • 여성의 사회 진출 증가 등	• □□ □□의 향상 • 의료 기술의 발전에 따른 기대 수명 증가 • 저출산 현상 등

2 영향 및 대응 방안

(1) 영향

- 생산 가능 인구의 감소에 따른 노동력 부족 및 소비 위축 → 경제 성장 둔화
- 부양 인구 감소로 인한 사회 복지 지출 부담 증가 → 세대 간 갈등 유발
- 노후 소득 감소로 인한 노인 빈곤 문제

(2) 대응 방안

구분	저출산	고령화
제도적 대응 방안	출산·양육에 대한 사회적 책임 강화, 일·가정 양립을 위한 제도적 지원 강화	노인의 재취업 기회 확대, 노후 소득 보장을 위한 연금 제도 개선, 고령화에 따른 □□ □□ 개편, 외국인 노동자 수용 확대 등
개인적 대응 방안	• 출산과 양육의 중요성을 인식 • 육아에 대한 책임이 부부 모두에게 있음을 인식	젊은 시절부터 노후를 대비할 수 있는 대책을 마련

답 생활 수준, 산업 구조

개념 확인

1 □ 안에 들어갈 알맞은 현상을 쓰시오.

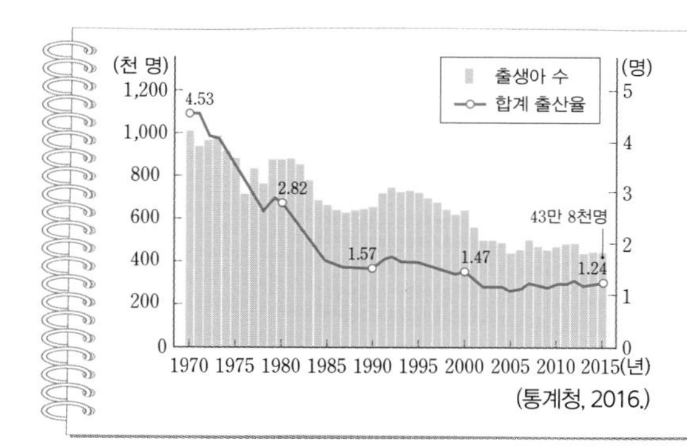

(통계청, 2016.)

결혼이나 자녀에 관한 가치관이 변하면서 예전과 달리 결혼하지 않으려고 하거나 출산을 기피하는 경향 등이 나타나며 □□□ 현상이 심화하고 있다.

저출산·고령화 문제는 그래프나 표로 자주 출제되니까 다양한 자료에 익숙해져야 해.

2 □ 안에 들어갈 알맞은 말을 쓰시오.

우리나라는 다른 국가에 비해 급속하게 고령화가 진행되고 있다. 고령화는 저출산과 연계되어 있다는 점에서 출산 장려 정책이 필요하다. 국공립 어린이집 확대, 출산 보조금 지원 등과 같은 제도를 통해 교육과 보육 환경을 개선하고, 일과 가정 일을 병행할 수 있는 제도와 사회적 인식 개선이 필요하다. 더불어 노인 세대의 □□□ 기회를 확대하는 방안을 마련하고, 기초 연금이나 노인 장기 요양 보험 등과 같은 노후 생활과 관련된 제도를 잘 관리하고 유지해야 한다.

고령화율은 전체 인구에서 노인 인구(65세 이상)가 차지하는 비율이다. 우리나라는 2026년에는 초고령 사회로 진입하고, 2050년에는 노인 인구가 전체 인구의 37%에 이를 것으로 예상된다.

구분	고령화율
고령화 사회	7% 이상 14% 미만
고령 사회	14% 이상 20% 미만
초고령 사회	20% 이상

3 괄호 안의 내용 중 옳은 것에 ○표 하시오.

(1) 저출산·고령화 현상을 해결하기 위해 출산, 양육에 대한 (개인적, 사회적) 책임을 강화해야 한다.

(2) 저출산·고령화 현상을 해결하기 위해 노후 소득을 보장하기 위한 (보험, 연금) 제도를 개선해야 한다.

(3) 외국인 노동자의 수용을 (축소, 확대)하여 노동력 문제를 해결해야 한다.

답 1. 저출산 2. 재취업 3. (1) 사회적 (2) 연금 (3) 확대

4주 5일

일

저출산 · 고령화 및 정보화

키워드 #40 정보화

1 정보화의 의미와 변화 양상

의미	지식과 정보가 사회 활동 전반에서 차지하는 비중이 커지는 현상
변화 양상	• 뉴 미디어의 등장: 쌍방향적인 정보 전달 가능, 대중의 ☐☐☐인 참여 • 산업 구조의 변화: 다품종 소량 생산, 경제 활동의 양상 변화 • 비대면 접촉 증가: 온라인 네트워크에 의한 의사소통 증대, 사이버 공동체 형성 • 정치 참여의 활성화: 사이버 공론장 활성화, 전자 투표 확대

2 정보화의 문제점과 대응 방안

문제점	• 정보의 오남용: 질이 낮은 정보, 정확하지 않은 정보로 인한 폐해 증가 • 사이버 범죄: 개인 정보 유출, 해킹, 악성 루머 유포, 저작권 침해 등 • 정보 격차: 정보 접근 능력에 따라 경제적·사회적 격차가 심화 • 정보 통제와 감시: 권력자가 정보를 통제하거나 시민을 감시할 수 있음. • 인간 소외: ☐☐☐을 매개로 한 형식적이고 피상적 인간관계가 확산
개인적 대응 방안	• 정보 윤리 ❶ 의식 준수, 정보 사회에 필요한 다양한 지식과 능력 습득 • 자신에게 필요한 정보를 비판적으로 수용할 수 있는 능력 함양
사회적 대응 방안	• 사이버 범죄, 사생활 침해, 저작권 침해 등을 방지할 수 있는 법, 제도 정비 • 정보 소외 계층이 정보에 쉽게 접근할 수 있도록 정보 기기 지원, 정보 통신 교육 실시, 정보 인프라 ❷ 구축 등 여건 마련

답 적극적, 인터넷

❶ **정보 윤리**
정보 사회의 구성원으로서 지켜야 할 올바른 가치관과 행동 양식을 말한다.

정보 윤리의 기본원칙
• 자신과 타인에 대한 '존중' • 자신의 행동에 대한 '책임' • 타인의 권리를 침해하지 않고 정보의 진실성과 공정성을 추구하는 '정의' • 타인에 대한 '해악 금지'

❷ **정보 인프라**
초고속 통신망, 대용량 자료 처리 장치 등 정보 산업을 유지하기 위한 기반 시설을 말한다.

개념 확인

1 **빈칸에 들어갈 말을 〈보기〉에서 골라 쓰시오.**

> 보기
> 단방향적, 비대면, 쌍방향적, 의견, 의사소통, 정보

(1) 뉴 미디어의 등장은 (   )인 정보 전달을 가능하게 만들었다.
(2) 온라인 네트워크에 의한 (   )이/가 활발해졌다.
(3) 산업 구조가 변화하여 (   ) 관련 서비스업이 발달하였다.

2 **A에 들어갈 알맞은 말을 쓰시오.**

산업 사회	[A] 사회
직장인 갑은 매일 아침 9시부터 오후 6시까지 자동차 제조 공장에서 일을 한다. 출근 후 업무 지시를 받아 하루 종일 컨베이어 벨트에 실려 오는 자동차에 타이어를 장착하는 일을 수행한다.	직장인 을은 출근하지 않고 집에서 컴퓨터로 회사의 업무를 본다. 인터넷을 통해 직장 동료 및 협력 업체와 협의하며, 팀장 또는 CEO에게 직접 보고를 하는 등 다양한 업무를 처리한다.

농업 사회, 산업 사회, 정보 사회를 비교하는 문제가 자주 출제되고 있어.

4주 5일

3 **다음 예시에 해당하는 특성에 ✔표 하시오.**

(1) 인터넷을 매개로 한 형식적이고 피상적인 인간관계가 확산된다.
□ 정보의 오남용　　□ 사이버 범죄　　□ 인간 소외
(2) 정확하지 않은 정보로 인한 폐해가 증가한다.
□ 정보 격차　　□ 정보의 오남용　　□ 정보 통제와 감시
(3) 개인 정보 유출, 해킹 등 피해가 발생한다.
□ 사이버 범죄　　□ 인간 소외　　□ 정보 격차

답 1. (1) 쌍방향적 (2) 의사소통 (3) 정보　2. 정보　3. (1) 인간 소외 (2) 정보의 오남용 (3) 사이버 범죄

저출산 · 고령화 및 정보화

| 학평 기출 |

1 표는 A 국의 연령별 인구 구성비 변화를 예측한 것이다. 이에 대한 옳은 분석 및 추론만을 〈보기〉에서 있는 대로 고른 것은?

(단위: %)

구분	2010년	2015년	2020년	2025년
0~14세 인구	21.1	16.2	13.2	10.1
15~64세 인구	71.1	71.1	70.8	68.9
65세 이상 인구	7.8	12.7	16.0	21.0

보기

ㄱ. 정부는 출산 장려 정책을 마련할 것이다.
ㄴ. 노인의 경제적 자립을 지원하기 위한 정책이 확대될 것이다.
ㄷ. 2010년과 2015년의 15~64세 인구수는 같다.
ㄹ. 15~64세 인구가 65세 이상 인구를 부양하는 부담이 증가할 것이다.

① ㄱ, ㄴ ② ㄱ, ㄷ ③ ㄷ, ㄹ
④ ㄱ, ㄴ, ㄹ ⑤ ㄴ,ㄷ, ㄹ

| 학평 기출 |

2 표는 갑국의 유소년 인구와 노년 인구 비율의 변화를 나타낸 것이다. 이에 대한 옳은 분석을 〈보기〉에서 고른 것은? (단, 갑국의 인구는 변동이 없다.)

구분	1998년	2008년	2018년
유소년(0~14세) 인구 비율(%)	20	15	10
노년(65세 이상) 인구 비율(%)	10	20	30

* 유소년 부양비 = $\frac{\text{0~14세 인구}}{\text{15~64세 인구}} \times 100$
* 노년 부양비 = $\frac{\text{65세 이상 인구}}{\text{15~64세 인구}} \times 100$

보기

ㄱ. 1998년 유소년 부양비는 노년 부양비의 2배이다.
ㄴ. 1998년 유소년 인구가 15~64세 인구보다 많다.
ㄷ. 1998년에 비해 2018년의 15~64세 인구는 감소했다.
ㄹ. 2008년 대비 2018년의 65세 이상 인구 증가율은 10%이다.

① ㄱ, ㄴ ② ㄱ, ㄷ ③ ㄴ, ㄷ
④ ㄴ, ㄹ ⑤ ㄷ, ㄹ

| 수능 기출 |

3 다음 A~C에 대한 옳은 설명을 〈보기〉에서 고른 것은? (단, A~C는 각각 농업 사회, 산업 사회, 정보 사회 중 하나이다.)

구분	사회의 특징
A	1차 산업을 기반으로 하여, 혈연과 자연으로 맺어진 공동체 구성원 간의 전인적인 관계가 지배적이다.
B	정보와 지식이 중요한 자원으로 인식되고, 인간의 주요 활동이 디지털 기술을 기반으로 이루어진다.
C	기술과 조직의 합리성 원리를 도입하여 대량 생산과 대량 소비의 경제 체제가 중심이 된다.

보기

ㄱ. 사회적 관계를 맺는 공간적 제약은 A가 B보다 크다.
ㄴ. 비대면 접촉에 의한 상호 작용 정도는 A가 C보다 작다.
ㄷ. 정보의 생산자와 소비자 간 경계는 B가 C보다 분명하다.
ㄹ. 가정과 일터의 분리 정도는 C가 B보다 작다.

① ㄱ, ㄴ ② ㄱ, ㄷ ③ ㄴ, ㄷ
④ ㄴ, ㄹ ⑤ ㄷ, ㄹ

| 모평 기출 |

4 다음 글에서 부각된 정보 사회의 특징으로 가장 적절한 것은?

온라인 백과사전 ◇◇는 처음부터 반상업주의를 천명하였으며 비영리로 운영되고 있다. ◇◇에서는 누구든지 내용을 작성할 수 있지만, 아무도 중앙 집권적인 편집권을 갖지 못한다. 누구나 그것에 접근할 수 있으며, 어떤 내용도 작성자에게 귀속되지 않는다. 전 세계 수많은 일반 사용자들이 작성과 편집에 관한 기준을 만들며, 정보의 지속적인 확인과 즉각적인 수정을 통해 비교적 높은 수준의 정확성을 유지하고 있다. ◇◇는 사이버 공간 속 집단 지성의 산물이다.

① 사생활 침해가 늘어난다.
② 피상적 인간관계가 줄어든다.
③ 지식과 정보의 공유가 활발해진다.
④ 전문가 집단의 영향력이 강화된다.
⑤ 정보의 생산자와 소비자가 분리된다.

정답과 해설 21쪽

| 학평 기출 |

5 자료와 같은 환경이 구축될 경우 나타날 수 있는 현상에 대한 적절한 추론만을 〈보기〉에서 있는 대로 고른 것은?

사물인터넷(IOT)은 인터넷을 기반으로 모든 사물을 연결하여 사람과 사물, 사물과 사물 간의 정보를 상호 소통하는 지능형 기술 및 서비스를 말한다. 사물인터넷의 결과물은 빅데이터로 축적되어 여러 분야에 이용된다.

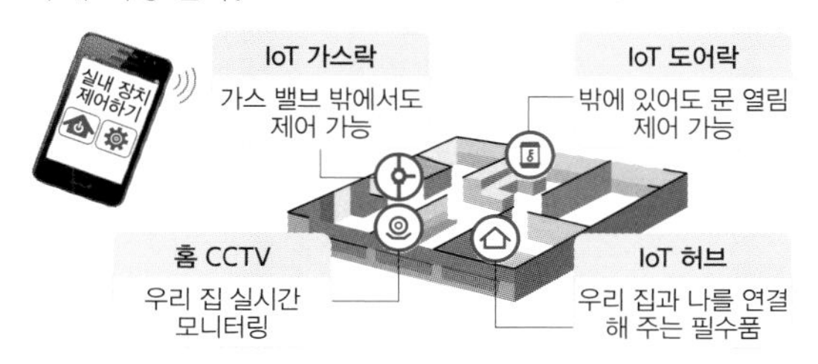

보기

ㄱ. 생활의 시공간적 제약이 증가할 것이다.
ㄴ. 생활의 편리성과 효율성이 향상될 것이다.
ㄷ. 빅데이터를 이용한 정보 통제와 감시가 증가할 것이다.
ㄹ. 개인 정보 유출로 인한 사생활 침해 문제가 증가할 것이다.

① ㄱ, ㄴ ② ㄱ, ㄷ ③ ㄷ, ㄹ
④ ㄱ, ㄴ, ㄹ ⑤ ㄴ, ㄷ, ㄹ

| 학평 기출 |

6 다음 글에 나타난 정책의 기대 효과로 가장 적절한 것은?

갑국에서는 통신 사업자가 초고속 인터넷을 기본적으로 통신 서비스로 제공하도록 하는 법 개정을 준비하고 있다. 오늘날 일상생활에서 초고속 인터넷은 정보 획득, 금융 거래 등을 위한 필수 요건이지만 농어촌 거주자가 초고속 인터넷 설치를 요청해도 통신 사업자는 낮은 수익성을 이유로 거절하는 경우가 많았다. 하지만 법이 개정되면 통신 사업자는 소비자의 요청을 거절할 수 없으며 이를 통해 갑국의 네트워크 인프라가 확충될 것으로 보인다.

① 지역 간 정보 접근 격차가 완화될 것이다.
② 유해 정보 차단을 위한 제도적 장치가 확충될 것이다.
③ 정보 기기에 과도하게 의존하는 문제가 감소할 것이다.
④ 인터넷 윤리 의식의 확산으로 사이버 폭력이 감소할 것이다.
⑤ 개인 정보 유출 및 사생활 침해에 대한 처벌이 강화될 것이다.

| 학평 기출 |

7 밑줄 친 ㉠~㉤ 중 옳지 않은 것은?

〈수행 평가 보고서〉

1학년 △반 이름: ○○○

◎ 조사 주제: 정보화에 따른 문제점과 해결 방안

구분	문제점	해결 방안
인터넷 중독	대면적 인간관계의 약화로 일상생활에 지장 발생	㉠ 정보 통신 서비스의 접근성 향상
사생활 침해	폐쇄 회로 텔레비전(CCTV)과 ㉡ 휴대 전화 위치 추적 등을 통한 감시나 통제 가능	㉢ 개인 정보 보호법 등 법률 정비 및 강화
사이버 범죄	㉣ 해킹, 프로그램 불법 복제, 사이버 폭력, 전자 상거래 사기 등	㉤ 정보 통신 윤리 교육 강화

① ㉠ ② ㉡ ③ ㉢ ④ ㉣ ⑤ ㉤

4주 5일

누구나 100점 테스트

1 다음 사례에서 찾을 수 있는 문화 변동의 요인과 양상을 〈보기〉에서 고른 것은?

> 아프리카 부족의 젊은이들 사이에서는 요즘 서구식 패션이 유행이다. 선교를 위해 온 목사님을 통해 서양의 옷과 음식, 노래 등을 접하게 되면서 그들의 전통문화에 많은 변화가 일어났다. 이러다가 고유의 문화가 사라지는 것은 아닌지 염려한 마을의 어르신들은 서양에서 건너온 옷에서 아이디어를 얻어 부족 고유의 의상을 제작하였다.

보기

ㄱ. 발견　　ㄴ. 직접 전파
ㄷ. 자극 전파　　ㄹ. 간접 전파
ㅁ. 외재적 변동　　ㅂ. 강제적 문화 접변

① ㄱ, ㄴ, ㄷ　② ㄱ, ㄹ, ㅁ　③ ㄴ, ㄷ, ㅁ
④ ㄴ, ㄹ, ㅂ　⑤ ㄷ, ㄹ, ㅂ

2 다음 글에 나타난 문제점으로 가장 적절한 것은?

> 스마트폰의 대중화가 급속히 이루어지면서 누리 소통망(SNS)을 활용하는 인구가 급증하였다. SNS는 주변 사람에게 자신의 근황이나 감정 상태를 전달하는 데 유용한 수단이지만, 근거 없는 험담이 확산하는 사례가 늘어나고 있다. 더욱이 이를 규제할 도덕적 규범의 통제력이 약하여, 이로 인한 문제가 심각해지고 있다.

① 자기 문화 고유의 정체성이 약화되었다.
② 다른 문화와의 집단 간 교류가 줄어들었다.
③ 세대 간 규범에 대한 인식 차이가 심화되었다.
④ 문화 간 충돌로 인해 사회적 갈등이 증대되었다.
⑤ 급속한 사회 변동으로 인한 아노미 현상이 발생하였다.

3 사회 불평등 현상을 설명하는 개념인 ㉠과 ㉡에 대한 설명으로 옳은 것을 〈보기〉에서 고른 것은?

> 사회 불평등 현상을 설명하는 개념으로 [㉠]와/과 [㉡]이/가 있다. [㉡]와/과 달리 [㉠]은/는 사회 불평등이 경제적 자원의 보유 여부에 따라 결정된다고 본다.

보기

ㄱ. ㉠은 다양한 요인에 의해 사회 불평등이 나타난다고 본다.
ㄴ. ㉡은 지위 불일치 현상을 설명하기에 적합하다.
ㄷ. ㉡은 이분법적, 불연속적으로 사회 불평등을 인식한다.
ㄹ. ㉡은 ㉠과 비교해 위계의 구분 기준이 다양하다고 본다.

① ㄱ, ㄴ　② ㄱ, ㄷ　③ ㄴ, ㄷ
④ ㄴ, ㄹ　⑤ ㄷ, ㄹ

4 표는 갑국의 빈곤율을 나타낸 것이다. 이에 대한 옳은 분석을 〈보기〉에서 고른 것은? (단, 갑국 모든 가구의 구성원 수는 동일하다.)

(단위: %)

구분	2005년	2010년	2015년
상대적 빈곤율	5	7	10
절대적 빈곤율	9	7	5

보기

ㄱ. 상대적 박탈감이 사회 문제가 될 수 있다.
ㄴ. 최저 생계비 기준 금액이 점차 낮아지고 있다.
ㄷ. 모든 연도에서 상대적 빈곤율이 절대적 빈곤율보다 높다.
ㄹ. 2015년에 절대적 빈곤 가구는 모두 상대적 빈곤 가구에 속한다.

① ㄱ, ㄴ　② ㄱ, ㄹ　③ ㄴ, ㄷ
④ ㄴ, ㄹ　⑤ ㄷ, ㄹ

정답과 해설 21쪽

5 우리나라 사회 보장 제도 A~C의 일반적 특징에 대한 설명으로 옳은 것은? (단, A~C는 각각 공공 부조, 사회 보험, 사회 서비스 중 하나이다.)

> 68세인 갑, 을, 병은 각각 자신에게 맞는 사회 보장 제도에 대한 정보를 관련 기관 누리집에서 찾아보았다.
> - 갑이 찾은 제도는 A의 하나로서, 생활이 어려운 사람에게 안정적인 소득 기반을 제공하여 생활 안정을 지원한다. 소득 인정액이 보건복지부 장관이 매년 결정·고시하는 선정 기준액 이하인 65세 이상의 자에 한하여 차등 지급한다.
> - 을이 찾은 제도는 B의 하나로서, 일상생활을 혼자서 수행하기 어려운 사람 등을 지원하여 건강 증진 및 생활 안정을 도모한다. 재원은 가입자가 납부하는 보험료, 국가와 지방 자치 단체 부담금으로 조달한다.
> - 병이 찾은 제도는 C의 하나로서, 식사, 세면, 옷 갈아입기, 구강 관리, 화장실 이용, 외출, 목욕 등의 신변 활동을 지원한다. 또한, 취사, 생활 필수품 구매, 청소, 세탁 등 일상생활을 지원한다.

① A는 사후 처방적 성격이 강하다.
② B는 대상자의 수혜 정도에 따른 비용 부담을 원칙으로 한다.
③ C는 강제 가입을 원칙으로 한다.
④ A는 B, C와 달리 소득 재분배 효과가 있다.
⑤ A, C는 B보다 수혜 대상자의 범위가 넓다.

6 사회 변동에 대한 관점 A, B에 대한 옳은 설명을 〈보기〉에서 고른 것은? (단, A, B는 각각 순환론, 진화론 중 하나이다.)

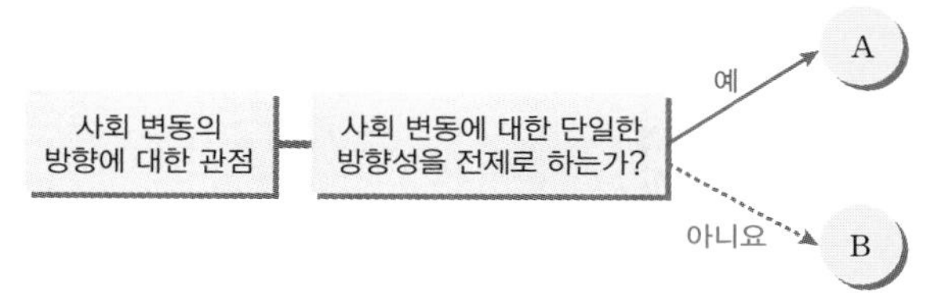

> 보기
> ㄱ. A는 사회가 일정한 방향성을 가지고 단계적으로 변동한다고 본다.
> ㄴ. B는 사회 변동을 통해 사회가 퇴보할 수 있다고 본다.
> ㄷ. A, B 모두 사회 변동을 비관적으로 바라본다.
> ㄹ. A는 B와 달리 사회 변동이 항상 발전을 의미하지는 않는다고 본다.

① ㄱ, ㄴ　② ㄱ, ㄷ　③ ㄴ, ㄷ
④ ㄴ, ㄹ　⑤ ㄷ, ㄹ

7 다음은 학생의 필기 내용이다. ㉠~㉤ 중 옳지 않은 것은?

> 〈고령화의 진행으로 예상되는 미래〉
> 1. 초고령 사회로의 진입 ········· ㉠
> 2. 노인 대상 산업의 성장 가능성 확대 ········· ㉡
> 3. 청장년층의 노인 인구 부양 부담 감소 ········· ㉢
> 4. 노인 인구를 대상으로 한 복지 지출 증가 ········· ㉣
> 5. 사회적 의사 결정 과정에서 노인층의 영향력 증대 ········· ㉤

① ㉠　② ㉡　③ ㉢　④ ㉣　⑤ ㉤

8 정보화로 나타날 수 있는 문제점과 그에 따른 대응 방안을 바르게 연결한 것은?

	문제점	대응 방안
①	정보 오남용	정보 인프라 확대
②	악성 루머 유포	정보 통신 교육 확대
③	정보 격차	처벌 조항 마련
④	권력자에 의한 정보의 통제와 감시	정부나 기업의 감시와 통제에 대한 감시망 구축
⑤	개인 정보 유출	해당 정보가 사실에 근거하고 있는지 파악

특강 창의 · 융합 · 코딩

1. 문화 변동

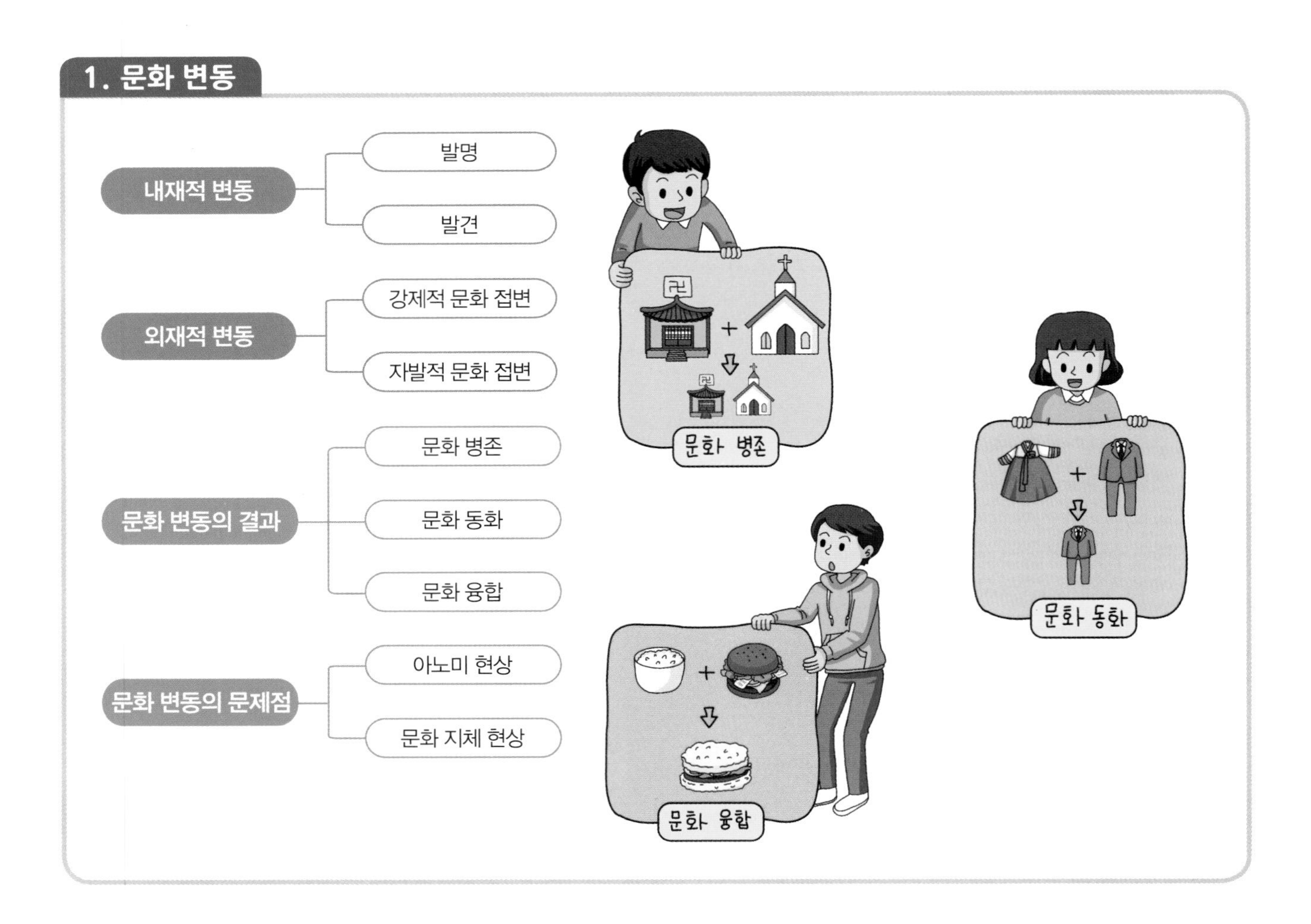

2. 계급론과 계층론

구분	항목	내용
계급론	기본 입장	경제적 요인을 기준으로 이분법적·불연속적으로 사람들의 위치를 구분한 개념
	특징	• 사회 구성원을 자본가와 노동자로 구분 • 같은 계급에 속하는 사람들끼리는 강한 연대 의식을 가짐. • 계층 간 수직 이동이 거의 제한적임. • 지위 불일치 현상을 설명할 수 없음.
계층론	기본 입장	여러 요인이 복합적으로 작용하여 연속적·서열적으로 계층이 범주화된 개념
	특징	• 사회 계층화 현상을 다원적인 측면에서 파악 → 다원화된 현대 사회를 설명하는 데 유리함. • 지위 불일치 현상을 설명할 수 있음. • 계층 간 수직 이동 가능

3. 사회 변동 이론

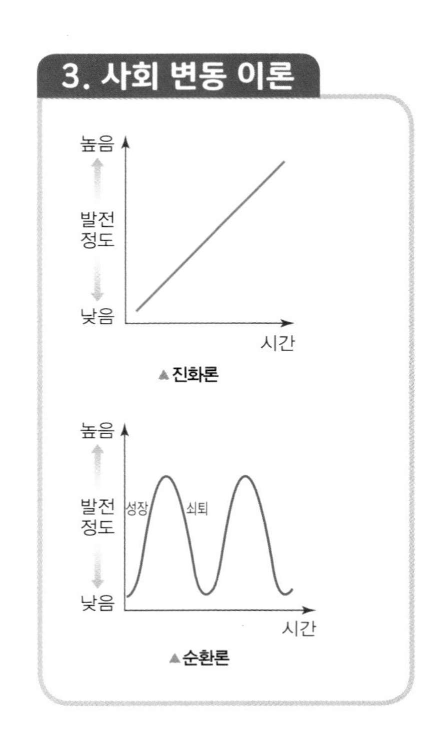

▲진화론

▲순환론

4. 사회 보장 제도

구분	공공 부조	사회 보험	사회 서비스
의미	저소득 계층의 최저 생활을 보장하고 자립을 지원하는 제도	사회적 위험을 보험의 방식으로 대처하여 국민의 건강과 소득을 보장하는 제도	도움이 필요한 모든 국민의 삶의 질이 향상되도록 지원하는 제도
특징	• 사후 처방적 성격 • 금전적·물질적 급여 제공 • 국가와 지방 자치 단체가 전액 부담 • 소득 재분배 효과 큼.	• 사전 예방적, 상호 부조적 성격 • 금전적 지원, 강제 가입이 원칙 • 개인, 정부, 기업이 공동 분담 • 위험 발생 시 보험 급여 지급 → 소득 재분배 효과	• 비금전적 지원이 원칙 → 자활 능력 함양 • 공공 부문뿐만 아니라 민간 부문에서도 함께 제공

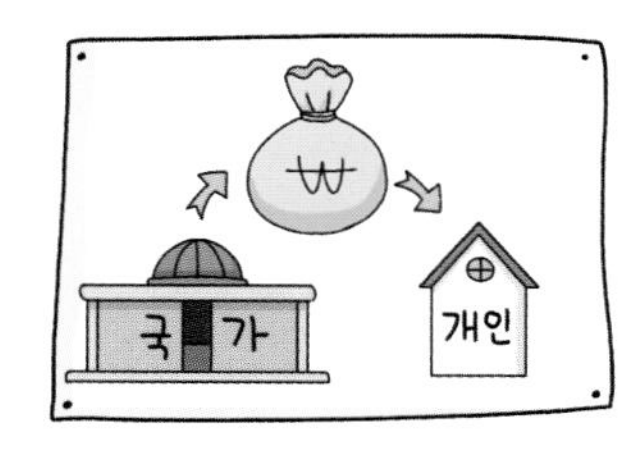

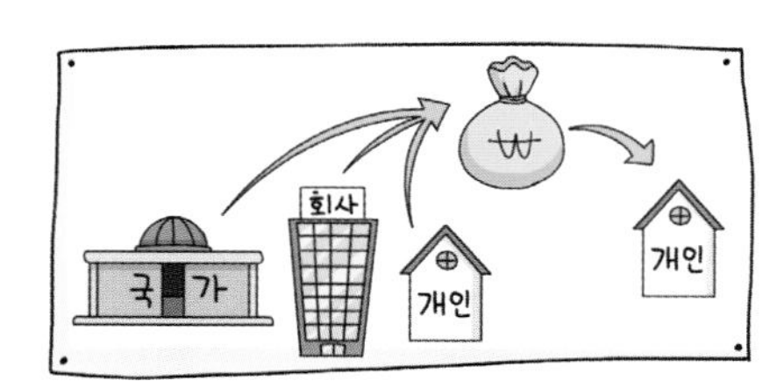

4주

5. 정보화

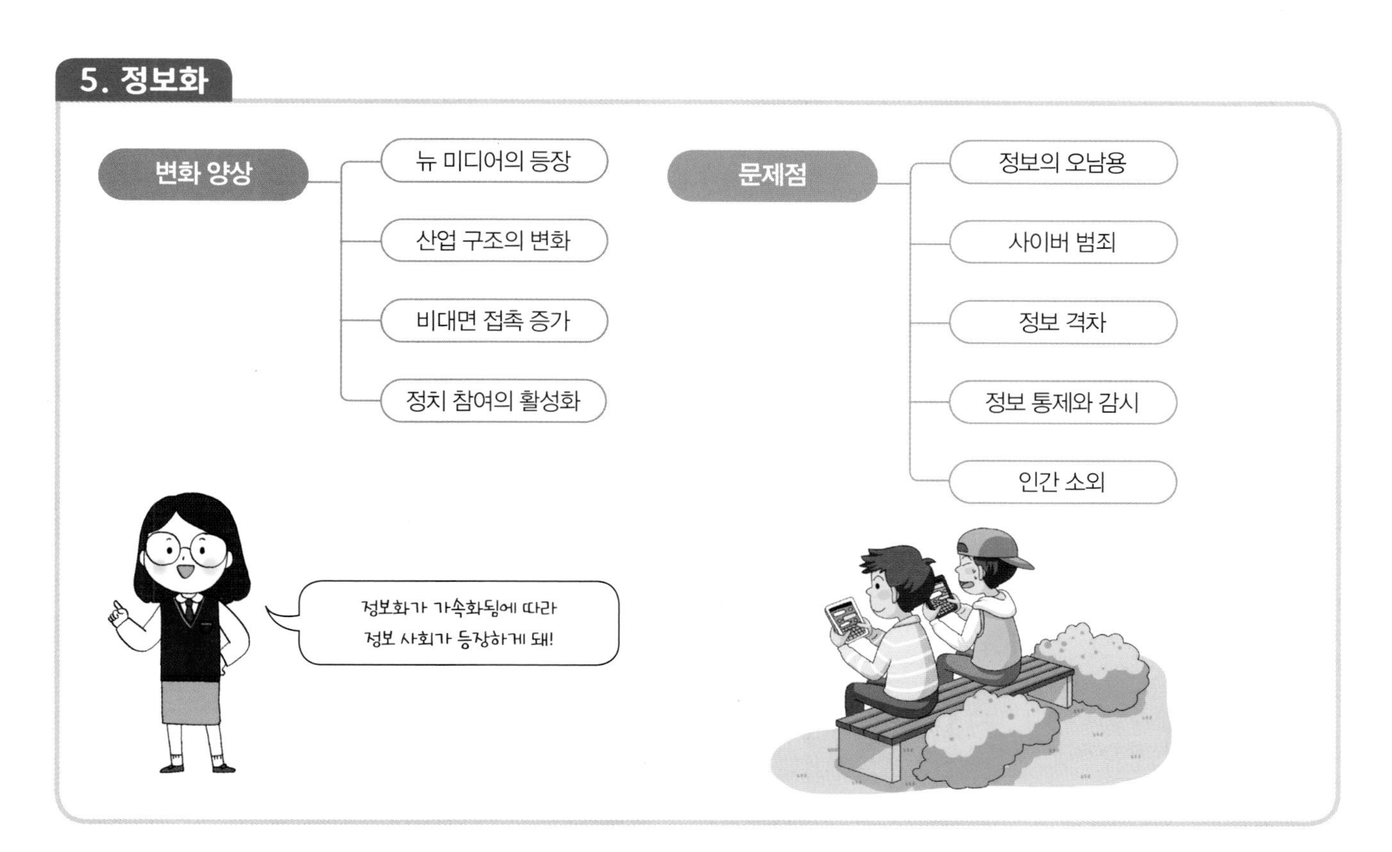

특강 창의·융합·코딩

빈출 자료 1 문화 변동의 결과

A는 자기 문화의 정체성이 유지되지 않는 것이므로 문화 동화이다.

- A~C는 각각 문화 융합, 문화 병존, 문화 동화 중 하나이다.
- A는 B, C와 달리 자기 문화의 정체성이 유지되지 않는다.
- B의 사례로 '우리나라에 전래된 불교에 전통 민간 신앙이 결합하여 절 내부에 칠성신을 모시는 칠성각이 자리 잡은 것'을 들 수 있다.

절 내부에 칠성신을 모시는 칠성각이 자리 잡고 있는 것은 우리나라에 전래된 문화와 전통 문화가 합쳐져 새로운 문화가 탄생한 것이므로 B는 문화 융합이다.

자료 분석

자료에서 A는 문화 동화, B는 문화 융합, C는 문화 병존에 해당한다.
문화 동화는 한 사회의 문화가 다른 사회의 문화로 흡수되거나 대체된 것을 말하며, 기존 문화의 정체성을 상실한다. 반면, 문화 융합과 문화 공존은 기존 문화의 정체성이 남아있다.

대표 예제와 기출 선택지

A~C에 대한 설명으로 옳은 것에 모두 ○표 하시오.

① 문화 변동의 결과가 A라면, 우리 문화의 정체성이 상실되었다. ( )
② A는 B와 달리 문화 접변 후에도 자문화 요소가 유지된다. ( )
③ A, B 모두 매개체에 의한 문화 전파의 결과로만 나타난다. ( )
④ 온돌 침대는 B의 사례이다. ( )
⑤ B와 C는 고유문화의 정체성이 남아 있다. ( )

문화 변동의 양상은 사례를 주고 가장 적절한 분석이나 옳은 설명을 고르는 문제가 주로 출제 되고 있어.

답 ①, ④, ⑤

빈출 자료 2 문화 변동의 요인과 양상

선교사가 전해주었으므로 직접 전파이다.

A 지역의 전통 장례 방식에서는 이웃들이 상가(喪家)에서 함께 밤샘을 한다. 상여를 옮길 때에는 여러 가지 놀이를 펼치는 '상여 놀이'를 행한다. 그런데 이 지역에 ㉠ 유럽의 선교사들에 의해 기독교와 함께 기독교식 장례 방식이 전파되면서 찬송과 예배로 장례 의식을 한 후 상여 놀이를 하며 상여를 옮기는 ㉡ 새로운 장례 방식이 생겨났다. 그 후 A 지역에서는 주민들 간에 ㉢ 장례 방식을 둘러싼 갈등이 자주 발생하였다.

기존의 전통 장례 방식과 기독교식 장례 방식이 합쳐져 새로운 문화가 나타난 문화 융합의 사례이다.

대표 예제와 기출 선택지

제시문에 드러난 문화 변동에 대한 설명으로 옳은 것에 모두 ○표 하시오.

① ㉠은 A 지역에 직접 전파된 문화 요소이다. ( )
② ㉠은 강제적 문화 접변을 통해 나타난 것이다. ( )
③ ㉡에는 A 지역의 문화 요소가 남아있지 않다. ( )
④ ㉢은 물질문화와 비물질문화의 변동 속도 차이 때문에 나타난 문제이다. ( )
⑤ A 지역에서는 외재적 요인에 의한 문화 변동이 나타났다. ( )

사례를 통해 문화 변동의 요인과 양상을 복합적으로 제시하기도 해. 그렇지만 옳은 설명을 골라야 한다는 건 똑같아!

답 ①, ⑤

빈출 자료 3 문화 변동의 문제점

우리나라의 스마트폰 보급률이 90%에 육박하면서 '스몸비(smombie)족'이 급증하고 있어 새로운 문제가 되고 있다. 스마트폰(smart phone)과 좀비(zombie)의 합성어인 스몸비(smombie)는 길을 걸으면서 스마트폰을 보느라 주위를 제대로 집중하지 않는 사람을 가리킨다. 최근 스몸비족이 증가하고 있음에도 이에 대한 제도 개선이 미흡하여 관련 교통사고가 증가하고 있다.

스마트폰 보급이 확대되고 있음에도 이에 대한 제도나 규범이 뒷받침되지 않아 교통사고가 증가하고 있다는 제시문의 내용을 통해 문화 지체 현상을 도출할 수 있다. 문화 지체 현상이란 물질문화의 빠른 변동 속도를 비물질문화가 따라가지 못하여 생기는 부조화 현상이다.

대표 예제와 기출 선택지

다음 글에 나타난 문제점에 대한 설명으로 옳은 것에 ○표 하시오.

① 자기 문화 고유의 정체성이 약화되었다. ( )
② 문화 변동이나 새로운 물질문화에 적합한 사회 규범, 제도 등을 확립하여 해결할 수 있다. ( )
③ 세대 간 규범에 대한 인식 차이가 심화되었다. ( )
④ 문화 간 충돌로 인해 사회적 갈등이 증대되었다. ( )
⑤ 급속한 사회 변동으로 인한 아노미 현상이 발생하였다. ( )

문화 변동의 문제점에서는 주로 문화 지체 현상이 출제되고 있어. 그렇지만 선택지로는 아노미 현상이나 집단 간 갈등, 문화 정체성의 혼란 등 다양한 문제점이 등장해.

답 ②

빈출 자료 4 계급론과 계층론

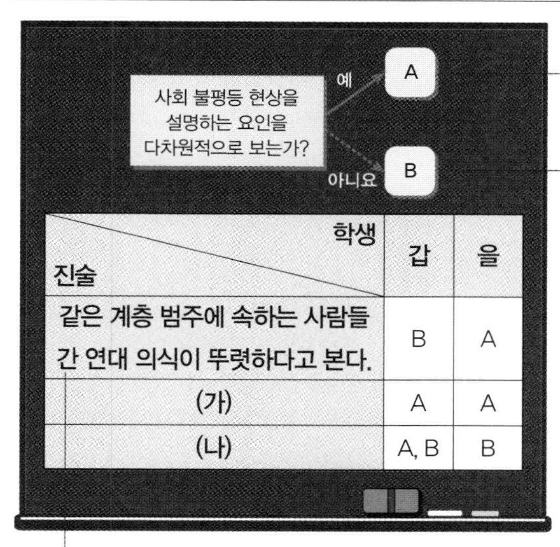

진술 \ 학생	갑	을
같은 계층 범주에 속하는 사람들 간 연대 의식이 뚜렷하다고 본다.	B	A
(가)	A	A
(나)	A, B	B

사회 불평등 현상을 설명하는 요인을 다차원적으로 본 이론은 계층론이다.

사회 불평등 현상을 경제적 요인만을 통해 설명하는 이론은 계급론이다.

표는 학생 갑, 을이 사회 불평등 현상을 설명하는 이론 A, B를 주어진 진술에 따라 구분한 것입니다. 모두 옳게 구분한 학생은 한 명이네요.

같은 계층 범주에 속하는 사람들 간의 연대 의식이 뚜렷하다고 생각하는 것은 계급론의 입장이다. 따라서 모두 옳게 구분한 학생은 갑이다.

대표 예제와 기출 선택지

자료에 대한 설명으로 옳은 것에 모두 ○표 하시오.

① A는 경제적 불평등이 정치적 불평등을 결정한다고 본다. ( )
② A는 B와 달리 지위 불일치 현상을 설명하기에 용이하다. ( )
③ B는 사회 계층화 현상의 원인을 단일 요인으로 설명한다. ( )
④ (가)에는 '계층을 연속적 위계 관계로 파악한다.'가 들어갈 수 있다. ( )
⑤ (나)에는 '경제적 요인을 사회 불평등 현상의 원인으로 고려한다.'가 들어갈 수 있다. ( )

계급론과 계층론을 비교하고, 두 이론에 관한 옳은 설명을 고르는 문제가 나와. 계급론과 계층론의 특징을 잘 기억해 둬야 해!

답 ②, ③, ④, ⑤

4주

빈출 자료 5 빈곤

- A는 인간이 기본적인 건강 및 체력을 유지하는 데 곤란한 상태로 대부분의 나라에서는 가구 소득이 최저 생계비 수준에 미치지 못하는 가구를 빈곤 가구로 파악한다.
  - 최소한의 생활을 유지하는 데 필요한 소득이 절대적으로 부족한 상태를 의미하므로 A는 절대적 빈곤이다.
- B는 한 사회의 일반적인 생활 수준에 미치지 못하는 경제적 결핍 상태로 대부분의 나라에서는 '중위 소득의 일정 비율'에 미달하는 가구를 빈곤 가구로 파악한다.
  - 소득이 상대적으로 적어 사회 구성원 대다수가 누리는 생활 수준을 누리지 못하는 상태를 의미하므로 B는 상대적 빈곤이다.

대표 예제와 기출 선택지

A, B에 대한 설명으로 옳은 것에 ○표 하시오.

① A는 B와 달리 해당 국가의 소득 분포를 고려하여 파악한다. ( )
② A는 소득 수준이 높은 국가에서는 나타나지 않는다. ( )
③ B는 A와 달리 빈곤 상태에 대한 개인의 주관적인 인식 개념이다. ( )
④ B는 상대적 박탈감과 동일한 의미로 사용된다. ( )
⑤ 현대 사회에서는 A, B 모두를 사회 문제로 인식한다. ( )

빈곤은 자료를 분석하는 문제로 자주 출제되지만, 절대적 빈곤과 상대적 빈곤에 대한 개념 문제도 꾸준히 출제되고 있어.

답 ⑤

빈출 자료 6 사회 보장 제도

제도	사례
(가)	소득, 건강, 주거, 사회적 접촉 등의 수준을 평가하여 선정된 65세 이상의 독거 노인에게 정기적인 안전 확인 및 정서적 지원, 보건 서비스 연계·조정, 생활 교육 지원 등을 하는 제도
(나)	사용자, 근로자 또는 자영업자 등이 공동으로 마련한 재원으로 노령에 따른 근로 소득 상실을 보전하기 위한 급여를 지급하는 제도
(다)	국가와 지방 자치 단체의 재정으로 65세 이상 노인 중 소득이 일정 수준 이하인 사람에게 생활 안정에 필요한 연금을 지급하는 제도

- (가): 직접적으로 노인에게 돌봄 서비스를 지원하고 있다. 따라서 (가)는 사회 서비스이다.
- (나): 사용자, 근로자 또는 자영업자 등이 공동으로 재원을 마련해 근로 소득 상실을 보전하기 위한 급여를 지급하는 것은 국민 연금 제도이다. 따라서 (나)는 사회 보험이다.
- (다): 국가와 지방 자치 단체가 전액을 부담하여 소득이 일정 수준 이하인 노인에게 생활 안정에 필요한 연금을 지급하는 것은 기초 연금 제도이다. 따라서 (다)는 공공 부조이다.

대표 예제와 기출 선택지

(가)~(다)에 대한 설명 중 옳은 것에 모두 ○표 하시오.

① (가)는 비금전적 지원이 원칙이다. ( )
② (가)와 (나)의 대상자는 상호 배타적이다. ( )
③ (나)는 (다)와 달리 상호 부조의 원리가 적용된다. ( )
④ (나)는 의무 가입이 원칙이다. ( )
⑤ (다)는 사전 예방적 성격이 강하다. ( )

사례를 통해 공공 부조, 사회 보험, 사회 서비스를 구분하고, 각각의 특징을 물어보는 문제가 주로 출제되고 있어.

답 ①, ③, ④

빈출 자료 7 진화론, 순환론

(가)는 인류 문명은 성장과 쇠퇴를 반복할 것이라고 보고 있다. 이는 순환론의 관점이다.

(가) 한 사회가 일련의 도전에 어떻게 반응하는가에 따라 변동 방향이 좌우된다. 그 반응의 성공 여부에 따라 사회가 성장하고 쇠퇴하는데, 결국 인류 문명에서 이러한 성장과 쇠퇴는 되풀이될 것이다.

(나) 단순한 생물체가 점차 조직 구조가 분화·통합되어 복합적인 생물체로 변화하듯이, 사회도 사회를 구성하는 집단이 증가할 뿐만 아니라 집단 간 결합이 양적, 질적으로 강화되는 방향으로 변화할 것이다.

(나)는 사회가 지속적으로 발전할 것이라는 입장을 취하고 있다. 이는 진화론의 입장이다.

대표 예제와 기출 선택지

(가)와 (나)에 대한 설명으로 옳은 것에 ○표 하시오.

① (가)는 서구의 제국주의 역사를 정당화 하는 수단으로 악용될 수 있다는 비판을 받는다. ( )
② (가)는 (나)와 달리 모든 사회가 일정한 방향으로 발전한다고 본다. ( )
③ (가)는 서구 사회가 밟아 왔던 변동의 과정이 최선의 것은 아니라고 본다. ( )
④ (나)는 사회가 주기적으로 동일한 과정을 통해 변동하는 것으로 본다. ( )
⑤ (나)는 역사 속에서 반복된 사회 변동을 설명하기에 유용하다. ( )

제시문에서 사회가 쇠퇴하는지, 지속적으로 발전하는지를 파악하면 어느 사회 변동 이론인지 알 수 있어. 각 이론에 맞는 설명을 고르는 문제가 출제돼.

답 ③

빈출 자료 8 정보화

A는 전자 상거래의 비중이 높고, B는 전자 상거래의 비중이 낮다. 따라서 A, B가 각각 산업 사회와 정보 사회 중 하나일 때, A는 정보 사회, B는 산업 사회이다.

정보 사회는 지식과 정보가 부가 가치의 주요 원천인 사회로, 전자 상거래의 비중 확대, 다품종 소량 생산 방식의 증대, 가정과 일터의 통합 확산, 대면 접촉 비중의 감소 등을 특징으로 한다.

A는 정보 사회, B는 산업 사회이므로 (가)에는 정보 사회가 산업 사회보다 그 정도가 큰 특징, (나)에는 산업 사회가 정보 사회보다 그 정도가 큰 특징이 들어가야 한다.

대표 예제와 기출 선택지

A, B에 대한 설명으로 옳은 것에 모두 ○표 하시오.

① A는 농업 사회보다 직업의 동질성이 강하다. ( )
② A는 B에 비해 비대면적 의사소통의 비중이 높다. ( )
③ B는 농업 사회보다 사회 변동 속도가 빠르다. ( )
④ B는 A에 비해 구성원 간 익명성 정도가 높다. ( )
⑤ (가)에는 '가정과 일터의 결합 정도'가 들어갈 수 있다. ( )

정보화는 주로 농업 사회, 산업 사회, 정보 사회를 연계해서 출제되는 편이야. 세 가지 사회의 일반적인 특징을 비교해서 풀 수 있어.

답 ②, ③, ⑤

4주

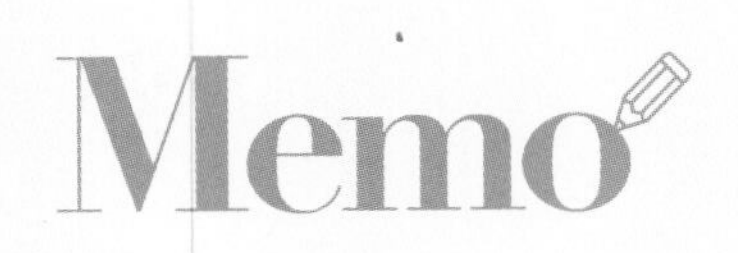

앞선 생각으로
더 큰 미래를 제시하는 기업

서책형 교과서에서 디지털 교과서,
참고서를 넘어 빅데이터와 AI학습에 이르기까지
끝없는 변화와 혁신으로
대한민국 교육을 선도해 나갑니다.

시작은

하루 수능

정답과 해설

천재교육

정답과 해설
포인트 3가지

- 혼자서도 이해할 수 있는 친절한 '해설'
- 오답을 피할 수 있는 꼼꼼한 '선택지 풀이'
- 핵심 개념을 한 번 더 확인하는 '더 알아보기'

정답과 해설

1주 I. 사회·문화 현상의 탐구

1일 사회·문화 현상의 이해 ❶

기초 유형 연습 14~15쪽

1 ⑤ 2 ③ 3 ① 4 ② 5 ⑤ 6 ②
7 ② 8 ④

1 제시문의 ㉠은 자연 현상, ㉡은 사회·문화 현상에 해당한다.

선택지 풀이 ① 사회·문화 현상에만 보편성과 특수성이 모두 드러난다. ② 자연 현상도 사회·문화 현상과 마찬가지로 객관적 연구가 가능하다. ③ 사회·문화 현상은 가치 함축성을 지닌다. ④ 사회·문화 현상은 개연성과 확률의 원리가 적용된다.

더 알아보기 자연 현상과 사회·문화 현상의 특징

구분	자연 현상	사회·문화 현상
가치문제	몰가치성	가치 함축성
지배 법칙	존재 법칙	당위 법칙
존재 양상	보편성	보편성과 특수성
인과 관계	필연성과 확실성의 원리	개연성과 확률의 원리

2 제시문의 ㉠, ㉡은 자연 현상, ㉢은 사회·문화 현상에 해당한다.

선택지 풀이 ① 자연 현상은 몰가치적이다. ② 자연 현상은 확실성의 원리를 따른다. ④ 자연 현상은 존재 법칙이 적용된다. ⑤ 자연 현상이 사회·문화 현상에 비해 인과 관계가 명확하다.

3 제시문의 ㉠은 사회·문화 현상, ㉡은 자연 현상에 해당한다. 따라서 제시된 자료의 A에는 사회·문화 현상의 특징을 묻는 질문이, B에는 자연 현상의 특징을 묻는 질문이 들어가야 한다.

4 제시문의 ㉠은 자연 현상, ㉡, ㉢은 사회·문화 현상에 해당한다.

선택지 풀이 ① 자연 현상은 보편성이 강하게 나타난다. ③ 사회·문화 현상은 당위 법칙에 의해 설명된다. ④ 사회·문화 현상은 인과 관계가 불명확하다. ⑤ ㉡과 ㉢은 모두 사회·문화 현상이다.

5 제시문의 ㉠, ㉣은 자연 현상, ㉡, ㉢은 사회·문화 현상에 해당한다.

선택지 풀이 질문 1. ㉠과 같은 현상, 곧 자연 현상은 존재 법칙을 따른다. 질문 2. ㉡과 같은 현상, 곧 사회·문화 현상은 경험적 자료를 바탕으로 연구할 수 있다. 질문 3. ㉢과 같은 현상, 곧 사회·문화 현상은 인간의 가치가 반영되어 있다. 질문 4. ㉣과 같은 현상, 곧 자연 현상은 같은 조건 하에서는 항상 동일한 결과가 발생한다.

6 제시문의 ㉠은 자연 현상, ㉡, ㉢은 사회·문화 현상에 해당한다.

선택지 풀이 ① 자연 현상은 존재 법칙의 지배를 받는다. ③ 사회·문화 현상은 확률의 원리를 따른다. ④ 인과 관계가 명확한 현상은 자연 현상이다. ⑤ 자연 현상과 사회·문화 현상은 모두 과학적 연구가 가능하다.

7 제시문의 ㉠, ㉢, ㉣은 사회·문화 현상, ㉡은 자연 현상에 해당한다.

선택지 풀이 ① 자연 현상에는 존재 법칙이 적용된다. ③ ㉢과 ㉣은 모두 사회·문화 현상이므로 둘 다 보편성과 특수성이 공존한다. ④ 확실성의 원리가 적용되는 현상은 자연 현상이다. ⑤ 몰가치적인 현상은 자연 현상, 가치 함축적인 현상은 사회·문화 현상이다.

8 제시문에 나타난 관점은 기능론이다. 기능론은 사회가 유기체와 유사한 특성을 가지고 있으며, 상호 의존적으로 하나의 체계를 이루고 있다고 보았다.

선택지 풀이 ㄱ. 기능론은 사회 제도나 구조를 중시하는 거시적 관점의 이론이다. ㄷ. 기능론에서 사회 규범은 사회 전체 구성원의 합의를 통해 형성된다.

2일 사회·문화 현상의 이해 ❷

기초 유형 연습 20~21쪽

1 ④ 2 ④ 3 ② 4 ② 5 ③ 6 ⑤
7 ④

1 A는 갈등론, B는 기능론이다. 갈등론과 달리 기능론은 사회에 존재하는 갈등과 대립을 일시적이고 병리적인 현상으로 본다.

선택지 풀이 ① 사회가 유기체와 같은 존재라고 보는 것은 기능론이다. ② 사회가 서로 대립하는 집단들로 구성되어 있다고 보는 것은 갈등론이다. ③ 개인에 외재하는 사회 구조의 강제력을 간과하는 것은 미시적 관점이다. ⑤ 사회 구조에 대한 개인의 자율성을 강조하는 것은 미시적 관점이다.

2 갑의 관점은 기능론, 을의 관점은 갈등론이다. 갈등론은 가정의 배경이, 기능론은 개인의 능력과 노력이 교육적 성취를 가져온다고 본다.

3 필자는 빈곤의 이유를 계층 간 이해관계가 상충되기 때문이라고 본다. 자본가가 생계유지에 필요한 최소한의 임금만을 지불하기 때문에, 노동자는 아무리 노력해도 빈곤에서 벗어날 수 없는 구조가 지속된다. 필자의 의견에 따르면, 사회는 지배 계층에게 유리하게 구성되어있는 불평등적 구조이다. 따라서 필자가 지닌 관점은 갈등론적 관점이다.

선택지 풀이 ① 개인의 능동성과 자율성을 강조하는 것은 미시적 관점에 해당한다. ③ 사회가 스스로 균형을 유지하려는 속성을 지닌다고 보는 관점은 기능론적 관점이다. ④ 개인 간의 상호 작용을 통한 의미 부여를 중시하는 것은 상징적 상호 작용론적 관점이다. ⑤ 사회 규범이 사회 구성원 전체의 합의를 통해 형성된다고 보는 것은 기능론적 관점이다.

4 갑은 부와 권력을 가진 집단, 즉 지배 집단이 우위를 유지하기 위해 취업 조건을 통제하고 있다고 보고 있다. 따라서 갑의 관점은 갈등론이다. 을은 사회의 효율성을 위해 취업 조건이 강화된다고 보고 있다. 따라서 을의 관점은 기능론이다.

선택지 풀이 ① 개인에 외재하는 사회 구조의 강제력을 간과하는 것은 미시적 관점이다. 갈등론과 기능론은 모두 거시적 관점이다. ③ 기능론은 차등 보상 체계가 사회 발전에 기여한다고 본다. 개인의 기여도에 따라 차등 보상을 제공함으로써, 개인들에게 더 많은 보상을 얻기 위한 노력을 이끌어 내어 사회를 발전시킬 수 있다는 것이다. ④ 개인이 각자 주관에 따라 다양한 사회상을 만들어 낸다고 보는 것은 미시적 관점이다. ⑤ 기능론은 갈등론에 비해 사회 통합을 중시한다.

5 A는 갈등론, B는 상징적 상호 작용론, C는 기능론이다.

선택지 풀이 ① 사회의 각 부분이 상호 의존적인 관계라고 보는 것은 기능론이다. ② 사회의 안정보다 변동을 중시하는 것은 갈등론이다. ④ 사회 제도의 영향력을 중시하는 것은 기능론과 갈등론이다. ⑤ 개인의 행동이 상황에 대한 주관적 해석에 기초하여 이루어진다고 보는 것은 상징적 상호 작용론이다.

더 알아보기+ 사회·문화 현상을 바라보는 관점

거시적 관점	기능론	사회의 조화와 균형을 중시함.
	갈등론	희소가치를 둘러싼 대립과 갈등에 주목함.
미시적 관점	상징적 상호 작용론	인간 행위의 주관적인 동기와 의미의 해석에 초점을 둠.

6 제시문의 관점은 상징적 상호 작용론이다. 상징적 상호 작용론은 타인과 일상적으로 일어나는 상호 작용을 사회적 행위의 본질로 생각한다.

선택지 풀이 ①, ② 기능론적 관점에 대한 설명이다. ③ 갈등론적 관점에 대한 설명이다. ④ 사회 구조에 대한 분석을 통해 사회 현상을 이해하는 관점은 거시적 관점(갈등론, 기능론)이다.

7 제시된 대화에서 갑의 관점은 기능론, 을의 관점은 상징적 상호 작용론, 병의 관점은 갈등론이다. 기능론은 갈등론과 달리 사회 구성 요소의 기능과 역할은 사회적으로 합의된 것이라고 본다.

선택지 풀이 ① 상황에 대한 개인의 주관적 의미 부여를 강조하는 것은 상징적 상호 작용론이다. ② 사회가 필연적으로 변화하며 집단 간 갈등이 변화의 동력이라고 보는 것은 갈등론이다. ③ 기득권층의 이익을 대변하는 논리로 사용된다는 비판을 받는 것은 기능론이다. ⑤ 기능론과 갈등론은 상징적 상호 작용론과 달리 사회 문제를 설명하는 데 사회 구조적 요인을 중시한다.

3일 사회·문화 현상의 탐구 방법 ❶

기초 유형 연습 26~27쪽

1 ③ **2** ① **3** ⑤ **4** ① **5** ③ **6** ② **7** ⑤ **8** ③

1 갑은 질적 연구 방법을 활용하여 겉으로 드러난 행위인 곰 문신의 이면에 담긴 주관적인 의미로서 탄생 신화와 사후 세계에 대한 관념을 이해하였다.

선택지 풀이 ㄴ. 질적 연구 방법은 연구자의 직관적 통찰을 통해 사회·문화 현상을 이해하고자 한다. ㄷ. 질적 연구 방법은 상황 맥락 속에서 사회·문화 현상이 지닌 의미를 해석한다.

더 알아보기+ 양적 연구 방법과 질적 연구 방법

구분	양적 연구 방법	질적 연구 방법
의미	사회·문화 현상 속에 담긴 인과 관계를 파악하고 이를 토대로 일반화된 법칙을 발견하는 연구 방법	사회·문화 현상에 담긴 인간 행위의 동기나 목적을 심층적으로 파악하는 연구 방법
전제	방법론적 일원론	방법론적 이원론
특성	• 가설을 세우고 계량화된 자료를 분석하여 증명하는 것을 강조 • 현상의 일반화와 인과 법칙의 발견이 용이	• 직관적 통찰을 통한 해석적 이해가 필요하다고 보는 연구 방법 • 행위 이면에 담긴 의미를 이해하는 데 유용

2 (가)는 양적 연구 방법, (나)는 질적 연구 방법이다.

선택지 풀이 ㄱ. 양적 연구는 자연 현상과 사회·문화 현상이 본질적으로 같다는 방법론적 일원론에 근거한다. ㄴ. 질적 연구는 연구자가 감정 이입 등의 방법으로 연구를 하는 과정에서 행위 주체인 연구 대상자의 주관적 의도가 개입된다는 비판을 받는다.

3 A를 통해 연구할 것을 주장하는 사람들은 방법론적 일원론을 주장하고 있으므로 A는 양적 연구 방법이다. 반면 B를 통해 연구해야 한다고 하는 사람들은 방법론적 이원론을 주장하므로 B는 질적 연구 방법이다.

선택지 풀이 ㄱ. 연구자의 감정 이입적 이해를 중시하는 연구 방법은 질적 연구 방법이다. ㄴ. 계량화된 자료를 선호하는 연구 방법은 양적 연구 방법이다.

4 사회·문화 현상의 연구에서 행위자가 행위에 부여하는 주관적인 의미를 이해하는 연구 방법은 질적 연구 방법이다. 따라서 제시문에서 나타난 연구 방법은 질적 연구 방법이다.

선택지 풀이 ㄷ. 자료의 분석을 통하여 법칙을 발견하고자 하는 연구 방법은 양적 연구 방법이다. ㄹ. 방법론적 일원론을 주장하는 연구 방법은 양적 연구 방법이다.

5 A는 사회·문화 현상이 자연 현상과 같이 법칙이 존재한다고 보기 때문에 양적 연구 방법, B는 사회·문화 현상이 자연 현상과 본질적으로 다르다고 보기 때문에 질적 연구 방법에 해당한다.

선택지 풀이 ① 감정 이입과 직관적 통찰을 통한 이해를 중시하는 연구 방법은 질적 연구 방법이다. ② 사회·문화 현상 연구에 자연 과학적 연구 방법을 사용하는 것은 양적 연구 방법이다. ④ 양적 연구 방법과 질적 연구 방법 모두 경험적 자료를 중시한다. ⑤ 연구자가 연구 대상으로부터 분리될 수 있다고 보는 것은 양적 연구 방법이다. 질적 연구 방법은 연구자가 연구 대상자의 입장에서 상황에 담긴 의미를 해석하려 하므로 연구자가 연구 대상으로부터 분리될 수 없다.

6 연구자가 자료에 대한 계량적인 분석을 중시하는 연구 방법인 A는 양적 연구 방법이다. 반면, 연구자의 직관적 통찰을 활용하고 연구 대상자의 삶의 경험 속에 담긴 의미를 해석하는 연구 방법인 B는 질적 연구 방법이다.

선택지 풀이 ① 연구자와 연구 대상자 간 정서적 교감을 중시하는 연구 방법은 질적 연구 방법이다. ③ 경험적 자료를 바탕으로 사회·문화 현상을 연구하는 것은 양적 연구 방법과 질적 연구 방법 모두 해당한다. ④ 인간 행위 자체를 분석 대상으로 삼는 연구 방법은 양적 연구 방법, 인간 행위의 동기를 분석 대상으로 삼는 연구 방법은 질적 연구 방법이다. ⑤ 양적 연구 방법은 사회·문화 현상을 자연 현상과 같은 방식으로 연구할 수 있다고 보는 방법론적 일원론, 질적 연구 방법은 사회·문화 현상은 자연 현상과 다른 방식으로 연구해야 한다고 보는 방법론적 이원론을 제시한다.

7 방법론적 이원론을 바탕으로 사회·문화 현상을 연구하는 것은 질적 연구 방법이다. 따라서 A는 질적 연구 방법, B는 양적 연구 방법이다.

선택지 풀이 ㄱ. 사실과 가치가 분리되는 것은 가치 중립을 의미한다. 연구자의 주관 개입을 통제하여 가치 중립을 바탕으로 연구를 진행하는 것은 양적 연구의 특징이다. ㄴ. 일반화나 법칙 정립을 목적으로 하는 연구 방법은 양적 연구 방법이다. 그러므로 B가 '예'라고 대답할 수 있는 (가)에 들어가는 것이 옳다. ㄷ. 비공식적 자료와 감정 이입적 이해를 중시하는 연구 방법은 질적 연구 방법이다. 그러므로 A가 '예'라고 대답할 수 있는 (나)에 들어가는 것이 옳다. ㄹ. 양적 연구 방법과 질적 연구 방법은 모두 경험적 관찰을 통해 자료를 수집한다.

8 사회·문화 현상의 규칙성을 발견하여 일반화하거나 미래를 예측하는 데 유용한 연구 방법은 양적 연구 방법, 인간 행동의 주관적인 의미를 깊이 있게 이해하고자 하는 연구 방법은 질적 연구 방법이다.

선택지 풀이 ㄱ. 양적 연구 방법과 질적 연구 방법 모두 경험적 자료를 활용한다. ㄹ. 일반적으로 양적 연구 방법은 연역적 과정, 질적 연구 방법은 귀납적 과정을 거쳐 결론을 도출한다.

4일 사회·문화 현상의 탐구 방법 ❷

기초 유형 연습 32~33쪽

1 ④ **2** ⑤ **3** ② **4** ③ **5** ② **6** ③ **7** ⑤

1 연구자 갑은 연구자와 공모한 방관자들을 연구 대상자와 함께 있게 한 상황을 만들어 연구 대상자를 관찰하였다. 즉, 갑은 실험법을 통해 자료를 수집하였다.

선택지 풀이 ㄱ. ㉠ 연구 대상자는 통제 집단, ㉡ 연구 대상자는 실험 집단에 해당한다. ㄴ. 연구자는 '방관자들이 있으면, 곤경에 처한 사람이 낯선 사람으로부터 도움을 받을 가능성이 줄어든다.'라는 방관자 효과를 검증하고자 하였다. 따라서 방관자들의 존재 여부가 독립 변수이고, '곤경에 처한 사람이 낯선 사람으로부터 도움을 받을 가능성 정도'가 종속 변수이다. ㄷ. 실제성이 높은 현장 자료를 얻기 용이한 자료 수집 방법은 참여 관찰법이다.

2 갑이 사용한 자료 수집 방법은 실험법이다.

선택지 풀이 ① 또래 활동 프로그램을 진행한 A 집단은 공격성이 감소하였으나 또래 활동 프로그램을 진행하지 않은 B 집단은 거의 변화가 없었으므로 가설은 수용되었다. ② 실험을 통해 얻은 자료는 1차 자료이다. ③ 갑은 또래 활동 프로그램이 청소년의 공격성을 약화시킬 것이라는 가설을 확인하고자 하였다. 따라서 또래 활동 프로그램이 독립 변수이고, 청소년의 공격성이 종속 변수이다. ④ 갑의 연구에서 모집단은 청소년이지만 표본 집단은 공격성이 강한 남자 고등학생이기 때문에 표본 집단이 모집단을 대표한다고 보기 어려워 연구 결과를 청소년에게 일반화할 수 없다.

3 갑이 사용한 자료 수집 방법은 실험법이다.

선택지 풀이 ㄱ. A 집단은 실험 집단, B 집단은 통제 집단이다. ㄴ. ㉠은 표본 집단으로, 변수와는 관계가 없다. ㄷ. ㉡은 문제 해결 능력을 측정하기 위한 개념의 조작적 정의에 해당한다. ㄹ. 이 연구에서 가설은 '소논문 쓰기 프로그램을 적용할수록 고등학생의 문제 해결 능력이 높아질 것이다.'가 적절하다.

4 선택지 풀이 ㄱ. 모집단은 ㉠, 표본은 ㉤과 ㉥이다. ㄴ. 갑의 실험에서 ㉡은 영향을 받는 변수인 종속 변수, ㉢은 영향을 주는 변수인 독립 변수이다. ㄹ. ㉦과 ㉧은 종속 변수에서 일어나는 변화를 파악하기 위해 실시하는 검사이다.

5 선택지 풀이 ㄱ. 연구 가설에서 독립 변수는 '스포츠 활동 참여도', 종속 변수는 '고등학생의 생활 만족도'이다. ㄴ. 모집단은 고등학생 전체, 표본 집단은 A 지역 남자 고등학생으로, 표본 집단이 A지역의 남자 고등학생 외의 고등학생을 대표한다고 보기는 어렵다. 따라서 ㉡은 모집단의 특성을 대표할 수 없다. ㄷ. 독립 변수는 스포츠 활동 참여 시간으로, 종속 변수는 교우 관계 만족도와 학교 생활 만족도로 조작적 정의된다. ㄹ. 질문지를 통하여 연구 대상의 주관적 인식을 물어볼 수 있다.

6 선택지 풀이 ㄱ. ㉠은 종속 변수, ㉡은 독립 변수이다. ㄷ. ㉣은 자아존중감 척도 검사를 통해 얻은 자료로, ㉠에 대한 조작적 정의를 토대로 얻은 양적 자료이다. ㄹ. 이 실험의 모집단은 청소년 전체, 표본 집단은 중학생 100명이다. 이 때, 표본이 모집단의 일부만을 대표하기 때문에 ㉥을 모집단 전체에 일반화시킬 수 없다.

7 A는 2차 자료를 수집하는 데 적절한 자료 수집 방법이므로 문헌 연구법, B는 인위적으로 통제된 상황에서 독립 변수의 효과를 측정하는 자료 수집 방법이므로 실험법, 두 질문에 모두 해당하지 않는 C는 질문지법이다.

선택지 풀이 ㄱ. 문헌 연구법은 시간과 장소의 제약으로부터 비교적 자유롭다. ㄴ. 실험법은 양적 연구에서 주로 활용한다.

더 알아보기 양적 연구 방법에서 주로 쓰이는 자료 조사 방법

구분	실험법	질문지법
의미	실험 집단에 인위적인 조작을 가한 후, 그에 따른 변화를 통제 집단과 비교하여 자료를 수집하는 방법	연구 주제와 관련된 질문지를 작성하여 조사 대상자에게 직접 기입하게 하는 방법
장점	변수 간의 인과 관계를 파악할 수 있어 법칙 발견이 용이함.	짧은 시간에 적은 비용으로 대량의 자료를 수집할 수 있음.
단점	• 다른 변수의 개입을 철저히 통제하기 어려움. • 인간을 실험 대상으로 하므로 윤리적 문제가 발생할 수 있음. • 실험 결과가 현실에 그대로 적용된다고 단정할 수 없음.	• 문맹자에게는 사용하기 곤란함. • 질문 구성이 잘못되거나 질문지 회수율과 응답률이 낮으면 결과가 왜곡될 수 있음.

5일 사회·문화 현상의 탐구 방법 ❸

기초 유형 연습 38~39쪽

1 ③ **2** ④ **3** ② **4** ④ **5** ② **6** ① **7** ②

1 A를 활용한 연구는 인위적인 조작을 가한 후 행동이나 태도의 변화를 알아보는 것이므로 A는 실험법이다. B를 활용한 연구에서는 많은 사람을 대상으로 자료를 수집하고 있으므로 질문지법이 면접법보다 적절하다. 따라서 B는 질문지법이다. C를 활용한 연구에서는 연구 대상의 내면적이고 깊이 있는 정보를 수집하여야 하기 때문에 면접법이 가장 적합한 자료 수집 방법이다. 따라서 C는 면접법이다.

선택지 풀이 ㄱ. 실험범과 질문지법 모두 양적 자료를 수집하기에 용이하다. ㄴ. 시간과 비용 측면에서 가장 효율적인 것은 질문지법이다. ㄷ. 면접법은 질문지법보다 조사자의 주관적 가치가 개입될 가능성이 크다. ㄹ. 자료 수집 상황에 대한 통제 정도가 높은 순서대로 나열하면 실험법, 질문지법, 면접법이다.

더 알아보기 질적 연구 방법에서 주로 쓰이는 자료 조사 방법

구분	면접법	참여 관찰법
의미	연구자가 연구 대상을 직접 만나 질문하고, 그 응답을 통해 정보를 수집하는 방법	연구자가 직접 연구 대상 집단의 생활 속에 참여해서 현상을 관찰하고 기록하는 방법
장점	글을 모르는 사람을 대상으로 실시할 수 있음.	의사소통이 어려운 집단을 조사할 수 있음.
단점	• 연구 목적에 적합한 응답자를 구하는 데 어려움. • 면접자의 자질과 능력에 따라 자료 수집이 제대로 이루어지지 못할 가능성이 있음.	• 관찰 현상을 기록하는 과정에 연구자의 주관이 개입될 가능성이 있음. • 연구 대상자가 연구자를 의식하여 평소와 다르게 행동하는 경우 왜곡된 자료를 수집할 수 있음.

2 주로 계량화된 자료를 수집하는 데 활용되는 자료 수집 방법 A는 질문지법, 자료 수집에서 연구 대상의 응답이 필수 요건이 아닌 자료 수집 방법 C는 참여 관찰법이다. 따라서 B는 면접법이다.

선택지 풀이 ④ 대면 조사를 통해 연구 대상과 상호 작용을 하는 면접법과 참여 관찰법은 연구 대상과 연구자 간 신뢰감 형성이 자료 수집에도 영향을 미치므로 중요하다.

3 주로 계량화된 자료를 수집하는 데 활용되는 자료 수집 방법은 질문지법, 실험법이다. 따라서 A~D가 각각 면접법, 실험법, 질문지법, 참여 관찰법 중 하나일 때, A와 C는 각각 질문지법 또는 실험법 중 하나이고 B와 D는 각각 면접법 또는 참여 관찰법 중 하나이다.

선택지 풀이 ① 인위적으로 통제된 상황에서 변수의 효과를 관찰하는 방법은 실험법만 해당한다. ③ 자료 수집 시 연구 대상자의 응답이 필수적인 것은 면접법과 질문지법이다. 따라서 A는 질문지법, B는 면접법이다. ④ 다수를 대상으로 한 자료 수집에 주로 사용되는 것은 질문지법이며, 면접법과 참여 관찰법은 모두 '아니요'에 해당한다. ⑤ 연구자가 현상이 실제로 발생한 현지에 가서 연구해야 하는 것은 참여 관찰법이며, 실험법과 질문지법은 모두 '아니요'에 해당한다.

4 A는 참여 관찰법, B는 면접법, C는 질문지법, D는 실험법이다. 자료 수집 상황에 대한 통제 수준이 높은 순서대로 나열하면 실험법, 질문지법, 면접법, 참여 관찰법이다.

선택지 풀이 ① 문맹자에게 사용하기 어려운 것은 질문지법이다. ② 기존 연구의 경향성 파악에 용이한 방법은 문헌 연구법이다. ③ 일상 생활을 심층적으로 파악하기 용이한 방법은 참여 관찰법이다. ⑤ 다수를 대상으로 자료를 수집하기에 용이한 방법은 질문지법이다.

5 A는 설문 조사를 하려고 하기 때문에 질문지법, B는 연구를 위해 직접 팬클럽에 가입하고 팬미팅 현장에 가 볼 계획이므로 참여 관찰법, C는 최근의 언론 자료와 주요 연구 논문 등을 살펴볼 것이므로 문헌 연구법이다.

선택지 풀이 ㄴ. 참여 관찰법은 연구 대상을 직접 관찰해야 하므로, 접근이 어려운 지역의 연구에는 문헌 연구법이 적합하다. ㄹ. 직접 현장에서 조사하는 참여 관찰법이 문헌 연구법에 비해 수집한 자료의 실제성이 더 높다.

6 주어진 자료 수집 방법 중 질적 자료를 수집하기에 용이한 방법은 면접법과 참여 관찰법이다. 또, 연구 대상자와 필수적으로 언어적 상호 작용이 일어나는 자료 수집 방법은 면접법과 질문지법이다. 따라서 A는 실험법, B는 참여 관찰법, C는 면접법, D는 질문지법이다.

선택지 풀이 ③ 참여 관찰법은 실험법보다 연구자의 가치 개입 가능성이 크다. ④ 실험법은 인간을 대상으로 실험을 진행하므로 면접법에 비해 윤리적인 문제에 직면할 가능성이 크다. ⑤ 질문지법은 구조화된 질문지를 통해 자료를 수집하므로 면접법보다 조작화 정도가 높은 구조화된 자료 수집 방법이다.

더 알아보기 + 자료의 유형

작성 원천	1차 자료	조사자가 직접 수집하거나 작성한 원자료
	2차 자료	기존 자료를 활용하여 새롭게 구성한 자료
성격	양적 자료	계량화된 자료
	질적 자료	계량화되지 않은 문자나 영상, 음성으로 기록된 자료

7 A는 영국인 선교사의 여행기를 통하여 19세기 조선의 생활사를 조사하였으므로 문헌 연구법이다. B는 직접 비혼 청년들의 공동 주거 생활을 경험하고 살펴보면서 의미를 탐구하였으므로 참여 관찰법이 활용되었다. C는 설문 문항을 제작하여 청소년 1,000명과 그 부모를 대상으로 조사하였으므로 질문지법에 해당한다.

선택지 풀이 ① 문헌 연구법은 이미 있는 자료를 활용한다는 점에서 주로 2차 자료를 수집하는 데 사용된다. ③ 문헌 연구법 또한 자료를 해석할 때 조사자의 주관적 가치가 포함될 수 있다. ④ 수집된 자료를 통계적으로 처리하기에 용이한 자료 수집 방법은 질문지법으로, 대표적인 양적 자료에 속한다. ⑤ 참여 관찰법은 다른 자료 수집 방법에 비해 시간과 비용 측면에서 가장 비효율적이다.

더 알아보기 + 자료 조사 방법의 일반적인 특징

구분	경제성	조직화 정도	계량화 정도	주관 개입 가능성
실험법	낮음	아주 높음	높음	낮음
질문지법	높음	높음	높음	낮음
면접법	낮음	낮음	낮음	높음
참여 관찰법	낮음	아주 낮음	낮음	높음

1주 누구나 100점 테스트 40~41쪽

1 ④ 2 ② 3 ④ 4 ② 5 ① 6 ⑤
7 ⑤ 8 ④

1 ㉠, ㉡, ㉢은 자연 현상, ㉣은 사회·문화 현상이다. 가치 함축적인 현상은 사회·문화 현상의 특징이므로 첫 번째 질문에는 '아니요', 동일한 조건하에서는 항상 동일한 결과가 발생하는 것은 자연 현상의 특징이므로 두 번째 질문에는 '예', 보편성과 특수성이 공존하는 것은 사회·문화 현상의 특징이므로 세 번째 질문에는 '아니요', 당위 법칙을 따르는 것은 사회·문화 현상의 특징이므로 네 번째 질문에는 '예'라고 답변해야 한다. 따라서, 모두 옳게 응답한 학생은 정이다.

2 A는 사회·문화 현상이다. 사회·문화 현상은 인간의 의지와 가치가 개입되어 발생하는 현상으로 당위 법칙이 적용된다.

3 갑의 관점은 갈등론, 을의 관점은 기능론에 해당한다. 기능론은 사회가 조화와 균형 상태에 있다고 본다.

선택지 풀이 ① 상징적 상호 작용론의 관점이다. ② 기능론의 관점이다. ③ 갈등론의 관점이다. ⑤ 미시적 관점에 대한 설명이다.

4 (나)에서 '부모와 자녀의 친밀도'는 독립 변수, '자녀의 학업 의욕'은 종속 변수로 변수들 간의 인과 관계가 나타나 있다.

선택지 풀이 (가)는 자명한 진리이므로 검증의 필요성이 없다. (다)의 변수는 모두 계량화가 가능하므로 경험적으로 검증할 수 있다.

5 을이 활용하고자 하는 자료 수집 방법은 질문지법이다. 질문지법은 다수를 대상으로 자료를 수집하므로 통계 및 비교 분석이 용이하다.

선택지 풀이 ② 질문지법은 조사 대상자가 문맹자일 경우 자료를 수집하기 어렵다. ③ 생동감 있고 깊이 있는 정보를 얻는데 유리한 자료 수집 방법은 면접법이다. ④ 자료 수집 시 시간과 공간의 제약을 적게 받는 연구 방법은 문헌 연구법이다. ⑤ 의사소통이 곤란한 사람들을 대상으로 자료를 수집하기에 적절한 연구 방법은 참여 관찰법이다.

6 제시된 연구에서는 연구 대상을 실험 집단(A 집단)과 통제 집단(B 집단)으로 나누어 실험 집단에만 인위적인 자극을 가한 후 통제 집단과 그 차이를 비교하고 있다. 이를 통해 실험법으로 자료를 수집하고 있음을 알 수 있다. 실험법은 인과 관계를 명확하게 확인할 수 있어 가설 검증에 용이하지만, 실험 과정에서 다른 변수가 개입되는 것을 완벽히 통제하기 어렵기 때문에 연구 결과가 현실에 그대로 적용된다고 단정할 수 없다는 단점이 있다.

7 제시된 표에서 ㉠은 비언어적 자료 수집의 용이성이 가장 크므로, 의사소통이 곤란한 집단을 대상으로도 자료를 얻을 수 있는 참여 관찰법이다. 또한, 수집 도구의 정형화 정도는 ㉡이 가장 높으므로 구조화 수준이 가장 높은 질문지법이 ㉡이다. 따라서 ㉢은 면접법이다.

8 제시문의 밑줄 친 '이 자료 수집 방법'은 참여 관찰법이다. 참여 관찰법은 조사 대상자에게서 생동감 있고 실제성 있는 정보를 얻을 수 있으며, 의사소통이 어려운 집단을 조사할 때 유용하다.

선택지 풀이 ㄱ. 참여 관찰법은 시간과 비용이 비교적 많이 든다. ㄷ. 참여 관찰법은 1차 자료의 수집용으로 활용된다.

2주 Ⅰ. 사회·문화 현상의 탐구~ Ⅱ. 개인과 사회 구조

1일 사회·문화 현상의 탐구 절차

기초 유형 연습 56~57쪽

1 ① 2 ⑤ 3 ⑤ 4 ④ 5 ④ 6 ④
7 ②

1 제시된 연구는 다문화 가정 자녀들의 차별 경험 정도가 학교생활 만족도에 미치는 영향을 알아보기 위한 양적 연구이다. 이 때 '학교생활 만족도'는 종속 변수, '차별 경험 정도'는 독립 변수이다.

선택지 풀이 ③ 이 실험에서 표본은 '○○ 지역 고등학교 다문화 가정 자녀들 중 설문에 자발적으로 참여한 100명'이다. ④ ㉥에서 두 변수는 음의 관계를 갖는다. ⑤ ㉥에서 ㉦을 도출하는 과정은 귀납적이다.

2 가설 설정과 검증 단계가 포함되어 있으므로 A는 양적 연구 방법의 탐구 절차이다.

선택지 풀이 ㄱ. 양적 연구 방법은 자연 현상과 사회·문화 현상이 본질적으로 같다는 방법론적 일원론에 기초한다. ㄴ. 개념의 조작적 정의는 (다) 이전에 실시한다. ㄷ. 문제 인식 및 연구 주제 선정과 가설 설정 단계에서는 연구자의 가치 개입이 제한적으로나마 허용된다. ㄹ. 가설 설정 – 자료 수집 및 분석 – 가설 검증 – 결론 도출 및 일반화의 과정은 연역적 추론 과정이다.

더 알아보기⊕ 연구자의 가치 개입

가치 중립	• 연구자가 자신의 가치관과 이해관계를 떠나 공정하게 연구하는 것 • 연구자의 주관적 가치 때문에 연구 과정이나 결과가 왜곡되어서는 안 된다는 것을 의미 • 자료 수집 및 해석, 결론 도출 단계에서 가치 중립을 지켜야 함.
가치 개입	• 연구자가 연구 과정에서 자신의 주관적 가치를 개입시켜 연구하는 것 • 연구자가 특정한 가치를 전제하고 탐구에 임하는 것 • 문제 인식 및 연구 주제 선정, 연구 방법 선택 및 연구 설계, 연구 결과의 활용 단계에서 가치가 개입될 수 있음.

3 갑은 가설을 설정하고 실험을 통해 두 집단을 비교하는 양적 연구 방법을 사용하여 연구를 진행하였다. 양적 연구에서는 분석의 용이함을 위해 개념을 수치화된 지표로 바꾸는 조작적 정의를 사용한다. 이 때, ㉦ 지불하고자 하는 금액은 ㉡ 구매 욕구를 수치화한 개념의 조작적 정의에 해당한다.

선택지 풀이 ① ㉠은 독립 변수이다. ② ㉢ 단계는 연구 주제 선정 단계로, 연구자의 가치가 배제되어야 하는 단계인 자료 수집, 자료 분석, 가설 검증 및 일반화 단계에 해당하지 않는다. ③ ㉣은 표본 집단이다. ④ ㉤은 실험 집단, ㉥은 통제 집단이다.

4 선택지 풀이 ① ㉠에서 독립 변수는 '부모의 소득 수준', 종속 변수는 '외국인에 대한 수용성'이다. ② 이 연구에서 모집단은 '청소년', 표본 집단은 ㉢이다. ③ ㉣에는 응답자의 가치 판단을 묻는 질문이 포함될 수 있다. 이 연구에서는 '개인적 성격'을 파악하고자 했는데, 개인적 성격은 가치 판단의 영역에 포함된다. ④ ㉥은 ㉤을 측정하기 위해 5점 척도로 계량화 한 것이므로, 조작적으로 정의했다고 할 수 있다. ⑤ ㉦으로 보아, 부모의 소득 수준이 아니라 청소년 개인의 성격과 외국인에 대한 수용성이 유의미한 관계로 나타났으므로, ㉠은 기각될 것이다.

5 (가)는 가설 설정, (나)는 자료 수집, (다)는 연구 설계, (라)는 가설 검증 단계이다. (라) 단계에서 유의미하지 않은 가설은 기각되었지만, 유의미한 가설은 수용되었다. 이를 통해 가설이 검증되었음을 알 수 있다.

선택지 풀이 ① ㉠, ㉡은 모두 독립 변수이다. ② ㉢, ㉣은 모두 표본 집단이다. ③ '부모의 정보 지향적 인터넷 이용 정도'의 조작적 정의는 '인터넷 이용 시간 중 정보 검색 시간 비중'이다. ⑤ 연구는 (가) – (다) – (나) – (라)의 순서로 진행되었다.

더 알아보기+ 사회·문화 현상의 탐구 절차

양적 연구 방법	연구 문제 인식 → 가설 설정 → 연구 설계 → 자료 수집 및 분석 → 가설 검증 및 일반화
질적 연구 방법	연구 문제 인식 → 연구 설계 → 자료 수집 및 분석 → 결론 도출

6 선택지 풀이 ① ㉠은 종속 변수이다. 독립 변수는 '청소년의 공감 능력'이다. ② 통제 집단과 실험 집단은 실험법을 사용하여 자료를 수집할 때 변수에 따른 인과를 확인하기 위해 구분하여 실험하는 집단을 말한다. 주어진 연구에서는 질문지법과 면접법이 사용되었으므로, 통제 집단과 실험 집단은 존재하지 않는다. ③ ㉣은 '청소년의 공감 능력'을 수치화 한 것이다. ④ ㉥은 연구자가 설문조사를 통해 수집한 자료로, 양적 자료이다. ㉦은 연구자가 면접을 통해 직접 수집한 자료이므로 1차 자료이다. ⑤ ◎에서 청소년이 공감 능력 정도가 학교 폭력 가해 행동 횟수와 음의 상관관계가 통계적으로 유의미하다고 했기 때문에 ㉡이 수용되었다고 볼 수 있다. 이 때, 음의 상관관계란 한 변수가 증가할 때, 다른 한 변수가 감소하는 경우를 말한다.

7 선택지 풀이 ① 가설의 진위 여부 판단은 (마)에서 이루어진다. ② (나)는 연구 진행을 위한 구체적 계획을 마련하는 단계로서 연구 대상, 연구 기간, 자료 수집 방법 등을 결정한다. ③ (다)에서는 연구자의 가치가 개입된다. ④ (가)에 대한 설명이다. ⑤ 일반적으로 (다) – (가) – (나) – (라) – (마)의 순서로 연구를 진행한다.

2일 인간의 사회화 ❶

기초 유형 연습 62~63쪽

1 ⑤ 2 ② 3 ③ 4 ④ 5 ⑤ 6 ③

1 (가)는 사회 명목론, (나)는 사회 실재론이다. ㉢에는 사회 명목론의 특징을 묻는 질문이 들어갈 수 있다.

선택지 풀이 ㄱ. ㉠은 '아니요', ㉡은 '예'이다.

더 알아보기+ 사회 명목론과 사회 실재론

구분	사회 실재론	사회 명목론
기본 입장	사회는 개인의 외부에 실제로 존재하며, 개인의 속성과는 다른 고유한 성격을 지니고 있음.	사회는 실제로 존재하지 않으며, 개인들의 집합체에 붙여진 이름에 불과함.
특징	개인의 행동과 의식은 사회에 의해 구속됨.	개인의 행동과 의식은 사회와 관계없이 자율적으로 이루어짐.
한계	개인을 사회에 종속된 존재로 봄.	개인에 영향을 미치는 사회의 힘을 간과함.

2 제시문에 나타난 '층간 소음 문제는 사회 제도로 인한 것', '기업의 성공은 개별 구성원의 역량이 아닌 조직 문화가 결정하는 것' 등을 통해 이 글의 관점은 사회 실재론임을 알 수 있다.

선택지 풀이 ① 집단의 속성을 개개인 속성의 총합으로 보는 것은 사회 명목론이다. 사회 실재론은 집단을 개인의 합 이상으로 생각한다. ③ 사회를 목표 실현의 수단으로 보는 것은 사회 명목론이다. ④ 사회 명목론에서는 개인들이 사회 규범을 옳다고 믿기 때문에 사회 규범이 존재한다고 본다. ⑤ 사회 문제의 원인을 개인의 잘못된 의식으로 생각하는 것은 사회 명목론이다.

3 (가)는 제도를 개인적 욕구의 구성으로 보며, 관찰 가능한 대상을 개인으로 본다. 이러한 관점은 사회를 개인의 총합으로 보는 사회 명목론의 관점이다. 반면 (나)는 제도가 개인의 의식 외부에 실체로서 존재한다고 본다. 이와 같은 관점은 사회 실재론의 관점이다.

선택지 풀이 ㄱ. 사회가 개인들의 속성으로 환원될 수 없다고 보는 것은 사회 실재론이다. ㄹ. 개인들이 옳다고 믿기 때문에 사회 규범이 존재한다고 보는 것은 사회 명목론이다.

4 제시문에서 '나'는 사회 현상에 대한 이해는 개별 인간의 행위에 대한 이해를 통해서만 가능하며, 개인의 행위에 초점을 두고 사회를 연구해야 한다고 주장한다. 이러한 주장을 통해 '나'는 사회 명목론적 관점을 가지고 있다고 볼 수 있다.

선택지 풀이 ㄱ. 사회는 개인의 외부에 존재한다고 보는 관점은 사회 실재론의 관점이다. ㄷ. 개인은 전체 사회와의 관련 속에서만 존재 의미를 갖는다는 것은 사회 실재론의 주장이다.

5 필자는 제시문에서 '개인의 삶은 그의 의지가 아닌 사회 구조에 의해 결정된다.'고 말했다. 이러한 관점은 사회 실재론적 관점이다.

선택지 풀이 ① 사회가 실체하지 않고 이름만 있다고 보는 관점은 사회 명목론이다. ② 사회 실재론에서는 사회의 이익이 개인의 이익에 우선한다. ③ 사회 현상이 개인의 자율적 의지에 의해 형성된다고 보는 관점은 사회 명목론이다. ④ 사회 계약설에 대한 설명이다. 사회 계약설은 사회 명목론과 그 맥락을 같이한다.

6 제시문 (가)에서 '사회란 상호 작용에 의해 결합된 개인들을 지칭하는 개념'이라는 표현을 사용한 것으로 보아 (가)의 관점은 사회 명목론이다. 제시문 (나)에서는 '사회 속 개인의 어떠한 행위 양식도 개인의 의지로 이루어지는 것은 없다'라고 말한 것으로 보아, (나)의 관점은 사회 실재론이다.

선택지 풀이 ① 사회에 대한 개인의 불가항력성을 강조한 관점은 사회 실재론이다. ② 사회가 개인의 외부에 존재하는 독자적 실체라고 보는 관점은 사회 실재론이다. ④ 사회 현상을 개인 행위로 환원하여 설명할 수 있는 것은 사회 명목론이다. ⑤ 개인에 대한 사회의 구속성을 중시하는 것은 사회 실재론, 사회로부터의 개인의 자율성을 중시하는 것은 사회 명목론이다.

3일 인간의 사회화 ❷

기초 유형 연습 68~69쪽

1 ④ 2 ⑤ 3 ⑤ 4 ② 5 ③ 6 ②

1 (가)에 대한 답이 가족과 직장을 같은 묶음으로, 학교와 직업 훈련원을 같은 묶음으로 분류된 것으로 보아 (가)는 형성 목적에 따라 사회화 기관을 분류할 수 있는 질문으로 볼 수 있다. (나)에 대한 답이 가족이 홀로 한 묶음, 직장, 학교, 직업 훈련원이 같은 묶음으로 분류된 것으로 보아 (나)는 사회화 내용에 따라 사회화 기관을 분류할 수 있는 질문으로 볼 수 있다.

더 알아보기 사회화 기관의 유형

형성 목적에 따른 분류	1차적 사회화 기관	어린 시절 자아와 인성의 기본 틀을 형성하고 사회생활의 기초적인 행동 양식을 습득하는 데 많은 영향을 미치는 기관
	2차적 사회화 기관	전문적인 지식과 정보 등을 사회화하는 기관
사회화 내용에 따른 분류	공식적 사회화 기관	사회화 자체를 목적으로 형성된 사회화 기관
	비공식적 사회화 기관	사회화를 목적으로 형성된 집단은 아니지만, 사회화에 영향을 미치는 집단

2 A는 가족, B는 또래 집단, C는 학교이다.

선택지 풀이 ㄱ. 가족과 또래 집단 모두 비공식적 사회화 기관이다. ㄴ. 전문적인 내용의 사회화가 이루어지는 곳은 2차적 사회화 기관이다. 또래 집단은 1차적 사회화 기관이다.

3 제시문에 나타난 사회화 기관은 ○○사관학교, 회사, 가족, 친구, 대중 매체이다. 이 중 ○○사관학교는 (나)에 속하며, 친구와 가족은 (다)에 해당한다. 회사와 신문은 (라)에 해당하는 사회화 기관이다.

선택지 풀이 ② 현재 갑에게 예기 사회화가 일어나고 있는지 판단하기는 어렵다. ③ 을이 중요시한 사회화 기관은 가족으로, 가족은 (다)에 해당한다. ④ 병은 (나)에 속하는 ○○사관학교보다 (라)에 속하는 신문을 선호한다.

4 ㉠은 사회화를 목적으로 설립하여 체계적으로 사회화를 수행하는 기관이므로 공식적 사회화 기관, ㉡은 본연의 목적이 따로 있으나 부수적으로 사회화를 담당하는 기관이므로 비공식적 사회화 기관이다.

선택지 풀이 ① 1차적 사회화 기관은 기초적인 사회화가 이루어지는 사회화 기관이다. 예를 들어, 가족은 1차적 사회화 기관이지만 비공식적 사회화 기관이다. ③ 성인기의 재사회화는 공식적 사회화 기관과 비공식적 사회화 기관 모두에서 수행할 수 있다. ④ 정서적인 부분의 사회화는 일반적으로 1차적 사회화 기관에서 이루어진다. ⑤ 전문적 사회화는 공식적 사회화 기관 또는 2차적 사회화 기관에서 이루어진다.

5 선택지 풀이 ① ㉠은 비공식적 사회화 기관이며, 1차적 사회화 기관이다. ② ㉡은 공식적 사회화 기관이며, 2차적 사회화 기관이다. ④ 갑이 정치인이 되기 위해 변호사 자격을 취득하였는지는 제시문을 통해 알 수 없다. ⑤ 갑이 ㉤이 되기 위해 탈사회화를 경험하였는지는 제시문을 통해 알 수 없다.

6 ㉠은 공식적 사회화 기관이며, 2차적 사회화 기관이다. ㉡, ㉢은 비공식적 사회화 기관이며, 2차적 사회화 기관이다. ㉣은 비공식적 사회화 기관이며, 1차적 사회화 기관이다. (가)는 사회화를 목적으로 설립하였으므로 공식적 사회화 기관이며, 기초적인 수준의 사회화를 담당하지 않으므로 1차적 사회화 기관이 아니다. (나)는 사회화를 목적으로 하지 않으므로 비공식적 사회화 기관이며, 기초적인 수준의 사회화를 담당하지 않으므로 1차적 사회화 기관이 아니다. (다)는 사회화를 목적으로 하지 않으므로 비공식적 사회화 기관이며, 기초적인 수준의 사회화를 담당하므로 1차적 사회화 기관이다.

4일 사회 집단과 사회 조직 ❶

기초 유형 연습 74~75쪽

1 ⑤ 2 ④ 3 ⑤ 4 ⑤ 5 ④ 6 ⑤
7 ② 8 ②

1 ⑤ 갑의 저술과 강연 활동에 대한 청년 세대의 지지와 존경은 역할 행동에 대한 보상이지만, 학문 발전을 위해 크게 힘쓴 것은 갑의 역할 행동이다.

선택지 풀이 ① 또래 집단은 비공식적 사회화 기관이자 1차적 사회화 기관이다. ② 사색하는 것을 예기 사회화로 볼 수 없다. ③ 청소년기에 갑이 여러 분야의 서적을 섭렵한 것은 개인의 사회화 과정일 뿐, 재사회화가 아니다. ④ 다른 학자들과 겪은 갈등으로, 둘 이상의 역할이 충돌하는 상황이 아니다.

더 알아보기 사회적 지위와 역할

사회적 지위	귀속 지위	개인의 의지나 노력과 상관없이 선천적으로 주어진 지위
	성취 지위	개인의 의지나 노력에 의해 후천적으로 획득한 지위
역할	지위에 따라 사회적으로 기대하는 행동 양식	
역할 행동	개인이 자신의 역할을 수행하는 구체적인 방식 → 개인마다 역할을 수행하는 방식이 다름	
역할 갈등	한 개인이 동시에 두 가지 이상의 서로 다른 지위에 따른 역할을 수행하고자 할 때, 역할 간에 충돌이 발생하는 것	

2 ㄴ. 대중 매체는 비공식적 사회화 기관이다. ㄹ. 장남은 귀속 지위, 사업가는 성취 지위이다.

선택지 풀이 ㄱ. 취업과 창업 사이에서 고민하는 것은 진로에 대한 고민일 뿐, 역할에서 충돌이 일어나지 않았기 때문에 역할 갈등은 아니다. ㄷ. 장남으로서 역할을 수행한 보상으로 유명한 프랜차이즈 사업가가 될 수 있는 것은 아니다.

3 ㉦은 막내딸을 응원하는 엄마로서의 역할과 남편과의 부부동반 해외여행을 가는 아내로서의 역할이 충돌하는 역할 갈등 상황이다. 그러나 ㉣은 남편과의 갈등으로 역할 갈등으로 보기는 어렵다.

선택지 풀이 ① 남편은 성취 지위, 막내딸은 귀속 지위이다. ② 표창을 받은 것은 소방관으로서의 역할 행동에 대한 보상이다. ③ 방송사는 2차적 사회화 기관이자 비공식적 사회화 기관이다. ④ 소방 공무원 채용은 막내딸의 예기 사회화에 해당한다고 볼 수 없다. 예기 사회화란 미래에 가지게 될 지위에 따른 역할을 미리 배우고 준비하는 과정인데, 소방 공무원 채용은 역할을 미리 배우고 준비하는 과정이 아니라 소방 공무원이라는 지위를 획득하기 위한 시험이기 때문이다.

4 ㄷ. 예기 사회화는 미래에 속하게 될 집단에서 요구되는 행동 양식을 미리 학습하는 과정을 의미한다. 갑이 입사 전 받은 신입 사원 연수는 예기 사회화에 해당한다. ㄹ. 갑의 진로에 대한 고민으로 서로 다른 역할 간 충돌이 발생하지 않으므로 역할 갈등으로 볼 수 없다.

선택지 풀이 ㄱ. 장남은 귀속 지위, 대표는 성취 지위이다. ㄴ. 회사에 합격한 것과 경영인상을 수상한 것 모두 갑의 역할 행동에 대한 보상이다.

5 ㉣은 직장인으로서 회사에 출근을 할지, 부모로서 집에서 아픈 아이를 돌봐야 할지에 대한 고민이다. 이 고민에서는 개인에게 기대되는 두 역할이 충돌하고 있으므로 ㉣은 역할 갈등이다.

선택지 풀이 ① 가족은 1차적 사회화 기관이다. ② 아들은 귀속 지위이다. ③ 회사는 비공식적 사회화 기관이다. ⑤ 승진은 역할 행동에 대한 보상이다.

6 ⑤ 청소년은 개인의 노력이나 업적과 상관없이 자연적으로 갖게 되는 귀속 지위이다.

선택지 풀이 ① 광고 회사는 2차적 사회화 기관이자 비공식적 사회화 기관이다. ② 상사에게 어떻게 말할지에 대한 고민과 부모님과의 갈등은 역할 갈등이 아니다. ③ 스스로 퇴직하기로 한 결정은 역할 행동에 대한 제재가 아니다. ④ 출판 시장에서 좋은 반응을 얻은 것은 갑의 역할 행동에 대한 보상이다.

7 갑은 영화배우로서 맡은 배역을 훌륭하게 연기하기 위해 노력한다. 따라서 ㉡처럼 배역에 몰입하여 생활하는 것은 갑이 ㉠으로서 기대되어지는 역할을 실제로 수행한 역할 행동에 해당한다.

선택지 풀이 ① ㉠은 갑의 성취 지위이지만 ㉣은 일시적으로 수행하는 역할로, 지위라고 보기는 어렵다. ③ ㉢은 갑이 배역에 지나치게 몰입하여 수행한 역할 행동에 대한 제재이다. ④ ㉤은 역할 갈등이 아니라 극중 인물에 지나치게 몰입하여 발생한 혼란 상태이다. ⑤ ㉥은 사회화를 목적으로 하는 기관이 아니기 때문에 공식적 사회화 기관이라고 볼 수 없다.

8 전교 학생회장과 아내는 모두 개인의 노력으로 이룬 성취 지위이다.

선택지 풀이 ① 갑은 청소년 단체에 가입하지 않았으므로, 이 단체에서 사회화를 경험하지 못했다. ③ ㉡은 갑의 역할 행동이다. ④ ㉤은 2차적 사회화 기관에 해당한다. ⑤ 을은 아버지로서의 역할과 교사로서의 역할 사이에서 역할 갈등을 경험하였다. 하지만 갑은 역할 갈등을 경험하지 못하였다.

5일 사회 집단과 사회 조직 ❷

기초 유형 연습 80~81쪽

1 ④ 2 ⑤ 3 ② 4 ④ 5 ② 6 ⑤

1 을이 새 집단에 소속된 지 얼마 되지 않은 시점에서 집단에 적응이 어렵고 낯설었다고 해서 새 집단을 외집단이라고 보기는 어렵다. 외집단은 본인이 소속되어 있지 않고 이질감을 느끼는 집단이다.

선택지 풀이 ① ㉠은 학교, ㉤은 직장이므로 '사회화를 주된 목적으로 하는 기관인가?'라는 질문으로 구분될 수 있다. ② ㉥은 신입생 오리엔테이션, ㉦은 유학 전문 학원으로, 병이 ㉥과 ㉦을 통해 경험한 사회화는 2차적 사회화이다. 그리고 '사회생활에 필요한 기초적인 수준의 사회화인가?'라는 질문에 대해서는 동일하게 '아니요'로 대답하기 때문에 ㉥과 ㉦을 구분할 수 없다. ③ ㉣은 친족, ㉤은 회사로 자연 발생적, 본능적으로 결합된 친족과 달리 회사는 후천적, 인위적으로 결합된 사회 집단이다.

더 알아보기 사회화의 유형

1차적 사회화	유아기에 가족과 주변의 가까운 사람들에 의해 이루어지는 기초적인 사회화로, 인성의 기본 틀을 형성함
2차적 사회화	아동기 이후부터 교육과 훈련, 일상의 경험을 통해 평생 이루어지는 사회화로, 새로운 규범이나 문화 등을 습득하는 과정
예기 사회화	미래에 지위 변화가 예상될 때 미리 그 지위에 따른 역할을 배우고 준비하는 과정
재사회화	사회 변화나 새로운 환경에 적응하기 위해 새로운 행동 방식, 태도, 가치관 등을 학습하는 과정
탈사회화	새로운 환경이나 문화에 적응하려고 사회화된 내용을 버리는 과정

2 갑이 공무원 시험에 합격한 것과 최고의 배우로 인정받고 있는 것은 모두 갑이 공무원 시험 준비생과 영화배우로서 열심히 노력한 역할 행동의 보상이다.

선택지 풀이 ① 갑의 아버지와 공무원이 어떤 관계가 있는지 사례에서는 알 수 없다. ② 진로에 대한 고민은 단순한 고민일 뿐, 역할 갈등이 아니다. ③ 아버지와 영화배우는 모두 성취 지위이다. ④ 대학과 공무원 연수원은 모두 사회화를 목적으로 하는 공식적 사회화 기관이다.

3 A 인터넷 쇼핑몰은 사회화를 목적으로 설립된 기관이 아니지만 사회화가 일어나므로 비공식적 사회화 기관이고, 연기 학원은 전문적인 수준의 사회화를 담당하므로 2차적 사회화 기관이다.

선택지 풀이 ① 연예인 2세는 귀속 지위이며, 가수는 성취 지위이다. ③ 제시된 자료만으로는 시청자 평가단이 갑의 준거 집단인지 여부를 파악하기 어렵다. ④ TV 프로그램에 지원하는 것은 재사회화로 보기 어렵다. ⑤ 가수와 배우 중에서 고민하는 것은 역할 간의 충돌이 아니기 때문에 해당 고민은 역할 갈등에 해당하지 않는다.

4 갑은 소속 집단과 준거 집단이 모두 경영학과였다. 하지만, 을은 소속 집단이 간호학과지만 준거 집단이 언론학과이므로 소속 집단과 준거 집단의 불일치를 겪었다.

선택지 풀이 ① 갑은 공개 채용에 합격하여 역할 행동에 따른 보상은 경험했지만, 갑과 을 모두 제재는 경험하지 못하였다. ② 갑은 신입 사원 연수를 통해 예기 사회화를 겪었으며, 을은 신입생 오리엔테이션을 통해 예기 사회화를 겪었다. 신입 사원 연수와 신입생 오리엔테이션은 모두 전문적인 지식, 기능 등을 교육하는 2차적 사회화 기관이다. ③ 을은 재학 중인 학교를 자퇴했기 때문에 공식적 사회화 기관에 소속되어 있지 않다. ⑤ 갑과 을 모두 역할 갈등을 경험하지 못하였다.

5 대표 이사 자리에서 해임된 것은 기업인으로서의 역할 행동에 대한 제재, 사람들에게 널리 인정받는 것은 기업인으로서의 역할 행동에 대한 보상이다.

선택지 풀이 ① 제시된 자료만으로는 갑의 아버지와 건축학과의 관련성을 알 수 없다. ③ 청소년 수련원은 공식적이고 2차적인 사회화 기관이다. ④ 공식적 사회화 기관은 ㉠, ㉣이고, ㉥은 비공식적 사회화 기관이다. ⑤ ㉦은 단순한 고민으로, 복수의 지위로 인해 겪는 역할 갈등은 아니다.

6 ㉤ 자원봉사자는 갑이 능력이나 노력에 의해 후천적으로 획득한 지위이므로 갑의 성취 지위이다.

선택지 풀이 ① 갑은 현재 ○○방송사를 그만두었기 때문에 ○○방송사를 갑의 내집단이자 준거 집단으로 보기 어렵다. ② 해당 고민은 갑의 진로에 대한 고민으로 서로 다른 역할 간 충돌이 발생하지 않으므로 역할 갈등에 해당하지 않는다. ③ 제시된 자료만으로는 갑이 재사회화를 경험하였다고 단정할 수 없다. ④ 대중의 인기는 갑의 역할 행동에 대한 보상이다.

2주 누구나 100점 테스트

82~83쪽

1 ① 2 ④ 3 ① 4 ② 5 ③ 6 ② 7 ① 8 ⑤

1 가설은 가치 중립적이어야 하며, 변수 간의 인과 관계가 명확해야 하고, 경험적 관찰을 통해 검증할 수 있어야 한다. 이를 충족하는 가설은 ㄱ과 ㄴ이다.

선택지 풀이 ㄷ. '1인 가구의 증가는 기존의 가족 형태를 해체하므로 바람직하지 않다.'는 가치가 개입되어 있기 때문에 조건을 충족하지 않는다. ㄹ. '1인 가구 사람들이 외로움과 고독감을 느끼지 않도록 정부 차원에서 적극적으로 지원해야 한다.'는 변수 간의 인과 관계가 명확하지 않기 때문에 조건을 충족하지 않는다.

2 제시문에 나타난 개인과 사회의 관계를 바라보는 관점은 사회 명목론이다. 사회 명목론은 사회는 개인의 합에 이름을 붙인 것으로 실제로 존재하지 않는다는 관점으로, 사회 현상은 결국 개인의 심리 현상으로 환원된다고 본다.

선택지 풀이 ①, ②, ③, ⑤는 사회 실재론의 관점에 대한 설명이다. 사회 실재론은 사회는 개인의 속성과는 구별되는 독립적인 실체이며, 개인의 외부에 실제로 존재한다는 관점으로, 개인은 사회의 영향을 받아 사고하고 행동한다고 본다.

3 ㉠ 직업 훈련 학교는 사회화 자체를 목적으로 하는 공식적 사회화 기관이다. ㉡ A 중공업(직장), ㉢ 가족, ㉣ 정당, ㉤ 대중매체는 모두 사회화가 부수적으로 이루어지는 비공식적 사회화 기관이다.

4 (가)에서는 사회 변화나 새로운 환경에 적응하기 위해 새로운 행동 양식, 태도, 가치관 등을 학습하는 재사회화가 나타나고 있다. (나)에서는 미래에 속하게 될 집단에서 필요한 행동 양식을 미리 학습하는 예기 사회화가 나타나고 있다.

5 제시된 자료에 나타난 사회화 기관은 직장, 학교, 대중 매체이다. 이는 모두 전문적인 지식이나 정보 등을 사회화하는 2차적 사회화 기관에 해당한다.

선택지 풀이 ① 개인이 최초로 경험하는 사회화 기관은 가족으로, 제시문에는 드러나지 않았다. ② 제시문에서 정서적 만족감은 얻은 사회화 기관은 직장으로, 직장은 비공식적 사회화 기관이다. ④ 제시문에서 재사회화가 이루어지는 기관은 ☆☆대학교로, 2차적 사회화 기관이다. ⑤ 새로운 환경이나 문화에 적응하려고 사회화된 내용을 버리는 것은 탈사회화로, 제시문에서 드러난 부분이 아니다.

6 지위는 개인이 사회 속에서 차지하는 위치로, 귀속 지위와 성취 지위로 구분된다. 이러한 지위에 따라 사회적으로 기대하는 행동 양식을 역할이라고 하며, 같은 지위를 지니고 있더라도 개인마다 역할을 수행하는 방식은 각각 다르다.

선택지 풀이 ① 학생, 회사원은 개인의 의지와 노력을 통해 후천적으로 획득한 성취 지위이다. ③ 역할 행동은 개인이 사회적 역할을 실제로 수행하는 구체적인 방식으로, 같은 지위를 가졌더라도 사람에 따라서 그 역할을 수행하는 방식은 각각 다르다. ④ 여성이 육아와 직장 생활을 놓고 고민하는 사례는 직장인으로서의 지위와 어머니로서의 지위에 따른 역할을 수행하고자 할 때, 두 역할 간에 충돌이 일어난 것으로, 역할 갈등에 해당한다.

7 갑은 역할 행동에 대한 보상으로 새로운 지위를 부여받았다.

선택지 풀이 ㄱ. 갑은 역할 행동에 대한 보상으로 '과장'이라는 새로운 지위를 부여받았다. ㄴ. 갑은 영업부 대리라는 자신의 지위에 따라 기대되는 역할을 잘 수행하여 승진이라는 보상을 받았다. ㄷ. 을은 잘못된 역할 행동에 대해 징계라는 제재를 받은 것이지, 역할 갈등을 겪고 있는 것은 아니다. ㄹ. 을은 성취 지위에 따른 역할 행동이 기대에 미치지 못해 제재를 받았다.

8 ⓜ 문중은 성과 본이 같고 공동의 조상을 지니고 있으며 가깝고 좁은 범위의 혈연 집단으로, 결합 의지에 따라 분류하면 ⓒ 가족과 마찬가지로 자연 발생적인 공동 사회에 해당한다.

선택지 풀이 ① ㉠ 다른 동네 주민은 구성원이 소속감을 느끼지 않으며 이질감을 지니는 외집단에 해당한다. ② ⓛ 우리 동네 주민은 구성원이 소속감을 느끼며 동질감을 지니는 내집단에 해당한다. ③ ⓒ 가족은 대면적 접촉과 친밀감을 바탕으로 구성원 간에 전인격적인 관계를 이루는 1차 집단에 해당한다. 동시에 본질적이고 자연적인 의지에 따라 자연 발생적으로 형성된 공동 사회에 해당한다. ④ ⓔ □□ 군청은 합리적이고 선택적인 의지에 따라 특정 목적을 위해 인위적으로 형성된 사회 집단으로, 이익 사회에 해당한다.

더 알아보기 사회 집단의 유형

접촉 방식과 친밀도에 따른 분류	1차 집단	구성원들이 장기간 직접 접촉하며 친밀한 관계를 형성하는 전인격적인 집단 예 가족, 또래 집단 등
	2차 집단	구성원들이 간접적이고 부분적으로 접촉하며 상호 친밀감이 약한 집단 예 학교, 회사, 정당 등
구성원의 결합 의지에 따른 분류	공동 사회 (공동체)	본질적이고 자연적인 의지에 따라 자연 발생적으로 형성된 집단 예 가족, 친족, 전통적 촌락 공동체 등
	이익 사회 (결사체)	합리적이고 선택적인 의지에 따라 특정 목적을 위해 의도적으로 만들어진 사회 집단 예 학교, 회사, 정당 등
구성원의 소속감에 따른 분류	내집단	개인이 소속되어 있으며 소속감을 느끼고 있는 집단
	외집단	개인이 소속되어 있지 않으면서 소속감을 느끼지 못하는 집단
준거 집단	다양한 사회 집단 중에서 한 개인이 자신의 행동과 판단의 기준으로 삼는 집단	

3주 Ⅱ. 개인과 사회 구조~ Ⅲ. 문화와 일상생활

1일 사회 집단과 사회 조직 ❸

기초 유형 연습 98~99쪽

1 ② 2 ⑤ 3 ② 4 ④ 5 ⑤ 6 ④
7 ⑤ 8 ①

1 팬클럽은 선택 의지에 의해 구성원들이 자발적으로 결성한 사회 집단이므로 자발적 결사체이자 이익 사회에 해당한다.

선택지 풀이 ① 갑이 아이돌 그룹의 멤버인 것은 아니므로, 아이돌 그룹이 갑의 내집단이라고 볼 수 없다. ③ ◇◇ 단체는 전인격적인 인간관계보다 형식적인 인간관계를 바탕으로 한다. ④ △△ 기획사는 댄스 모임과 달리 2차 집단이자 공식 조직이다. ⑤ 예선 탈락과 공개 오디션 합격은 갑의 역할 행동에 대한 결과이다.

2 A는 1차 집단, B는 2차 집단, C는 이익 사회, D는 공동 사회, E는 자발적 결사체이다.

선택지 풀이 ① 특정 목적을 달성하기 위한 인간관계가 나타나는 것은 2차 집단과 이익 사회이다. ② 구성원의 가입과 탈퇴가 자유로운 것은 자발적 결사체이다. ③ 형식적 인간관계가 드러나는 것은 이익 사회와 2차 집단이다. ④ 법적 제재가 주로 적용되는 것은 2차 집단과 이익 사회이고, 관습적 제재가 주로 적용되는 것은 1차 집단과 공동 사회이다. ⑤ 시민 단체와 이익 집단은 모두 자발적 결사체이며 2차 집단이자 이익 사회에 속한다.

3 선택지 풀이 ㄱ. 시민 단체와 학교의 학급은 구성원 간의 선택적 의지에 의해 형성되는 이익 사회이다. ㄴ. 갑~병 모두 자발적 결사체에 소속되어 있다. ㄷ. 을만 비공식 조직에 소속되어 있다. ㄹ. 갑은 가족, 대학원, 시민 단체에, 을은 가족, 노동조합에, 병은 가족, 학교의 학급에 소속되어 있으므로, 갑~병 모두 공동 사회와 공식 조직에 소속되어 있다.

4 국세청과 대학교 총학생회는 특정 목적을 달성하기 위해 형성된 조직으로 구성원의 역할과 책임이 명확하게 구별되므로 공식 조직이다. 이와는 달리 소속된 기획사의 봉사 동아리는 비공식 조직이다.

선택지 풀이 ① 소속된 기획사의 봉사 동아리는 갑의 내집단이나, ○○ 방송국은 갑이 소속된 집단이 아니기 때문에 내집단이 될 수 없다. ② 연예인 야구단은 자발적 결사체이나, 국세청은 자발적 결사체가 아니다. ③ 가족은 1차 집단이나, 총학생회는 1차 집단이 아니다. ⑤ 가족은 공동 사회이나, 방송국과 연예인 야구단은 이익 사회이다.

5 ⓒ만이 비공식 조직이다. 비공식 조직은 공식 조직 내에서 구성원 간 친밀한 인간관계에 바탕을 두고 형성된다.

선택지 풀이 ① 법학 전문 대학원은 자발적 결사체가 아니다. ② 가족은 본질 의지에 의해 결합된 공동 사회이다. ③ 법학 전문 대학원과 노동조합은 모두 공식 조직이다. ④ 구성원 간 직접적 접촉을 통한 전인격적 관계에 기초한 집단은 가족이다.

6 ㉠, ㉢, ㉣은 공식 조직이다. ㉡, ㉣은 자발적 결사체이나, ㉠, ㉢은 자발적 결사체가 아니다.

7 A는 자발적 결사체, B는 비공식 조직, C는 공식 조직이다.

선택지 풀이 ① 자발적 결사체는 1차 집단과 2차 집단의 성격이 공존할 수 있다. ② 비공식 조직은 친분관계를 바탕으로 이루어졌기 때문에 형식적·수단적 인간관계가 지배적이지는 않다. ③ 비공식 조직은 공식 조직에 비해 조직의 규모가 작고, 구성원이 비교적 동질적이다. ④ 구성원의 의지와 무관하게 자연 발생적으로 형성된 집단은 공동 사회로, 공식 조직, 비공식 조직, 자발적 결사체는 모두 구성원의 뚜렷한 의지에 의해 결성된 이익 사회이다.

8 A는 공식 조직, B는 비공식 조직, C는 자발적 결사체이다.

더 알아보기 **자발적 결사체**

구분		내용
의미		공동의 관심사나 이해 관계를 가진 사람들이 공동의 목표를 달성하기 위하여 자발적으로 형성한 조직
특징		자발적 참여를 통한 운영, 자유로운 가입과 탈퇴, 유연하고 융통성 있는 조직 운영
종류	친목 집단	• 오락, 취미 생활 • 취미 모임, 동창회 등
	이익 집단	• 특수한 공통의 이익 추구 • 노동조합, 각종 직능 단체 등
	시민 단체	• 사회 문제 해결, 정치 민주화 등의 공익 추구 • 소비자 단체, 동물 보호 단체 등

2일 일탈 행동

기초 유형 연습 104~105쪽

1 ① 2 ⑤ 3 ② 4 ④ 5 ③ 6 ②

1 갑은 가난에서 벗어날 수단이 없어 건축 자재를 빼돌리는 범죄를 저질렀다. 갑의 사례는 목표는 있으나 수단은 없는 괴리 상태로, 머튼의 아노미 이론에 해당한다. 을은 불량한 친구들과 어울리면서 일탈을 학습하였다. 을의 사례는 일탈자들과 상호 작용을 통해 일탈 행동을 습득한 것으로, 차별적 교제 이론에 해당한다.

선택지 풀이 ④ 급속한 사회 변동으로 인한 규범의 부재를 일탈의 원인으로 보는 것은 뒤르켐의 아노미 이론이다.

더 알아보기 **뒤르켐의 아노미 이론**

구분	내용
일탈 행동의 원인	급격한 사회 변동으로 기존의 지배적인 규범이나 가치관이 무너지고, 이를 대체할 새로운 가치관이 정립하지 않은 혼란한 무규범 상태를 아노미로 규정하고, 사회가 이러한 아노미 상태에 빠질 때 일탈 행동이 증가한다고 설명함.
일탈 행동의 해결 방안	사회적 합의에 바탕을 둔 지배적 규범을 확립하여 사회 통제 기능을 강화해야 함.

2 A는 아노미 이론, B는 차별 교제 이론, C는 낙인 이론이다.

선택지 풀이 ㄱ. 아노미 이론은 일탈 행동의 원인을 사회 구조적인 차원에서 파악하고 있다. ㄴ. 차별 교제 이론과 관련 깊은 속담 또는 사자성어로는 '까마귀 노는 곳에 백로야 가지 마라.', '근묵자흑(近墨者黑): 검은 먹을 가까이 하다보면 자신도 모르게 검어진다.' 등이 있다. ㄷ. 법 위반에 대한 우호적 가치를 습득, 즉 학습하는 것을 일탈 행동의 원인으로 보는 것은 차별 교제 이론이다. ㄹ. 낙인 이론은 최초의 일탈에 대한 주위 사람들의 부정적 반응이 2차적 일탈을 초래한다고 본다. 따라서 일탈 행동에 대한 규정을 신중하게 할 필요가 있다는 것을 강조한다.

3 갑은 머튼의 아노미 이론, 을은 낙인 이론이다.

선택지 풀이 ① 일탈 행동이 타인과의 상호 작용에서 비롯된다고 보는 것은 낙인 이론이다. ③ 머튼의 아노미 이론은 거시적 관점, 낙인 이론은 미시적 관점이다. ④ 낙인 이론은 일탈을 규정하는 객관적 기준이 존재하지 않는다고 본다. ⑤ 일탈 행동에 대한 대책으로 강력한 사회 통제를 강조하는 것은 뒤르켐의 아노미 이론이다.

4 제시문에 나타난 일탈 이론은 머튼의 아노미 이론이다. 머튼의 아노미 이론은 목표와 수단의 괴리가 발생하여 일탈이 일어난다고 말한다.

선택지 풀이 ①, ②, ③은 낙인 이론에 대한 설명이다. ⑤는 차별적 교제 이론의 특징이다.

더 알아보기 **머튼의 아노미 이론**

구분	내용
일탈 행동의 원인	'문화적 목표'와 '제도적 수단' 간의 괴리에 따른 가치관의 혼란 상태를 아노미로 규정하고, 이러한 아노미적 상황에서 비합법적인 수단을 사용해서 문화적 목표를 달성하려고 할 때 일탈 행동이 발생한다고 봄.
일탈 행동의 해결 방안	사회적 목표를 달성할 수 있는 기회를 공평하게 보장하기 위한 제도를 마련하여 아노미가 발생할 수 있는 상황을 막아야 한다고 강조함.

5 A는 낙인 이론, B는 차별적 교제 이론, C는 머튼의 아노미 이론이다.

선택지 풀이 ① 급격한 사회 변동을 일탈 행동의 원인으로 강조하는 이론은 뒤르켐의 아노미 이론이다. ② 차별적인 제재를 일탈 행동의 원인이라고 보는 이론은 낙인 이론이다. ④ 머튼의 아노미 이론은 일탈 행동을 규정하는 객관적인 기준이 존재한다고 본다. ⑤ 낙인 이론은 일탈 행동 자체보다 그에 대한 사회적 반응을 중시한다.

6 A는 낙인 이론, B는 뒤르켐의 아노미 이론, C는 차별 교제 이론이다. 상호 작용을 통한 일탈의 발생에 초점을 두는 것은 낙인 이론과 차별 교제 이론이므로, (가)는 '예', (나)는 '아니요', (다)는 '예'이다.

3일 문화의 이해

기초 유형 연습 110~111쪽

1 ⑤ 2 ④ 3 ④ 4 ④ 5 ④ 6 ⑤ 7 ③

1 ㉠은 문화의 보편성, ㉡은 넓은 의미의 문화, ㉢은 문화의 공유성, ㉣은 비물질문화, ㉤은 문화의 공유성을 드러낸다.

더 알아보기+ 문화의 속성

변동성	문화는 시간이 흐르면서 그 모습이나 내용, 의미 등이 변화함.
공유성	문화는 한 사회의 구성원들이 공통으로 지닌 생활 양식임.
축적성	문화는 상징체계를 통해 다음 세대로 전승됨.
학습성	문화는 타고나는 것이 아니라 후천적으로 습득됨.
총체성	문화는 여러 구성 요소가 상호 유기적인 관련을 맺으면서 부분이 아닌 하나의 전체로서 존재함.

2 검색 결과의 개념 정의에 비추어 볼 때, (가)는 문화의 속성 중 공유성에 해당한다. ㉢의 문화는 넓은 의미의 문화로 사용되었지만, '문화 시민'에서 문화는 좁은 의미의 문화이다. 좁은 의미의 문화는 교양 있거나 세련된 상태를 가리키고, 넓은 의미의 문화는 한 사회의 구성원들이 만들어 낸 공통의 생활 양식을 가리킨다.

3 ㉠은 문화의 변동성과 축적성, ㉡은 문화의 공유성, ㉢은 문화의 학습성, ㉣은 문화의 공유성과 변동성에 해당한다.

4 첫 번째 사례의 현지 언어 습득, 두 번째 사례의 스마트폰 사용법 습득에서 문화의 학습성이 공통으로 부각되어 있음을 알 수 있다.

선택지 풀이 ㄱ. 문화의 축적성을 나타낸다. ㄷ. 문화의 변동성을 나타낸다.

5 A는 자문화 중심주의, B는 문화 사대주의이다. 자문화 중심주의와 문화 사대주의는 공통적으로 문화 간 우열을 평가할 수 있다고 본다.

선택지 풀이 ① 자문화의 정체성을 상실할 우려가 높은 것은 문화 사대주의이다. ② 문화 제국주의로 변질될 가능성이 높은 것은 자문화 중심주의이다. ③ 문화를 해당 사회의 맥락에서 이해하는 것은 문화 상대주의이다. ⑤ 자기 문화의 우수성을 강조하는 것은 자문화 중심주의이다.

더 알아보기+ 문화 이해의 태도

자문화 중심주의	자기 문화를 가장 우수한 것으로 여기면서, 그것을 기준으로 다른 문화를 수준이 낮거나 미개하다고 판단하는 태도 예 이슬람 교도가 돼지고기를 먹지 않은 것을 이상하게 생각하는 것
문화 사대주의	다른 문화의 문화를 우월한 것으로 여기고 추종하면서, 자기 문화를 열등하다고 생각하는 태도 예 조선 시대에 그려진 세계지도인 '천하도'는 중국을 세상의 중심에 두고 있음.
문화 상대주의	어떤 사회의 특수한 자연 환경, 역사적 전통, 사회적 맥락 등을 고려하여 그 사회의 문화를 이해하는 태도
극단적 문화 상대주의	인류의 보편적 가치를 훼손하는 문화까지도 인정하는 태도

6 A는 문화 사대주의, B는 자문화 중심주의, C는 문화 상대주의이다. 문화 사대주의는 자문화의 정체성을 상실할 우려가 있고, 자문화 중심주의는 타문화와의 문화적 마찰을 초래할 가능성이 높다. 반면, 문화 상대주의는 타문화의 고유한 가치를 존중하고 문화 다양성을 유지하는 데 기여한다.

7 갑의 태도는 자문화 중심주의, 을의 태도는 문화 상대주의이다. 자문화 중심주의는 자문화의 정체성이 강하고 다른 문화들을 자신의 문화보다 못한 것으로 평가하며, 타문화의 수용에 소극적이다. 반면 문화 상대주의는 그 사회의 역사와 전통 속에서 문화를 바라보아야 한다고 주장하며, 문화를 평가의 대상이 아니라 이해의 대상으로 본다.

4일 하위문화와 대중문화

기초 유형 연습 116~117쪽

1 ③ 2 ② 3 ③ 4 ③ 5 ③ 6 ④ 7 ④ 8 ⑤

1 구성원 대부분이 공유하는 문화는 주류 문화, 특정 집단에서만 공유하는 문화는 하위문화이다. 하위문화 중에서 지배적 문화에 저항하거나 대립하는 문화는 반문화이다. 따라서 A는 반문화의 성격이 없는 하위문화, B는 주류 문화, C는 반문화의 성격을 지닌 하위문화이다. 범죄 집단의 일탈적 문화는 지배적 문화에 대립되는 반문화에 해당한다.

선택지 풀이 ① 하위문화는 문화의 다양성과 역동성을 강화시킨다. ② 주류 문화는 사회 구성원 간의 연대 의식을 강화한다. ④ A~C의 구분은 시대에 따라 상대적이다. ⑤ 주류 문화는 사회 구성원들 대부분이 함께 공유하는 문화이므로 하위문화의 총합으로 설명할 수 없다.

2 A는 하위문화, B는 반문화이다. 한 사회 내의 일부 구성원들이 공유하는 문화를 하위문화라고 하고, 다양한 하위문화 중 한 사회의 주류 문화를 거부하거나 저항하는 사람들이 공유하는 문화를 반문화라고 한다.

3 A는 반문화, B는 반문화의 성격이 없는 하위문화, C는 주류 문화이다. ③ 반문화를 공유하는 구성원은 주류 문화의 문화 요소 중 일부를 공유한다. 예를 들어, 범죄자 문화를 누리는 범죄자도 그 사회의 언어, 음식과 같은 주류 문화를 공유한다.

선택지 풀이 ① A, B 모두 기존의 지배적인 문화를 대체하기도 한다. ② 반문화는 주류 집단에 의해 일탈로 규정되기도 한다. ④ A~C 모두 해당 문화를 향유하는 구성원들 공통의 정체성 형성에 기여한다. ⑤ A~C 모두 사회에 따라 상대적으로 규정된다.

4 (가)는 인터넷 및 스마트폰의 보급으로 하위문화였던 온라인 게임이 전 세대가 즐기는 주류 문화로 변화하였다는 내용이다. (나)는 청소년의 언어문화가 세대 문화 간의 이질성을 심화시켰다는 내용이다.

선택지 풀이 ① 온라인 게임과 청소년들의 언어문화가 반문화에 해당한다고 보기 어렵다. ② ㉡과 ㉢에서의 문화는 모두 넓은 의미로 사용되었다. ④ 하위문화로 인해 세대 문화 간의 이질성이 약화된 경우를 설명할 때는 (나)보다 (가)의 사례가 적합하다. ⑤ (가)는 특정 하위문화가 기존의 주류 문화에 동화된 경우가 아니라, 특정 하위문화가 주류 문화로 변화된 사례이다.

5 병의 견해 중 '너나 할 것 없이 유명 연예인을 따라 한다.'라는 부분을 통해 대중문화가 개인을 몰개성화시키고 있음을 알 수 있다.

더 알아보기 **대중문화**

의미	한 사회 내에 존재하는 불특정 다수가 공유하는 문화
순기능	• 계층 간 문화적 차이를 줄임. • 사회에 대한 비판적 욕구를 표출하고 공유하는 기회를 제공하여 사회의 민주화에 기여함. • 새로운 여가 문화 및 놀이 문화 확산에 기여함.
역기능	• 생활 양식 및 가치관의 획일화 • 문화의 질적 수준 저하 • 정치적 무관심 조장 • 정보 왜곡 및 여론 조작 가능
대중문화를 수용하는 바람직한 자세	• 대중문화를 비판적으로 성찰하며 주체적으로 활용해야 함. • 건전한 대중문화를 생산하는 역할을 해야 함.

6 A는 라디오, B는 종이 신문, C는 인터넷, D는 TV이다. ④ TV는 종이 신문과 달리 생중계가 가능하므로 정보를 실시간으로 전달할 수 있다.

선택지 풀이 ① 종이 신문이 라디오보다 깊이 있는 정보 전달이 용이하다. ② 인터넷이 종이 신문보다 정보의 확산 경로가 다양하다. ③ TV는 정보 생산자의 전문성이 높은 대중 매체이다. ⑤ 인터넷이나 TV는 복합 감각 정보를 전달할 수 있다.

더 알아보기 **대중 매체**

의미		대량의 정보를 많은 사람에게 전달하는 수단
종류	인쇄 매체	• 활자를 통해 정보를 전달하는 매체 • 복잡하고 깊이 있는 정보 전달에 유리함. • 정보 전달 속도가 상대적으로 느림.
	음성 매체	• 소리를 통해 정보를 전달하는 매체 • 적은 비용으로 정보 전달이 가능함. • 시각 정보를 다루기 어려움.
	영상 매체	• 소리와 영상을 통해 정보를 전달하는 매체 • 다수의 사람에게 동시에 빠른 속도로 공감각적인 정보 전달이 가능함. • 상대적으로 깊이 있는 정보 전달에 한계가 있음.
	뉴 미디어	• 인터넷, 이동 통신 기술 등을 활용하여 다양한 수단으로 정보를 공유하고 소통하는 매체 • 정보의 생산자와 소비자 간 쌍방향 의사소통이 가능함. • 기존 매체보다 신속하게 정보 전달이 이루어짐. • 무책임하고 왜곡된 정보를 양산할 수 있음.

7 A는 인쇄 매체, B는 뉴 미디어, C는 영상 매체이다.

선택지 풀이 ① 정보 전달의 신속성이 빠른 것은 뉴 미디어이다. ② 정보 획득 시 사용 가능한 감각은 뉴 미디어가 더 다양하다. ③ 정보 전달 시 문맹자의 정보 접근 가능성이 더 높은 것은 뉴 미디어이다. ⑤ 정보 전달자와 수용자 간 구분이 명확한 것은 영상 매체이다.

8 A는 뉴 미디어, B는 영상 매체, C는 음성 매체이다.

선택지 풀이 ① 뉴 미디어는 정보 확산의 시·공간적 제약이 작다. ② 영상 매체보다 음성 매체가 청각 정보에 대한 의존도가 높다. ③ 양방향 정보 전달은 뉴 미디어의 특징이다. ④ 주어진 대중 매체는 음성 매체 – 영상 매체 – 뉴 미디어 순으로 등장하였다.

5일 문화 변동 ❶

기초 유형 연습 122~123쪽

1 ③ **2** ② **3** ④ **4** ② **5** ⑤ **6** ①

1 A는 발명, B는 자극 전파, C는 간접 전파, D는 직접 전파이다.

선택지 풀이 ㄱ. 발명은 문화 변동의 내재적 요인이다. ㄹ. ㉠은 '아니요', ㉡은 '예'이다.

2 A는 발견, B는 자극 전파, C는 직접 전파, D는 발명이다. <자료 1>을 통해 새로운 문화 요소가 창조되는 것이 발명과 자극 전파임을 알고, 문화의 내재적 변동과 외재적 변동을 구분할 수 있다. <자료 2>를 통해 (가)는 발견, (나)는 발명, (다)는 직접 전파, (라)는 자극 전파의 사례임을 알 수 있다.

더 알아보기+ 문화 변동의 요인

내재적 요인	발명	그동안 존재하지 않았던 새로운 문화 요소를 만들어 내는 것 예 전화기, 비행기, 인터넷 등
	발견	이미 존재하고 있었지만 알려지지 않았던 것을 찾아내는 것 예 불, 만유인력의 법칙, 바이러스 등
외재적 요인	직접 전파	사람이 다른 문화와 직접 접촉하여 문화 요소가 전해지는 것 예 문익점이 목화씨를 가져와 재배하기 시작한 것
	간접 전파	매개체를 통해 문화 요소가 전해지는 것 예 대중 매체를 통해 한국 문화가 외국에 전파되는 것
	자극 전파	다른 사회의 문화 요소에서 아이디어를 얻어 새로운 문화 요소를 만들어 내는 것 예 한자의 음과 뜻을 이용해 우리말을 표기한 이두

3 (가)는 발견, (나)는 직접 전파, (다)는 발명이다.

선택지 풀이 ㄹ. 을국과 병국 모두 갑국의 문화 요소인 △이 나타난다. 을국은 자국에서 발견된 ☆과 갑국에서 전파된 △이 공존하고 있으며, 병국은 자국에서 발명된 ◇과 갑국에서 전파된 △이 공존하고 있다.

4 '변동의 요인이 외부로부터 왔는가?'의 질문에 긍정하면 문화 변동의 외재적 요인, 부정하면 문화 변동의 내재적 요인이 다. 따라서 ㉠, ㉡은 (가)의 질문에 따라 발명 또는 발견이 된다. '외부 사회의 문화 요소에서 아이디어를 얻어 새로운 문화 요소를 만들었는가?'의 질문에 긍정하는 문화 변동 요인은 자극 전파이므로 ㉤은 자극 전파이다. 반면 질문에 부정할 경우 (나)의 질문에 따라 ㉢, ㉣은 각각 직접 전파 또는 간접 전파가 된다.

선택지 풀이 ① (가)가 '존재하지 않던 문화 요소를 새롭게 만들어냈는가?'일 경우, ㉠은 발명, ㉡은 발견이 된다. 인쇄술은 발명의 사례이므로 ㉠의 사례에 해당한다. ③ 활은 발명의 사례이므로 ㉠을 발명, ㉡을 발견이라고 할 수 있다. 이 때 (가)에 들어갈 질문이 '존재하고 있었으나 알려지지 않았던 문화 요소를 찾아냈는가?'인 것은 적절하지 않다. ④ 전쟁을 통해 설탕이 유럽에 전파된 것은 직접 전파의 사례이므로 ㉢을 직접 전파, ㉣을 간접 전파라고 할 수 있다. 이 때 (나)에 들어갈 질문이 '문화 요소의 전달이 직접 이루어졌는가?'인 것은 적절하지 않다. ⑤ 외국인 선교사에 의해 외래 종교가 전래된 것은 직접 전파이므로 ㉤ 자극 전파의 사례에 적절하지 않다.

5 A는 발명, B는 자극 전파, C는 직접 전파이다. 식민 지배를 통해 정복 국가의 언어가 식민지에 전해진 것은 서로 다른 사회 구성원들 간에 직접적인 접촉 과정에서 문화 요소가 전달된 것이므로 직접 전파이다.

선택지 풀이 ③ 직접 전파에 의해서도 문화 동화가 나타날 수 있다. ④ 누리 소통망(SNS)을 통해 케이 팝(K-Pop)이 다른 나라에 전해진 것은 간접 전파의 사례이다.

6 A는 발명, B는 발견, C는 자극 전파, D는 간접 전파, E는 직접 전파이다. ① 물질문화와 비물질문화 모두 발명을 통해 만들어 질 수 있다.

선택지 풀이 ② 특정 종교의 창시는 발명의 사례이다. ③ 상호 인적 교류가 없는 집단들 간에는 직접 전파를 통한 문화 변동이 이루어 질 수 없다. ④ 간접 전파와 직접 전파 모두 자극 전파의 원인이 될 수 있다. ⑤ 문화 변동 요인은 모두 문화 지체 현상을 초래할 수 있다.

3주 누구나 100점 테스트 124~125쪽

1 ② **2** ④ **3** ② **4** ③ **5** ④ **6** ② **7** ① **8** ⑤

1 (가)에 주어진 질문을 대입하면, A는 이익 사회, B는 공동 사회에 해당한다. 이익 사회의 사례로는 시민 단체, 회사, 학교, 정당 등이 해당하며, 공동 사회의 사례로는 가족, 친족, 전통적 촌락 공동체 등을 들 수 있다.

2 제시된 속담 또는 사자성어와 관련된 일탈 이론은 차별 교제 이론이다. 차별 교제 이론에서는 일탈 집단과의 상호 작용으로 인해 일탈 기술을 학습하고 이에 대한 우호적 가치를 내면화하기 때문에 일탈 행동이 발생한다고 본다. 그러나 일탈 행동을 하는 집단과 접촉했음에도 일탈 행동을 하지 않는 경우를 설명하기 어렵다는 한계가 있다.

선택지 풀이 ㄱ,ㄷ은 낙인 이론에 대한 설명이다.

3 제시된 대화에서 을의 이론은 낙인 이론이다. 낙인 이론은 일탈 행동보다 그에 대한 사회적 반응, 즉 낙인이 부여되는 과정을 중시한다.

선택지 풀이 ① 일탈 행동을 후천적 사회화의 결과라고 보는 이론은 차별 교제 이론이다. ③ 낙인 이론은 일탈에 대한 객관적인 기준이 존재하지 않는다고 본다. ④ 사회적 기회가 차단된 집단의 일탈을 설명하기 용이한 이론은 머튼의 아노미 이론이다. ⑤ 낙인 이론은 자신이 일탈자라는 정체성을 형성함으로서 일탈 행동이 반복적으로 나타난다고 보았다.

4 제시문의 원숭이 생활 양식에는 축적성이 나타나지 않는다.

선택지 풀이 ①, ④는 공유성, ②는 변동성, ③은 축적성, ⑤는 총체성에 해당한다.

5 갑은 문화 상대주의, 을은 자문화 중심주의, 병은 문화 사대주의 태도를 지니고 있다. ④ 특정 문화를 기준으로 문화의 우열을 판단하는 것은 자문화 중심주의와 문화 사대주의이다. 이에 반해 문화 상대주의는 모든 문화가 동등한 가치를 지닌다고 본다.

선택지 풀이 ① 문화 제국주의로 변질될 가능성이 높은 태도는 자문화 중심주의이다. ② 모든 문화가 동등한 가치를 지닌다고 보는 것은 문화 상대주의이다. ③ 자기 문화에 대한 객관적 이해를 가능하게 하는 것은 비교론적 관점이다. ⑤ 자문화 중심주의는 다문화 사회에서 문화 갈등을 초래할 가능성이 높다.

6 천주교가 시간과 공간에 따라 반문화가 되기도 하고 주류 문화가 되기도 한다는 것을 통해 반문화에 대한 규정은 상대적임을 알 수 있다.

7 대중문화는 한 사회 내에 존재하는 불특정 다수가 공유하는 문화를 의미한다.

8 (가)는 인쇄 매체, (나)는 음성 매체, (다)는 영상 매체, (라)는 뉴 미디어에 해당한다.

4주 Ⅲ. 문화와 일상생활~ Ⅴ. 현대의 사회 변동

1일 문화 변동 ❷

기초 유형 연습 140~141쪽

1 ④	2 ①	3 ④	4 ④	5 ②	6 ③

1 A국에서는 문화 병존, B국에서는 문화 동화, C국에서는 문화 융합이 발생하였다. ④ 문화 병존과 문화 융합 모두 자문화의 요소가 유지되므로, A, C국에서는 문화 접변 후에도 자문화 요소가 유지되고 있다.

선택지 풀이 ① 서양의 결혼 예식과 전통 폐백 의례가 결합된 현재 한국의 결혼식은 문화 융합의 사례이다. ② 문화 동화는 강제적 문화 접변뿐만 아니라 자발적 문화 접변을 통해서도 나타날 수 있다. ③ 한국에서 전통 시장과 별도로 온라인 쇼핑몰이 자리 잡은 것은 문화 병존의 사례이다. ⑤ A, B, C국 모두 외래문화 요소를 수용하였다.

2 A국 언어는 B국과 C국에 모두 직접적으로 전달되었다. 하지만 전달되는 과정에서 차이가 있다. B국에서는 강제적 문화 접변을 통해 문화 동화가 발생한 반면, C국에서는 자발적 문화 접변을 통해 문화 병존이 발생하였다.

선택지 풀이 ② C국에서는 자발적 문화 접변이 발생하였다. ③ A국 언어는 B국과 C국에 모두 직접적으로 전달되었다. ④ C국에서는 문화 병존이 발생하였다. ⑤ B국에서는 문화 동화가 발생하였다.

더 알아보기+ 문화 접변의 결과

구분	내용
문화 병존 (문화 공존)	서로 다른 사회의 문화가 한 사회의 문화 속에서 나란히 존재하는 현상 예 필리핀 사람들이 타갈로그어와 영어를 공용어로 쓰는 것
문화 동화	한 사회의 문화가 다른 사회의 문화로 흡수되거나 대체되어 정체성을 상실하는 현상 예 라틴 아메리카의 원주민들이 원래 사용하던 언어 대신 포르투갈어나 에스파냐어를 사용하는 것
문화 융합	서로 다른 사회의 문화 요소가 결합하여, 두 문화 요소의 성격을 지니면서도 두 문화 요소와는 다른 성격을 지닌 새로운 문화가 나타나는 현상 예 우리의 온돌 문화와 서구의 침대 문화가 어우러진 돌침대가 탄생한 것

3 의복 분야에서 전통 의복을 서구식으로 개량한 개량 의복이 만들어진 점, 음식 분야에서 전통 음식과 외래 음식이 결합한 새로운 음식이 등장한 점은 문화 융합에 해당한다.

선택지 풀이 ① 의복 분야에서 전통 의복이 서구식으로 개량되었지만 서구 문화에 완전히 동화된 것이 아니라 고유의 요소가 남아있기 때문에 자기 문화의 정체성이 상실되었다고 볼 수 없다. ② 음식 분야에서는 주변국의 음식 및 조리법이 도입되어 문화 변동이 발생하였다. 따라서 발견이 아니라 외래문화의 전파로 인하여 문화 변동이 발생한 것이다. ③ 문화 지체 현상은 물질문화의 변동 속도에 비해 비물질문화의 변동 속도가 느려서 발생하는 부조화 현상이다. 음식 분야와 주거 분야 모두 문화 지체 현상은 나타나지 않고 있다. ⑤ 의복 분야와 음식 분야에서는 외래문화 요소와 전통 문화 요소가 결합해 새로운 문화 요소가 등장하는 등 물질문화의 변동이 일어났다. 이와 달리 주거 분야에서는 전통 가옥의 형태가 유지되어 물질문화의 변동은 일어나지 않았다. 그러나 신분에 따른 가옥 규모 제한 폐지라는 비물질문화의 변동이 일어났다.

4 ○○국에서 고유 언어와 외래어를 모두 공용어로 사용한다는 것을 보아 A는 문화 병존이다. 또, 서로 다른 두 문화가 결합하여 새로운 문화를 형성했다는 것을 보아 B는 문화 융합이다. 문화 병존은 서로 다른 사회의 문화가 한 사회의 문화 속에서 나란히 존재하는 것이고, 문화 융합은 서로 다른 사회의 문화 요소가 결합하여 두 문화 요소의 성격을 지니면서도 두 문화 요소와는 다른 성격을 지닌 새로운 문화가 나타나는 것이다.

선택지 풀이 ② 문화 병존과 문화 융합은 모두 강제적으로 나타날 수도 있고 자발적으로 나타날 수도 있다. ③ '외래문화의 요소에서 아이디어를 얻어 새로운 문화 요소를 만들어냄.'은 자극 전파의 의미이다. ⑤ 문화 병존과 문화 융합의 공통점은 기존 문화의 정체성이 남아있다는 것이다.

5 전파된 문화 요소인 바게트에 베트남 고유의 음식으로 속을 채워 먹은 것은 문화 융합에 해당하는 사례이다.

선택지 풀이 ① 크루아상이 오스트리아에서 직접 전파된 문화 요소인 것은 드러나지만, 프랑스의 빵이 크루아상으로 대체되었다는 내용은 드러나지 않아 문화 동화의 사례로 볼 수 없다. ③ (가)는 직접 전파의 사례가 나타난다. ④ (나)는 문화 융합의 사례가 나타난다. ⑤ (나)에는 강제적 문화 접변이 드러나지만 (가)에서는 그렇지 않다.

6 두 사례 모두 물질문화의 빠른 변동 속도를 비물질문화의 변동 속도가 따라가지 못해 나타나는 문화 요소 간의 부조화 현상, 즉 문화 지체에 해당한다.

더 알아보기+ 문화 변동의 문제점

문화 지체 현상	물질문화의 빠른 변동 속도를 비물질문화가 따라가지 못하여 발생하는 부조화 현상
아노미 현상	급격한 문화 변동으로 전통적 규범과 가치관을 대체할 새로운 규범과 가치관이 아직 정립되지 못하여 사회가 혼란과 무규범 상태에 빠지는 현상
문화 충격 및 정체성 혼란	급격하게 외래문화가 유입되면서 문화 정체성이 약화되거나 혼란이 생길 수 있음.
집단 간 갈등	새로운 문화 요소가 유입되는 과정에서 이를 받아들여 기존 문화를 대체하려는 집단과 기존 문화를 유지하려는 집단 간에 갈등이 발생할 수 있음.

2일 사회 불평등 현상과 계층

기초 유형 연습 146~147쪽

1 ② 2 ① 3 ① 4 ⑤ 5 ① 6 ⑤
7 ④ 8 ①

1 병은 실제로 경제적, 사회적 측면에서는 상층이지만, 주관적 계층 의식에서는 중층이다.

선택지 풀이 ① 을은 권력과 위신에서 주관적 계층 의식과 실제 계층이 차이를 보인다. ③ 갑과 을이 계급적 연대 의식을 공유하려면 두 사람이 경제적 측면에서 같은 위치에 있어야 한다. ④ 실제 계층에서 갑과 을의 권력 차이의 원인을 재산의 차이로 보는 것은 계급론의 시각이다. ⑤ 실제 계층에서 병은 지위 불일치가 일어나지 않는다.

2 A는 계급론, B는 계층론이다. 계급은 경제적 요인을 기준으로 이분법적으로 사람들의 위치를 구분한 개념이다. 사회 구성원을 자본가와 노동자로 구분하고, 이 두 계급 간의 관계는 적대적이며, 같은 계급에 속하는 사람들끼리는 강한 연대 의식을 갖는다고 본다. 계층은 여러 요인이 복합적으로 작용하여 연속적으로 계층이 범주화된 것으로, 개인 간 여러 지위들이 일치하지 않는 지위 불일치 현상이 나타날 수 있다.

더 알아보기+ 계급론과 계층론

계급론	• 경제적 요인을 기준으로 이분법적·불연속적으로 사람들의 위치를 구분함. • 생산 수단 소유 여부에 따라 자본가와 노동자로 구분함. • 두 계급 간 관계를 적대적으로 파악함.
계층론	• 경제적(계급), 정치적(권력), 사회적(지위) 요인이 복합적으로 작용하여 연속적으로 계층이 범주화됨. • 지위 불일치 현상 설명 가능

3 A는 구분 기준이 생산 수단이므로 계급론, B는 재산, 위신, 권력으로 구분되므로 계층론이다.

선택지 풀이 ㄷ. 갑은 재산, 위신, 권력 측면에서 모두 중층에 해당하여 지위 불일치를 설명하기에 적절하지 않다. ㄹ. 갑과 병은 계급이 달라 계급 의식을 공유할 수 없다.

4 A는 계층론, B는 계급론이다.

선택지 풀이 ㄱ. 동일 집단 구성원 간의 강한 귀속 의식을 강조하는 것은 계급론이다. ㄴ. 지위 불일치 현상을 설명하는 데 적합한 이론은 계층론이다.

5 A는 계급론, B는 계층론이다.

선택지 풀이 ② 현대 사회의 다양한 계층 분화를 설명하기에 용이한 것은 계층론이다. ③ 경제적 불평등이 정치적 불평등을 결정한다고 보는 것은 계급론이다. ④ 사회 계층화 원인을 단일 요인으로 설명하는 것은 계급론이다. 계급론은 사회 계층화의 원인을 생산 수단의 소유 여부, 즉 경제적 요인으로만 설명한다. ⑤ 사회 계층화 현상에서 귀속적 요인의 영향력을 중시하는 것은 계급론이다. 계급론은 가정 배경과 같은 귀속적 요인을 중시한다.

6 제시문의 내용은 생산 수단의 소유 여부뿐 아니라 명예, 위신 등 다른 차원의 불평등도 사회 불평등 현상을 가져오는 점을 강조하고 있으므로 계층론이다.

선택지 풀이 ㄱ. 계급 투쟁을 강조하는 것은 계급론에 해당한다. ㄴ. 사회 불평등을 이분법적으로 파악하는 것은 계급론에 해당한다. ㄷ, ㄹ. 사회 불평등 현상을 다원적 요인이 복합적으로 작용하여 연속적으로 서열화된 것으로 보는 것은 계층론이다.

7 A는 생산 수단의 소유 여부만을 경제적 요인의 기준으로 보기 때문에 계급론, B는 경제적 요인 외에 사회적·정치적 요인도 작용한다고 보기 때문에 계층론이다.

선택지 풀이 ㄱ. 지위 불일치 현상을 설명하는 데 적합한 것은 계층론이다. ㄷ. 정치적 불평등이 경제적 불평등에 종속된다고 보는 것은 계급론이다.

8 A는 계층론, B는 계급론이다.

선택지 풀이 ② 동일 계급에 속한 사람들이 강한 귀속 의식을 가져야 한다고 주장하는 이론은 계급론이다. ③ 위계를 구분하는 기준이 다차원적이라고 보는 것은 계층론이다. ④ 계급론은 계층론과 달리 생산 수단의 소유 여부가 사회 불평등 구조를 결정한다고 본다. ⑤ 계급론보다 계층론이 지위 불일치 현상을 설명하는 데 유리하다.

3일 빈곤과 사회 보장 제도

기초 유형 연습 152~153쪽

1 ⑤ 2 ⑤ 3 ① 4 ① 5 ⑤ 6 ⑤ 7 ⑤

1 A는 절대적 빈곤, B는 상대적 빈곤이다. 절대적 빈곤은 소득이 인간다운 최저 생활을 유지하는 데 필요한 기준에 미치지 못하는 상태이고, 상대적 빈곤은 사회의 전반적인 소득 수준과 대비하여 소득 수준이 낮은 상태이다. 우리나라에서 절대적 빈곤층은 최저 생계비 미만의 소득을 지닌 가구, 상대적 빈곤층은 중위 소득의 50% 미만 소득을 가진 가구로 파악한다.

선택지 풀이 ㄱ. 절대적 빈곤도 선진국에서 나타난다. ㄴ. 상대적 빈곤 가구가 절대적 빈곤 가구에 포함될 수 있으므로, 상대적 빈곤에 해당하는 사람이 절대적 빈곤에 해당할 수 있다.

더 알아보기 빈곤

의미		인간의 기본적 욕구와 관련된 물질적 결핍이 만성적으로 지속되는 경제적 상태
양상	절대적 빈곤	• 소득이 인간다운 최저 생활을 유지하는 데 필요한 기준에 미치지 못하는 상태 • 우리나라에서는 최저 생계비 미만의 소득을 지닌 가구를 절대적 빈곤층으로 파악함.
	상대적 빈곤	• 사회의 전반적인 소득 수준과 대비하여 소득 수준이 낮은 상태 • 우리나라에서는 중위 소득의 50% 미만 소득을 지닌 가구를 상대적 빈곤층으로 파악함.

2 A는 절대적 빈곤, B는 상대적 빈곤이다.

선택지 풀이 ① 해당 국가의 소득 분포를 고려하여 파악하는 것은 상대적 빈곤이다. ② 절대적 빈곤과 상대적 빈곤은 국가의 소득 수준과는 관계없이 나타난다. ③ 절대적 빈곤과 상대적 빈곤 모두 객관화된 기준에 의해 파악되는 개념이다. ④ 절대적 빈곤과 상대적 빈곤의 기준이 다르기 때문에 두 빈곤율의 단순 합이 해당 국가의 전체 빈곤율이 될 수는 없다. 절대적 빈곤층에 속하면서 동시에 상대적 빈곤층에 속하는 가구가 존재할 수도 있기 때문이다.

3 ㄱ. 빈곤율의 차이가 있을 뿐 대부분의 사회에서 절대적 빈곤이 나타난다. ㄴ. 절대적 빈곤선에 해당하는 최소한의 생활 수준이 어느 정도여야 하는지는 사회마다 다르다. 또한, 상대적 빈곤의 기준이 되는 기준선도 중위 소득의 50%(OECD)부터 60%(EU)까지 사회마다 다르게 나타난다.

선택지 풀이 ㄷ. 절대적 빈곤선과 상대적 빈곤선에 따라 사회마다 다르게 나타나므로 상대적 빈곤에 해당하는 사람이 절대적 빈곤에 해당할 수도 있고 아닐 수도 있다. ㄹ.상대적 빈곤선과 절대적 빈곤선에 따라 상대적 빈곤에 속한 인구가 감소하면 절대적 빈곤에 속한 인구가 감소할 수도 있고 아닐 수도 있다.

4 A는 사회 보험, B는 공공 부조이다. 사회 보험은 상호 부조의 원리를 기반으로 하며, 공공 부조가 사회 보험에 비해 소득 재분배 효과가 크다.

선택지 풀이 ㄷ. A, B 모두 금전적 지원을 원칙으로 한다. ㄹ. 국민연금은 사회 보험의 예시이다.

더 알아보기 사회 보장 제도의 특징

공공 부조	• 사후 처방적 성격 • 금전적·물질적 급여 제공 • 국가와 지방 자치 단체가 비용 전액을 부담 • 소득 재분배 효과가 큼. • 수혜자와 부담자의 불일치
사회 보험	• 사전 예방적 성격 • 상호 부조적 성격 • 대상자의 강제 가입이 원칙 • 가입자 개인, 정부, 기업이 공동으로 분담하여 보험료 마련 • 경제적 능력에 따라 보험료 차등 부담 • 위험 발생 시 비슷한 수준의 보험 급여 지급 → 소득 재분배 효과 • 수혜자와 부담자의 일치
사회 서비스	• 비금전적 지원이 원칙 → 자활 능력 함양 • 직접적인 도움을 통해 생활의 어려움 개선 • 공공 부문뿐만 아니라 민간 부문에서도 함께 제공함.

5 발달 장애인 부모 상담 지원 사업은 사회 서비스에 해당한다. 사회 서비스는 국가, 지방 자치 단체 및 민간 부문의 도움이 필요한 모든 국민에게 다양한 분야에서 인간다운 생활을 보장하고 상담, 재활, 돌봄 등을 통하여 국민의 삶의 질이 향상되도록 지원하는 제도이다.

선택지 풀이 ①, ②, ③은 사회 보험에 대한 설명이다. ④는 공공 부조에 대한 설명이다.

6 A는 공공 부조, B는 사회 서비스, C는 사회 보험이다. ⑤ 공공 부조의 수혜 대상자는 빈곤층으로 사회 보험과 사회 서비스보다 대상자 범위가 작고, 공공 부조의 소득 재분배 효과는 사회 보험보다 크다.

선택지 풀이 ① 상호 부조의 성격이 강한 사회 보장 제도는 사회 보험이다. ② 공공 부조는 수혜자 부담의 원칙이 적용되지 않는다. ③ 빈곤층의 최저 생활 보장을 목적으로 하는 사회 보장 제도는 공공 부조이다. ④ 사회 보험은 사전 예방적 성격이 강하다.

7 (가)는 국민 기초 생활 보장 제도로 공공 부조에, (나)는 국민

연금 제도로 사회 보험에 해당한다. ⑤ 강제 가입 원칙이 적용되는 것은 사회 보험이고, 사후 처방적 성격이 강한 제도는 공공 부조이다. (나) 수급자 대비 (가) 수급자의 경우 A 지역은 2.8/4.2이고, C 지역은 3.2/6.4이다. 따라서 A 지역이 C 지역보다 높다.

선택지 풀이 ① 상호 부조의 원리가 적용되는 제도는 사회 보험으로, 이는 (나)에 해당한다. (나)의 A 지역의 수급자 비율은 4.2%이다. ② 선별적 복지의 성격이 강한 제도는 공공 부조로, 이는 (가)에 해당한다. A~C 지역의 전체 인구가 주어져 있지 않기 때문에 B 지역의 수급자 수가 가장 많은지는 알 수 없다. ③ 소득 재분배 효과가 더 큰 제도는 공공 부조로, 이는 (가)에 해당한다. (가)의 A 지역 수급자 비율은 2.8%, B 지역 수급자 비율은 6.0%, C 지역 수급자 비율은 3.2%로 A~C 지역 중 6.0%를 초과하는 지역은 없다. ④ 수혜자 부담 원칙이 적용되지 않는 제도는 공공 부조로, 이는 (가)에 해당한다. A~C 지역의 전체 인구가 주어져 있지 않기 때문에 각 지역의 수급자 수의 크기를 비교할 수 없다.

4일 사회 변동 이론

기초 유형 연습 158~159쪽

1 ①	2 ⑤	3 ③	4 ④	5 ⑤	6 ③
7 ⑤					

1 (가)는 진화론, (나)는 순환론이다. 진화론은 사회 변동을 진보로 인식한다. 하지만 현대 사회가 과거 사회보다 모든 면에서 발전된 것이라고 볼 수 없다는 점에서 한계가 있다.

선택지 풀이 ② 진화론에 대한 설명이다. ③ 미래의 사회 변동에 대한 역동적 대응이 곤란하다는 비판을 받는 이론은 순환론이다. ④ 사회 변동을 긍정적으로 보는 것은 진화론이다. ⑤ 진화론, 순환론과 관련이 없는 설명이다.

더 알아보기+ 진화론과 순환론

진화론	• 사회 변동은 일정한 방향을 가짐. • 사회 변동이 곧 진보를 의미하며 긍정적인 것임. • 사회는 단순하고 미분화된 상태(낡고 비합리적인 것)에서 복잡하고 분화된 상태(새롭고 합리적인 것)를 향하여 변화함. • 현대 사회가 과거 사회보다 모든 면에서 발전된 것은 아니며, 퇴보한 사회를 설명할 수 없음.
순환론	• 사회 변동은 순환(생성, 성장, 쇠퇴, 해체)함. • 사회의 발전과 쇠퇴 가능성까지 설명하고, 지난 역사의 반복되는 사회 변동을 설명하기에 유리함. • 미래 사회의 변동을 예측하는 데 적합하지 않음. • 숙명론에 빠져 인간의 노력을 과소평가한다는 비판이 있음.

2 A는 순환론, B는 진화론이다. ㄷ. 사회 변동이 일정한 방향성을 가지고 있다고 보는 것은 진화론이므로, ㉠은 '아니요', ㉡은 '예'이다. ㄹ. 서구 중심적 사고라고 비판을 받는 것은 진화론이다.

선택지 풀이 ㄱ. 사회 변동을 긍정적으로 바라보는 것은 진화론이다. ㄴ. 사회 변동에 대한 역동적 대응이 곤란하다는 비판을 받는 것은 순환론이다.

3 (가)는 진화론, (나)는 순환론이다.

선택지 풀이 ㄱ. 사회 변동을 동일한 과정의 주기적 반복으로 설명한 것은 순환론이다. ㄹ. 사회 변동 방향을 예측하여 대응하기에 적합한 것은 진화론이다.

4 을 한 사람의 발표만 옳지 않으므로 A는 진화론, B는 순환론이다. A가 순환론, B가 진화론이라면 갑과 정의 발표가 옳지 않게 되기 때문이다. 그리고 (가)에는 옳은 진술이 들어가야 하므로 ㄹ이 옳다.

선택지 풀이 ㄱ. 사회의 쇠락을 설명하기 용이한 것은 순환론이다. ㄷ. 진화론은 사회 변동이 항상 일정한 방향을 가지고 발전한다고 본다.

5 A는 사회가 항상 발전하는 것은 아니라고 보므로 사회의 발전과 쇠퇴를 모두 설명하는 순환론에 해당한다. 순환론은 사회 변동에는 일정한 주기가 있다고 보기 때문에 지난 역사 속에서 반복된 사회 변동을 설명하기 용이하다.

6 A는 순환론, B는 진화론이다.

선택지 풀이 ① 서구 중심적 사고라는 비판을 받는 것은 진화론이다. ② 진화론은 모든 사회에서 사회 변동의 방향이 같다고 본다. ④ 진화론이 순환론보다 미래의 사회 변동 방향을 예측하는 데 유리하다. ⑤ 진화론이 순환론보다 개발도상국의 근대화 과정을 설명하는 데 적합하다.

7 제시문은 문명이 붕괴되거나 해체되며, 그러한 상황에서 새로운 문명이 출현하고, 그 문명 역시 흥망성쇠의 과정을 거친다고 말한다. 이와 같은 관점은 순환론의 관점이다.

선택지 풀이 ① 사회 변동을 유기체의 진화 과정에 비유하는 것은 진화론이다. ② 사회가 단선적이고 표준화된 경로를 따라 발전한다고 보는 관점은 진화론이다. 진화론은 사회가 모두 같은 방향으로 발전한다고 본다. ③ 진화론과 순환론 모두 제3 세계 국가의 지속적인 저발전 상태를 설명하지 않는다. ④ 서구 제국주의를 정당화하는 논리가 될 수 있다는 비판을 받는 것은 진화론이다.

5일 저출산·고령화 및 정보화

기초 유형 연습 164~165쪽

1 ④ 2 ② 3 ① 4 ③ 5 ⑤ 6 ①
7 ①

1 ㄱ. 출산율이 감소하므로 정부는 출산 장려 정책을 마련할 것이다. ㄴ. 노인 관련 정책이 확대될 것이다. ㄹ. 15~64세 인구에 대한 65세 이상 인구의 비율이 증가하므로 부양 부담이 증가할 것이다.

선택지 풀이 ㄷ. 총 인구수를 알 수 없기 때문에 2010년과 2015년의 15~64세 인구수는 알 수 없다.

더 알아보기+ 저출산·고령화의 영향과 대응 방안

영향	• 생산 가능 인구의 감소에 따른 노동력 부족 및 소비 위축 → 경제 성장 둔화 • 부양 인구 감소 → 복지 지출 증가로 인한 정부의 재정 건전성 악화 및 부양 부담을 둘러싼 세대 간 갈등 심화 • 인구 및 산업 구조의 변화 → 노인층을 대상으로 한 새로운 산업의 성장 • 사회적 의사 결정 과정에서 노인층의 영향력이 증대됨. • 노후 소득 감소로 인한 노인 빈곤 문제 발생
대응 방안	• 출산·양육에 대한 사회적 책임 강화 • 일·가정 양립을 위한 제도적 지원 강화 • 노인의 재취업 기회 확대 • 노후 소득 보장을 위한 연금 제도 개선 • 고령화에 따른 산업 구조 개편 • 외국인 노동자 수용 확대 • 출산과 양육의 중요성을 인식함. • 육아에 대한 책임이 부부 모두에게 있음을 인식함. • 젊은 시절부터 노후를 대비할 수 있는 대책을 마련함.

2 ㄱ. 갑국의 15~64세 인구는 1998년이 70%, 2008년이 65%, 2018년이 60%이다. 1998년 유소년 인구 비율이 노년 인구 비율의 2배이므로 유소년 부양비도 노년 부양비의 2배이다. ㄷ. 전체 인구가 변하지 않는 상황에서 15~64세 인구의 비율이 1998년에 70%에서 2018년에 60%로 감소했으므로 15~64세 인구도 감소했음을 알 수 있다.

선택지 풀이 ㄴ. 1998년의 유소년 인구 비율이 20%이고, 15~64세 인구 비율이 70%이므로, 15~64세 인구가 더 많다. ㄹ. 2008년 대비 2018년의 65세 이상 인구 증가율은 10%p이다.

3 A는 농업 사회, B는 정보 사회, C는 산업 사회이다.

선택지 풀이 ㄱ. 사회적 관계를 맺는 공간적 제약은 농업 사회가 정보 사회보다 크다. ㄴ. 비대면 접촉에 의한 상호 작용 정도는 농업 사회가 산업 사회보다 작다. ㄷ. 정보의 생산자와 소비자 간 경계는 정보 사회보다 산업 사회가 분명하다. ㄹ. 가정과 일터의 분리 정도는 산업 사회가 정보 사회보다 크다.

더 알아보기+ 농업 사회, 산업 사회, 정보 사회 비교

가정과 일터의 분리 정도	산업 > 정보 > 농업
관료제 조직의 비중	산업 > 정보 > 농업
구성원의 비대면 접촉 정도	정보 > 산업 > 농업
구성원 간의 익명성 정도	정보 > 산업 > 농업
사회 변동 속도	정보 > 산업 > 농업
사회의 다원화 정도	정보 > 산업 > 농업
직업의 동질성 정도	농업 > 산업 > 정보
의사 결정의 분권화 정도	정보 > 산업 > 농업

4 제시문은 정보 사회에서 지식과 정보의 공유가 활발해지고 있음을 설명하고 있다.

5 자료는 사물인터넷(IOT)의 다양한 이용 사례이다. 사물인터넷으로 시공간적 제약이 감소하고, 생활의 편리성과 효율성이 높아진다. 하지만 개인 정보 유출이나 감시와 통제의 수단으로 악용될 수 있다는 문제점이 있다.

6 정보 격차는 새로운 정보 기술에 접근할 수 있는 능력의 정도에 따라 경제적·사회적 격차가 나타나는 현상이다. 갑국의 정책을 통해 네트워크 인프라가 확충되면 지역 간 정보 접근 격차가 완화될 것으로 기대할 수 있다.

7 인터넷 중독의 해결 방안으로는 인터넷 중독 예방 및 치료 프로그램 제공이 있다. 정보 통신 서비스의 접근성 향상은 정보 격차의 해결 방안이다.

4주 누구나 100점 테스트 166~167쪽

1 ③ 2 ⑤ 3 ④ 4 ② 5 ① 6 ①
7 ③ 8 ④

1 제시문에는 다른 사회의 문화 요소에서 아이디어를 얻어 새로운 문화 요소를 만들어 내는 자극 전파가 나타나 있다. 또한 서구식 패션은 선교사로부터 전파된 것이므로 직접 전파이며, 강제로 이루어지지 않았다.

선택지 풀이 ㄱ. 발견은 제시된 사례에서 드러나지 않았다. ㄹ. 선교사로부터 서구 문화가 전파되었으므로 직접 전파이다. ㅂ. 강제적으로 문화 변동이 일어나지 않았다.

2 제시문의 '이를 규제할 도덕적 규범의 통제력이 약하여, 이로 인한 문제가 심각해지고 있다.'는 내용을 통해 급속한 사회 변동으로 아노미 현상이 발생했음을 알 수 있다.

3 ㉠은 계급, ㉡은 계층이다. 계급은 경제적 자원의 보유 여부에 따라, 계층은 다양한 측면에서 사회 불평등을 설명한다.

선택지 풀이 ㄱ. 다양한 요인에 의해 사회 불평등이 나타난다고 보는 것은 계층이다. ㄷ. 이분법적, 불연속적으로 사회 불평등을 인식하는 것은 계급이다.

4 ㄱ. 경제가 성장하면서 사회의 전반적인 생활 수준이 향상되면 절대적 빈곤보다 상대적 빈곤 문제가 더 심각해지고 그로 인한 상대적 박탈감이 사회 문제가 될 수 있다.

선택지 풀이 ㄴ. 절대적 빈곤율이 감소하는 것은 빈곤 탈출 가구가 많아서 그런 것인지, 최저 생계비 기준이 낮아져서 그런 것인지 알 수 없다. ㄷ. 2005년에는 상대적 빈곤율이 절대적 빈곤율보다 낮다.

5 A는 공공 부조, B는 사회 보험, C는 사회 서비스이다.

선택지 풀이 ① 사회 보험은 사전 예방적 성격이 강하나, 공공 부조는 사후 처방적 성격이 강하다. ② 대상자의 수혜 정도에 따른 비용 부담을 원칙으로 하는 것은 민간 보험 상품이다. ③ 강제 가입을 원칙으로 하는 것은 사회 보험이다. ④ 사회 보험, 공공 부조 모두 소득 재분배 효과가 있다. ⑤ 수혜 대상자의 범위가 가장 좁은 것은 공공 부조이다.

6 A는 진화론, B는 순환론이다.

선택지 풀이 ㄷ. 진화론은 사회 변동을 긍정적으로 본다. ㄹ. 진화론은 사회 변동을 진보와 발전이라고 본다.

7 고령화로 인해 청장년층의 노인 인구 부양 부담이 증가할 것이다.

8 정보 사회에서는 통제와 감시의 우려가 있다. 이로 인해 개인의 자유가 제한될 수 있으므로, 이에 대한 감시망이 필요하다.

선택지 풀이 ① 정보 오남용에 따른 대응 방안은 해당 정보가 사실에 근거하고 있는지 파악하는 것이다. ② 악성 루머 유포에 따른 대응 방안은 처벌 조항을 마련하는 것이다. ③ 정보 격차에 대한 대응 방안은 정보 인프라를 확대하는 것이다. ⑤ 개인 정보 유출에 따른 대응 방안은 처벌 조항을 마련하는 것이다.

Memo

정답은
이안에
있어!